MYSTIQUES PAULINIENNE
ET
JOHANNIQUE

LES GRANDS MYSTIQUES
Collection publiée sous la direction du R. P. CAYRÉ, A.A.

~

MYSTIQUES
PAULINIENNE
ET
JOHANNIQUE

PAR

Joseph HUBY S. J.

Deus caritas est
Christus est veritas
St Jean

[Paris]

[1940]

DESCLÉE DE BROUWER

IMPRIMATUR
Lutetiae Parisiorum
die 1ª julii 1946
A. Leclerc, v. g.

NIHIL OBSTAT
die 19 junii 1946
René d'Ouince, s. j.

INTRODUCTION

*Il est toujours délicat de donner comme titre à l'étude
de la pensée d'un auteur ou d'un aspect de cette pensée
un terme dont il ne s'est pas servi et qui n'était pas en
usage à son époque. On court le risque de prêter à cet
auteur des préoccupations qui lui sont restées étrangères.
La difficulté s'accroît quand le terme en question n'est
pas compris de la même façon par tous ceux qui l'emploient.
C'est le cas quand on parle de la « mystique » ou du
« mysticisme » de saint Paul et de saint Jean* [1].

---

1. Nous trouvons chez les anciens l'adjectif μυστικός, « qui
concerne les mystères » (le Nouveau Testament ne l'a pas employé),
le verbe μυέω, « initier aux mystères » (un exemple au passif dans
saint Paul, *Phil.*, IV, 12, mais en un sens large, sans référence à des
mystères religieux), le substantif μυστήριον (21 ex. dans saint Paul,
non selon l'acception classique de « culte réservé à des initiés »,
mais au sens de « secret divin maintenant révélé, touchant le plan
du salut du monde par le Christ », sauf en *Eph.*, V, 32, où il peut
se traduire par « symbole »). Il n'y a pas en grec de substantif de
même racine répondant au français « mysticisme », ni l'adjectif
μυστικός ne s'emploie substantivement (τὸ μυστικόν) pour signifier
« la mystique ». Avec les Pères, l'adjectif « mystique » s'introduit
dans la langue chrétienne, soit pour désigner tout ce qui touche au
mystère de l'autel (cf. H. DE LUBAC, *Corpus Mysticum*, Paris, 1944,
p. 45 sq.), soit pour qualifier, chez les Alexandrins, « une connaissance des vérités de la foi plus profonde, plus parfaite, à ne pas
communiquer indistinctement à tous, cette *gnose* qui est le privilège
du chrétien parfait »: J. DE GUIBERT, *Leçons de Théologie spirituelle*,
t. I, Toulouse, 1943, p. 12, citant ORIGÈNE, *In Ioannem*, I, 30 et XIII,
25 : *P. G.*, XIV, 84 et 400, où *mystique* est joint à *ineffable*, ἀπόρρητος.
D'après Dom Cuthbert BUTLER, *Western Mysticism*, 2ᵉ éd., London,
1927, p. 6-7, la première application de l'adjectif « mystique » aux
formes les plus élevées de l'union de l'âme avec Dieu est due au
Pseudo-Denys l'Aréopagite (vers la fin du Vᵉ siècle ou le début du VIᵉ) :
il a intitulé *Théologie mystique* un petit traité de l'union intime,

Les uns entendent les mots au sens large. Ils prennent comme objet de la mystique paulinienne ou johannique cette réalité surnaturelle fondamentale qui ne tombe pas sous les sens, en quoi consiste l'appartenance du chrétien à Jésus-Christ ou à Dieu [1] : ils n'intègrent pas dans leur définition comme élément essentiel « l'intuition de Dieu présent » dans l'âme [2], ou, selon une autre formule, « le sentiment immédiat, sans inférence, de la présence de Dieu à l'intérieur de l'âme », la conscience expérimentale de la grâce, les états « mystiques » tels que les ont décrits saint Jean de la Croix et sainte Thérèse d'Avila [3]. Dans cette première conception toute union réelle, ontologique, de l'âme avec le Christ et Dieu est « mystique », indépendamment des sentiments et des émotions que peut éprouver le sujet.

D'autres auteurs, quand ils traitent de « mystique » ou de « mysticisme », prennent les mots dans un sens plus strict ; ils font entrer dans la définition qu'ils en donnent un élément d'expérience, « intuition de Dieu présent », prise de conscience expérimentale de la vie de la grâce dans l'âme.

Saint Paul et saint Jean ont ignoré ces discussions et ces distinctions. Leur attention était tournée vers ce

plus ou moins extatique, de l'âme avec Dieu. Bien que ce traité ait été de bonne heure traduit en latin et répandu en Occident, le terme ancien de « contemplation » continua à y prédominer et ce ne fut que vers la fin du moyen âge que « mystique » devint d'un usage courant. Quant à « mysticisme », c'est un mot moderne ; LITTRÉ (1882) le donne comme un néologisme.

1. Ainsi WIKENHAUSER, *Die Christusmystik des heiligen Paulus* (Biblische Zeitfragen), Münster i. W., 1928, et A. SCHWEITZER, *Die Mystik des Apostels Paulus*, Tübingen, 1930.

2. Expression du P. MARÉCHAL, *Études sur la psychologie des Mystiques*, t. I, 2e édition, Louvain, 1938, p. 124.

3. Citons seulement comme exemple ce témoignage personnel de sainte THÉRÈSE, *Château intérieur*, 7e demeure : « Cette personne voit clairement que les Trois Personnes (divines) sont dans l'intérieur de son âme et dans l'endroit le plus intérieur comme dans un abîme très profond ».

qui était l'essence de la vie chrétienne, sa réalité ontologique, les conditions de sa naissance et de son développement. Ils ne se sont pas proposé de décrire des états privilégiés ni d'en construire une théorie. Cependant cette vie
dans le Christ qu'ils nous faisaient connaître dans ses
traits essentiels, se reflétait, s'engageait dans des expériences
plus ou moins hautes. On trouvera donc chez eux, outre
les enseignements fondamentaux sur la condition chrétienne, des indications sur son côté expérimental qui
ouvriront la voie à l'élaboration de la théologie mystique.
C'est toute cette complexité que nous comprendrons sous
le titre de « Mystique paulinienne » et de « Mystique
johannique ».

Nous étudierons d'abord chez ces deux auteurs la vie
chrétienne dans ses éléments essentiels, qui doivent se
retrouver chez ceux-là mêmes qui sont objet de grâces
mystiques privilégiées ; puis nous verrons si les écrits pauliniens et johanniques nous ouvrent quelque jour sur ces
faveurs spéciales. Dans le cas de saint Paul, à l'examen
de sa doctrine spirituelle nous joindrons celui de son
expérience personnelle : sa richesse demande qu'elle soit
étudiée à part.

Chacune des deux parties, « mystique paulinienne » et
« mystique johannique », sera suivie d'un florilège des
principaux textes se rapportant aux sujets traités.

---

1. Le P. FESTUGIÈRE, dans *L'Enfant d'Agrigente*, Paris, 1941,
p. 125, note 1, se déclarait prêt à approuver qu'on élargît de la sorte
l'amplitude des vocables « mystique » et « mysticisme » pour les
appliquer à saint Paul et à sa doctrine.

EXPOSÉ DOCTRINAL

LIVRE I : LA MYSTIQUE PAULINIENNE

PREMIÈRE PARTIE

EXPOSÉ DOCTRINAL

LIVRE I : LA MYSTIQUE PAULINIENNE

CHAPITRE PREMIER

L'INITIATION CHRÉTIENNE

Saint Paul n'a pas qu'un mot pour désigner les adeptes de la religion du Christ. Il les nomme tour à tour « les saints », « les sanctifiés », « les bien-aimés de Dieu », « les fidèles », « les appelés », « les frères saints et fidèles ». La dénomination de « chrétiens » a été forgée de son temps à Antioche [1], mais l'invention doit en être attribuée aux gens du dehors qui caractérisaient ainsi ceux qui suivaient la « voie » nouvelle [2]. L'Apôtre ne s'en est pas servi.

Aux appellations que nous venons d'indiquer, il ajoute souvent cette détermination : « dans le Christ Jésus ». A parler le langage paulinien, la vie chrétienne, c'est équivalemment la vie « dans le Christ Jésus ».

La formule « dans le Christ Jésus »

Pour définir cette vie de façon plus précise, nous ne prendrons pas comme amorce de développement l'analyse de cette formule « dans le Christ (Jésus) » ou de son analogue, « dans le Seigneur (Jésus) ». Saint Paul a fait de ces expressions un usage très fréquent : Deissmann en a compté 164 exemples dans les épîtres [3],

---

1. *Act.*, XI, 26.
2. Outre *Act.*, XI, 26, le terme de « chrétien » se trouve dans *I Pierre*, IV, 16, et sur les lèvres du roi juif Hérode Agrippa II, *Act.*, XXVI, 28.
3. DEISSMANN, *Die neutestamentliche Formel « in Christo Jesu »*, Marburg, 1892.

et encore laisse-t-il de côté les lettres aux Éphésiens,
aux Colossiens et les Pastorales. Si dans les locutions
pauliniennes « ἐν Χριστῷ (’Ιησοῦ) », « dans le Christ
(Jésus) », « ἐν Κυρίῳ (’Ιησοῦ) », « dans le Seigneur
(Jésus), » la préposition ἐν avait toujours ou le plus
souvent le sens local, on pourrait y voir l'expression
de cette doctrine que les chrétiens sont dans le Christ
Jésus comme dans un milieu qui les pénètre et les
vivifie, sauf à faire remarquer que le Christ n'est pas
un être indéterminé, une atmosphère ou un fluide
impersonnels, comme l'air pour les oiseaux ou l'eau
pour les poissons, mais un être personnel, le Seigneur
ressuscité et glorifié. Mais la préposition ἐν est susceptible d'exprimer une relation beaucoup moins définie
qu'un sens local ou analogue au sens local. Outre
les cas où quand il s'agit d'une opération de Dieu
« dans le Christ » ou de bienfaits célestes à nous accordés
« dans le Christ » la préposition ἐν est quasi synonyme
d'un « *par* » instrumental [1], dans nombre d'autres
exemples qui concernent les rapports du Christ avec
les Églises ou les chrétiens, « il faut sous-entendre
une relation quelconque du fidèle au Christ personnel :
de foi, enseignement, prédication et espérances, etc. [2] »
Dans plusieurs de ces exemples la formule pourrait
être remplacée par le simple adjectif « chrétien », et
celui-ci « peut indiquer n'importe quel rapport avec le

---

1. Cf. WIKENHAUSER, *Die Christusmystik des heiligen Paulus*, p. 11
Entre autres exx. il cite *II Cor.*, v, 19 : « Dieu s'est réconcilié le monde
dans le Christ, *i. e.* par le Christ »; cf. 18 : « Dieu nous a réconciliés
avec lui par (διά) le Christ ». On pourrait cependant attribuer à ἐν
ce sens plus complexe, que si la réconciliation a été opérée *par* le
Christ, elle reste *en* lui comme un trésor, un mérite auquel nous pouvons participer.

2. CERFAUX, *La Théologie de l'Église suivant saint Paul*, Paris,
1942, p. 174. Voir aussi OEPKE dans le *Theologisches Wörterbuch
zum N. T.* (Kittel), t. II, col. 537-538.

Christ et les choses du Christ [1] ». Les cas où la formule est prise au sens fort et signifie un rapport d'union au Christ, en tant qu'il est dans le baptisé principe d'une vie nouvelle, sont à déterminer chaque fois d'après le contexte. Les seuls mots « dans le Christ » ou « dans le Seigneur » ne suffisent pas à le marquer. C'est l'ensemble de la doctrine paulinienne qui éclairera la formule suivant les cas plutôt que la formule ne définira la doctrine.

Au lieu donc de partir d'une ou deux formules dont le sens en plus d'un passage peut prêter à discussion et n'apparaît pas nettement défini [2], nous nous appuierons sur un plus large exposé de la théologie paulinienne, tel qu'il ressort de l'ensemble des épîtres.

La justification

Le tableau de la vie chrétienne dans saint Paul présente deux aspects successifs, qu'on peut désigner par les deux mots de *justification* et de *sanctification*. La justification est l'acte instantané par lequel l'homme passe de l'état de péché, d'hostilité contre Dieu, à l'état de grâce, d'amitié divine. La sanctification est le développement, la croissance, au cours de la vie chrétienne, de cette sainteté reçue dans la justification. Ce ne sont pas deux choses hétérogènes pas plus que le grain de blé, semé en terre, n'est hétérogène à la tige qui croît et monte en épi.

La justification rend l'homme juste aux yeux de Dieu, elle le fait participer à la justice de Dieu, à cette

1. *Ibid.*, p. 175. — Ainsi dans *Rom.*, XVI, 2, la recommandation de recevoir Phoebé *dans le Seigneur* équivaut à la recevoir chrétiennement, à lui donner chrétiennement l'hospitalité.

2. Voir les réserves de Cerfaux, *op. cit.*, p. 172-175, sur l'emploi de cette méthode par Deissmann, *op. cit.;* Wikenhauser, *op. cit.*, p. 9-16; Tr. Schmidt, *Der Leib Christi*, Leipzig, 1919, p. 73-91.

parfaite rectitude qui fait que Dieu est exactement ce qu'il doit être. La justice de Dieu est proprement le bien de Dieu, où l'homme ne peut être introduit que par grâce. Notre justice vient donc de Dieu par un acte de sa bienveillance gratuite : par aucun exploit de sa volonté naturelle, qu'il s'agisse de l'accomplissement des œuvres de la loi mosaïque ou des prescriptions de la loi morale inscrite dans la conscience, l'homme ne peut la mériter comme l'ouvrier mérite son salaire [1]. A l'origine de l'œuvre du salut, individuel et collectif, il y a l'amour de Dieu, gratuit, vivant, spontané, sans autre motif que cet amour même, non la réponse à un appel de l'homme, mais l'élan inconditionné de la bonté divine, de l'*agapè*. A la conception païenne de l'*érôs*, qui est aspiration de l'inférieur vers le supérieur, de l'imparfait vers le parfait, du pauvre vers le riche, le christianisme substitue celle de l'*agapè*, qui est descente du supérieur vers l'inférieur, du riche vers le pauvre, de l'Infini vers le fini [2]. Cette bonté se manifeste avec d'autant plus d'éclat qu'elle ne se porte pas sur des êtres qui auraient gardé l'intégrité de leur nature, telle qu'au sortir des mains du Créateur, mais

---

1. *Gal.*, II, 16 ; *Rom.*, III, 20, 28 ; IV, 1 sq. ; *Eph.*, II, 8.
2. Cf. Max SCHELER, *L'homme du ressentiment*, trad. fr., p. 68 sq. ; A. NYGREN, *Éros et Agapè*, trad. fr., Paris, 1944, p. 219 sq., 235. — Cette descente de Dieu vers l'homme allant jusqu'à l'Incarnation n'est concevable que si la matière n'est pas chose mauvaise par nature ; sinon, il y aurait non pas descente, mais chute, dégradation. Pour Plotin comme pour les gnostiques qui regardaient la matière comme mauvaise en soi, l'Incarnation était impensable. A cette première difficulté une autre s'ajoute chez Plotin, tirée de sa conception de la divinité. « Le trait fondamental de la conception plotinienne de Dieu est, précisément, que le divin *se suffit à lui-même* et ne sort pas de son sublime repos. Il n'y a pas trace d'un abaissement spontané... Pour Plotin, quiconque s'abaisse vers ce qui est inférieur, le fait toujours *involontairement*. L'abaissement est une preuve de faiblesse et atteste l'incapacité de demeurer dans une position supérieure ; il ne peut, par conséquent, être le fait d'une vie divine » : NYGREN, *op. cit.*, p. 219.

sur des pécheurs, sur des ennemis, sur des impies [1]. Juifs et païens appartiennent à une humanité qui depuis la désobéissance du premier homme est sous la domination du péché [2]. A ce péché d'origine s'ajoutent pour les convertis auxquels s'adressait saint Paul les péchés actuels que tous ont commis alors qu'ils faisaient les volontés de la chair et de ses désirs mauvais [3]. « Il n'y a point de distinction. Tous ont péché et sont privés de la gloire de Dieu » [4], de cette splendeur, de ce rayonnement de sa sainteté que Dieu communique à ceux qui l'approchent. La bonté de Dieu est assez riche pour se porter sur des êtres qui n'y ont aucun droit ; son amour est assez libre et assez fort pour créer en eux ce qui les rend dignes d'être aimés [5].

La rédemption opérée par le Christ, culminant dans sa mort sur le Calvaire, a été la manifestation la plus éclatante de l'*agapè* divine. Dans l'œuvre de la rédemption Dieu se montre tout ensemble juste en exigeant la réparation du péché, et miséricordieux en n'exigeant pas cette réparation de l'homme lui-même, mais en acceptant le sacrifice du Christ qui expie

---

1. *Rom.*, v, 8 : « Dieu prouve son amour pour nous en ce que, alors que nous étions encore pécheurs, le Christ est mort pour nous », « pour des impies » (ɣ. 6).

2. *Rom.*, v, 12 sq.

3. *Eph.*, II, 1-3 ; *Col.*, I, 21 ; II, 13 ; III, 7.

4. *Rom.*, III, 23.

5. Comme le fait remarquer l'indianiste J. Bacot, c'est par cette doctrine de la grâce que « diffèrent principalement, en dépit des ressemblances... les mystiques orientales et chrétiennes. Elles ne sont pas sur le même plan de départ. L'expérience mystique orientale est une expérience provoquée ; son progrès est déterminé comme celui d'une expérience de laboratoire. Bien menée, avec toutes ses exigences, elle ne peut que réussir. La doctrine, sauf dans l'Inde moderne, ne comporte ni grâce, ni don gratuit. L'homme arrive par l'effort ascétique à supprimer l'écran qui lui masque le soleil. Il en est alors éclairé inévitablement, sans que le soleil le veuille ou même le sache » : Préface au livre de S. Lemaitre, *Le Mystère de la Mort dans les Religions d'Asie*, Paris, 1943, p. VII-VIII.

pour nous en mourant sur la croix [1]. L'homme pécheur était radicalement impuissant à offrir à Dieu une réparation qui pût effacer son péché, à se rétablir par sa seule initiative dans l'amitié divine. Pour déchoir, il lui suffit de se laisser entraîner par le poids de sa convoitise, de cette « loi qui est dans ses membres » et qui s'oppose à l'attrait vers le bien ; pour remonter la pente, sortir de cette prison du péché où il s'est lui-même emmuré, il lui faut le secours de ce même Dieu qu'il a offensé. Sa rentrée dans l'amitié divine ne peut être qu'une rentrée « en grâce », un effet de la miséricorde du Père céleste. Dieu qui est le maître de ses dons, l'est aussi de son pardon.

Dieu nous a réconciliés avec lui dans le Christ [2], qui a payé le prix, la rançon de notre libération [3]. Dieu l'a exposé à nos yeux comme victime de propitiation en son sang [4] : par sa mort sur la croix il a expié nos péchés. En considération de ses mérites, Dieu a effacé notre dette de pécheurs ; il l'a clouée à la croix qui portait son Fils [5]. La valeur du sacrifice de la croix demeure acquise et active dans le Christ glorifié. Ce trésor d'expiation, l'homme peut le faire sien par *la foi* [6] et ainsi offrir à Dieu une réparation digne de lui.

La foi paulinienne

La foi pour saint Paul, la *pistis* comme il la désigne, est quelque chose de très riche et complexe, qui engage

---

1. C'est tout cela que comprend « la justice de Dieu » dans saint Paul, en tant qu'attribut divin : justice au sens propre qui exige réparation du péché, et volonté miséricordieuse de sauver les hommes, en accord avec les promesses faites aux patriarches. Voir notre commentaire de l'Épître aux Romains (collection *Verbum Salutis*), p. 62 sq.

2. *II Cor.*, v, 18-19.
3. *I Cor.*, vi, 20 ; vii, 23.
4. *Rom.*, iii, 25.
5. *Col.*, ii, 14.
6. *Rom.*, iii, 25.

l'homme tout entier, cœur et esprit. Elle est l'adhésion
à un mystère, adhésion fondée sur des signes divins,
miracles, prophéties, manifestations visibles de l'Esprit-
Saint par les charismes et les conversions, mais cette
adhésion est en même temps un hommage d'obéissance, une allégeance , les deux se conditionnant
réciproquement. Ce mystère, auquel l'homme, sollicité
par la grâce, donne son assentiment, c'est essentiellement le Christ, Fils de Dieu, qui après avoir pris
la nature humaine avec toutes ses infirmités, sauf le
péché, et s'être fait obéissant jusqu'à la mort sur la
croix, est maintenant le Seigneur glorifié, digne de toute
adoration au ciel, sur la terre et dans les enfers [2]. L'hommage d'obéissance est la libre soumission de l'homme
à cette personne divine, « le don total qu'il fait de lui-
même au Dieu Sauveur » [3] : ce qui lui assure «une prise
de possession anticipée de tous les bienfaits divins [4] ».

Prise dans toute sa complexité et sa richesse, la *pistis*
paulinienne comprend l'espérance et l'amour de Dieu :
ces dispositions sont moins des attitudes à distinguer
de la *pistis* que des caractères, des aspects de cette foi
qui est essentiellement la condition du chrétien ici-bas :
« le juste vivra par la foi [5] ». Pour saint Paul la foi
exprime l'entière collaboration de l'activité humaine
à l'œuvre divine du salut, mais une collaboration de

---

1. *Rom.*, I, 5; XV, 18; XVI, 26.
2. *Phil.*, II, 7-11. — Saint Paul résume la foi chrétienne dans cette
formule qui contient tout le mystère divin : « Si tu confesses de
bouche que Jésus est Seigneur et si tu crois dans ton cœur que Dieu
l'a ressuscité des morts, tu seras sauvé » (*Rom.*, X, 9).
3. F. PRAT, *Saint Paul* (collection *les Saints*), Paris, 1922, p. 130.
— Voir aussi les articles de J. MOUROUX, *Remarques sur la foi dans
saint Paul*, dans *Rev. Apol.*, 1937, p. 129-145 ; 281-299.
4. *Ibid.*
5. *Rom.*, I, 17; *Gal.*, III, 11; *Hébr.*, X, 38. — A comparer *la pistis*
et *l'agapè*, la première exprime directement l'adhésion de l'âme à
Dieu, sans référence explicite à l'amour fraternel, tandis que plus
ordinairement la seconde signifie expressément cet amour.

telle nature que cette activité humaine ne se met en branle que parce que Dieu le premier la sollicite et lui donne impulsion. L'homme ne se donne au Souverain Bien que par l'attirance même de ce Souverain Bien : la foi est une grâce [1], elle est la réponse à un appel, réponse qui elle-même ne serait pas donnée si Dieu ne la suggérait à l'intime de l'âme et n'y inclinait la volonté.

Foi et baptême

Cette foi qui introduit l'homme dans la voie du salut, prend corps, forme concrète, dans l'acte du baptême. Quand il parle de ce sacrement, saint Paul s'adresse à des adultes qui, ayant entendu prêcher l'Évangile, se sont convertis à la religion du Christ. Leur foi s'est manifestée comme une valeur authentique, d'inspiration divine, parce qu'ils se sont fait baptiser et par là se sont unis au Christ Sauveur, suivant le commandement que lui-même avait donné. Pour eux, la justification n'est pas conçue indépendamment du rite où la foi s'exprime et se détermine [2]. Le baptême, expression concrète de la foi, du don que l'homme fait de lui-même au Christ, est donc d'une importance capitale, puisqu'il est la porte qui ouvre la voie du salut. Multiples sont ses effets, car il engage toute l'économie chrétienne. Au cours de ses épîtres, saint Paul a signalé ces richesses doctrinales, mettant en relief tantôt tel aspect et tantôt tel autre, sans se préoccuper de les réunir dans un seul tableau. En recueillant ses enseignements, essayons d'en faire la synthèse.

---

1. *Eph.*, II, 8-9.
2. S'il y a des cas où l'homme est justifié avant d'avoir reçu le baptême, cette justification reste cependant en dépendance du baptême, en tant qu'elle implique le désir, au moins implicite, de ce sacrement : ceci est une conséquence de la doctrine paulinienne que l'apôtre n'a pas explicitée.

Le baptême, participation à la mort et à la résurrection du Christ

Au chapitre VI (ῥῥ. 3-11) de l'épître aux Romains, qui est le passage le plus important où saint Paul ait parlé du baptême, il nous le présente comme produisant deux effets : il remet les péchés et il infuse dans l'âme du néophyte une vie nouvelle. Il ne faut pas cependant y voir deux résultats *successifs*, comme s'il y avait dans un premier moment rémission des péchés et dans un second infusion d'une nouvelle vie. Tout se passe en un instant : l'invasion de la grâce divine expulse le péché. Le baptême est baptême « au Christ » (εἰς Χριστόν) : il nous unit au Christ glorifié qui par sa mort a effacé le péché et par sa résurrection est cause de notre entrée dans la justice des enfants de Dieu [1]. Pas plus que dans la justification du néophyte nous ne pouvons séparer rémission des péchés et entrée de la grâce, nous ne pouvons dans l'œuvre de rédemption accomplie par le Christ disjoindre Passion et Résurrection. Une mort sur le Calvaire qui n'aurait pas été suivie du triomphe de Pâques aurait été sans efficacité et « nous serions encore dans nos péchés [2] ». Pour saint Paul, la crucifixion et la résurrection sont moins deux événements séparés qu'un mystère à deux faces, l'une temporaire, mais nécessaire, l'autre glorieuse et définitive [3]. « Le Christ est mort au péché

---

1. *Rom.*, IV, 25 : « Jésus, notre Seigneur, a été livré pour nos fautes (en vue de les effacer) et il est ressuscité pour notre justification (en vue de nous la procurer) ».

2. *I Cor.*, XV, 17.

3. La liturgie primitive exprimait fortement cette unité du mystère de la rédemption. Jusqu'au IVe siècle, la fête de Pâques était à la fois la fête de la Passion et de la Résurrection, la Passion étant considérée comme « le passage » *(transitus)* à la Résurrection. La fête remplissait les cinquante jours qui vont de Pâques à la Pentecôte : cf. Dom Odo CASEL, *Art und Sinn der ältesten christlichen Osterfeier* dans le *Jahrbuch für Liturgiewissenschaft*, 1938, p. 1 sq.

une fois pour toutes ; maintenant il vit pour Dieu [1] »
et en Dieu, éternellement.

Le baptême nous associe à cet unique mystère de
la mort et de la résurrection du Christ et nous en approprie les fruits. « Nous avons été ensevelis avec le Christ
par le baptême qui nous unissait à sa mort, afin que
comme le Christ est ressuscité des morts par la puissance
éclatante de son Père, nous marchions nous aussi dans
une nouveauté de vie [2] », dans la lumière et la joie d'une
nouvelle création. « Si quelqu'un est dans le Christ,
c'est une créature nouvelle. Le passé a disparu ; c'est
maintenant un monde nouveau [3]. » Notre vieil homme,
celui qui était sous la domination du péché, asservi
à la convoitise déréglée, à cette loi qui dans nos membres
s'oppose à la loi de Dieu, a été crucifié avec le Christ [4] :
« il est mort avec lui de cette mort douloureuse par
laquelle le Christ a détruit le péché [5] ». Le corps a été
enlevé à cette tyrannie des passions mauvaises qui en
font « un corps de péché [6] » et « de mort [7] », c'est-à-dire
un corps que le péché habite et voue à une mort qui
serait le prélude de l'éternelle condamnation.

Purifié, lavé, sanctifié par le baptême [8], le chrétien
est en même temps libéré de « la puissance des
ténèbres [9] », dont son péché l'avait rendu esclave. Le
péché, qui est offense à Dieu, parce qu'il est trans-
gression de sa volonté, est aussi pour saint Paul sub-
ordination aux démons et à la chair. « Entre les deux
idées il y a une relation organique étroite, puisque la

---

1. *Rom.*, VI, 10.
2. *Rom.*, VI, 4.
3. *II Cor.*, V, 17.
4. *Rom.*, VI, 6.
5. LAGRANGE, *Épître aux Romains*, p. 146.
6. *Rom.*, VI, 6.
7. *Rom.*, VII, 24.
8. *I Cor.*, VI, 11.
9. *Col.*, I, 13.

révolte de l'homme contre Dieu a pour cause directe la séduction exercée par Satan[1] et constitue ainsi une adhésion des hommes à sa révolte. A ce double élément du péché correspond, en vertu d'une nécessité logique, le double aspect de la sotériologie paulinienne. Pour que le péché soit effacé, il faut en effet et que Dieu pardonne et que l'homme, devenu esclave des démons, soit affranchi de leur domination[2]. » Par sa croix le Christ a triomphé des Principautés et Puissances démoniaques[3] et le baptisé est associé à ce triomphe : l'arrachant à la puissance des ténèbres, Dieu l'a transplanté dans le royaume de son Fils bien-aimé[4].

Cette mort du chrétien au péché est en même temps une résurrection, non une simple rénovation morale, mais une vie nouvelle, le don d'une nouvelle nature qu'anime un principe nouveau et qui, à la ressemblance du Christ, doit s'épanouir en résurrection glorieuse. Saint Paul compare l'adhésion au Christ à l'union qui joint au tronc le rameau greffé, union si intime que le rameau n'a plus d'autre vie que celle du tronc. « Si nous sommes devenus un avec le Christ (σύμφυτοι), — comme greffés sur lui, — par une mort semblable à la sienne, nous le serons aussi par une semblable résurrection[5]. » Le Christ est un : nous ne pouvons être unis à sa mort sans participer à sa résurrection. La vie nouvelle commencée ici-bas est le prélude et le gage de la résurrection glorieuse ; elle met en nous l'aspiration et l'aptitude à cette conformité finale avec le Christ. « Pour nous, notre patrie est au ciel, d'où nous attendons comme Sauveur le Seigneur Jésus-Christ,

---

1. *II Cor.*, XI, 3.
2. GOGUEL, *La Mystique paulinienne*, dans la *Revue d'Hist. et de Phil. religieuses*, année 1931, p. 205.
3. *Col.*, II, 15.
4. *Col.*, I, 13.
5. *Rom.*, VI, 5.

qui transfigurera notre corps de misère, le rendant
semblable à son corps glorieux, par l'efficacité de la
puissance qu'il a de se soumettre toutes choses [1]. »

Quand l'Apôtre considère la vie nouvelle, son regard
se porte d'emblée sur cette conformité avec le Christ
glorifié. On ne voit pas chez lui s'exprimer explicitement
la doctrine qui tiendra une place si importante dans
la théologie postérieure, par exemple dans les Caté-
chèses mystagogiques de saint Cyrille de Jérusalem
ou dans la doctrine spirituelle de saint Grégoire de
Nysse : par le baptême s'inaugure la reconquête de
l'état primitif d'Adam, la récupération des privilèges
de l'homme innocent [2]. Saint Paul, il est vrai, n'a pu
parler de la vie dans le Christ comme d'une nouvelle
création [3], « sans percevoir l'analogie avec la création
du premier homme. Celui-ci, un jour aussi, était sorti
des mains de Dieu dans la fraîcheur et la sainteté.
Le chrétien retrouve la sainteté de la vérité, la justice
primitive ; il est tout entier l'œuvre de Dieu, sans péché
ni mensonge (*Eph.*, IV, 24) [4] ». Mais saint Paul ne développe pas ni même ne formule en termes exprès l'idée
d'un retour à l'état d'Adam innocent ; tourné vers
l'avenir, engagé dans le nouvel âge du monde [5], dans
l'*éon* définitif qu'a inauguré la venue du Christ, on
ne voit pas poindre en lui la nostalgie du Paradis perdu.
Quand il compare Adam et le Christ, c'est pour les

---

1. *Phil.*, III, 20-21 ; cf. *Phil.*, III, 10-11 ; *Rom.*, VIII, 23, 29 ; *I Cor.*,
XV, 49. — « Il est impossible, note le théologien protestant FRIDRICH-
SEN, de retrouver ici simplement des idées empruntées aux mystères
hellénistiques » : *Revue d'Hist. et de Phil. religieuses*, 1937, p. 351.
2. Voir Jean DANIÉLOU, *Le Symbolisme des Rites baptismaux*,
dans la revue *Dieu Vivant*, n° 1, Paris, 1945, p. 1 sq. ; *Platonisme et
Théologie mystique, Essai sur la doctrine spirituelle de saint Grégoire
de Nysse*, Paris, 1944, p. 90 sq.
3. *II Cor.*, V, 17.
4. CERFAUX, *op. cit.*, p. 49.
5. « Sur nous est venue la fin des temps », l'ère messianique,
I Cor., X, 11.

mettre en contraste et faire ressortir par cette opposition
la supériorité du Christ : Adam a introduit dans le monde
le péché et la mort ; le Christ est la source de la grâce
et de la vie éternelle [1] ; le premier Adam a été créé
doué d'une âme qui ne pouvait par elle-même le sous-
traire à la mort ; le Christ, second et dernier Adam,
est devenu esprit vivifiant, ayant triomphé de la mort
par sa résurrection et capable d'en faire triompher
tous les autres qui auront foi en lui ; le premier homme était issu de la terre, fait de limon, tandis que le
second vient du ciel. Après avoir porté l'image de
l'homme terrestre, c'est à l'homme céleste, au Christ
glorieux, que nous devons ressembler [2].

Est-il besoin d'ajouter que cette union du baptisé
au Christ n'est pas celle qui relie les disciples à un
maître disparu, simple persistance d'une influence
historique, de l'élan imprimé à la pensée humaine
par un Platon ou un Aristote, mais contact actuel avec
le Christ ressuscité, contact d'un Vivant avec un vivant.
On peut l'appeler « mystique », si on entend par là
une union réelle, d'ordre surnaturel, mais qui reste
mystérieuse et cachée ; on ne lui appliquera pas cette
épithète, si on prend le mot « mystique » dans un
sens plus étroitement circonscrit, où l'on fait entrer
un élément de perception directe, une prise de conscience expérimentale de la présence du Christ dans
l'âme [3]. Car les effets du baptême, rémission des péchés

1. Cf. le parallèle dans *Rom.*, v, 12-19.
2. Cf. le parallèle dans *I Cor.*, xv, 45-49.
3. La même distinction est faite par Dom Anselme STOLZ, *Théologie
de la mystique*, trad. fr., Chevetogne, 1939, p. 49-50 : « Au sens large
on peut qualifier de mystique l'union au Christ conférée par le baptême. Toute mystique, en effet, tend à l'union à Dieu ; pour le baptisé,
celle-ci est devenue, jusqu'à un certain point, une réalité dans le
sacrement, et est le fondement de cette autre union avec le Christ
plus étroite qui est proprement appelée par la tradition union mystique. Toutefois, celui-là est réellement appelé mystique qui, loin
de laisser inactive l'union à Dieu reçue dans le sacrement de baptême,

et infusion d'une vie nouvelle, sont produits par le rite lui-même, réellement et objectivement, sans qu'il soit nécessaire que la conscience les perçoive directement; le sacrement opère indépendamment des sentiments plus ou moins vifs de paix et de joie que l'adulte baptisé peut éprouver. La seule disposition requise, c'est la foi au Seigneur Jésus, impliquant la ferme conviction que par la vertu divine communiquée au baptême, celui-ci produira son effet.

La grâce de la filiation divine

Ce principe nouveau, qui anime le baptisé, est participation à la vie du Christ : « Dieu est fidèle qui vous a appelés à la communion de vie avec son Fils, Jésus-Christ notre Seigneur [1] ». Il ne s'agit pas de la simple association morale de deux personnes qui, tout en se faisant part de leurs pensées et de leurs aspirations, vivent cependant chacune de sa vie propre et restent en leur tréfonds impénétrables l'une à l'autre. Le Christ communique au baptisé sa propre vie; plus profondément que la conscience claire, il atteint la substance de l'âme, la source même d'où jaillissent les pensées, les désirs et les vouloirs. « Ce n'est plus moi qui vis », le vieil homme a été crucifié avec le Christ; « c'est le Christ qui vit en moi [2] », qui me fait vivre de sa vie. Communion implique divinisation.

La vie que le Christ nous communique est sa vie de Fils de Dieu, devenu par son incarnation le *premier-né* de frères nombreux [3]. S'il porte ce titre de « premier-né » de l'humanité nouvelle régénérée par la

---

développe au contraire cette énergie nouvelle jusqu'à ce qu'il parvienne à « éprouver » la réalité de Dieu ».

1. *I Cor.*, I, 9.
2. *Gal.*, II, 20.
3. *Rom.*, VIII, 29.

grâce, c'est précisément parce que, possédant en propre la filiation divine, il nous la communique, il fait de nous des Fils de Dieu. Pour nous cette filiation est une adoption [1], en ce sens qu'elle est pure grâce, l'homme n'ayant par nature aucun droit à entrer dans la famille divine, mais cette adoption n'est pas simplement juridique comme l'adoption humaine qui confère des droits légaux au nom, à l'héritage, sans qu'il y ait transformation vitale du sujet adopté : l'adoption divine met en nous une réalité profonde, une vie nouvelle. Cette vie étant une vie de fils, l'attitude fondamentale du chrétien dans ses rapports avec Dieu sera une attitude filiale. Nous avons rappelé plus haut que la justification est destruction du péché par invasion de la grâce ; cette grâce étant communication de la filiation divine, il faut dire plus précisément que nous ne cessons d'être pécheurs qu'en devenant fils de Dieu. C'est dans le Fils, identifiés en quelque sorte avec lui, que nous pouvons nous adresser à Dieu comme à notre Père [2], que nous avons accès auprès de Lui en toute assurance (παρρησία) [3] et que nous entrons en relation avec l'Esprit-Saint. « Or, si nous sommes enfants, nous sommes aussi héritiers : héritiers de Dieu, cohéritiers du Christ [4] », entrant avec lui en possession du bien familial, lequel n'est pas la succession d'un mort, comme dans les héritages terrestres, mais Dieu lui-même, l'éternel Vivant.

L'effusion de l'Esprit

Saint Paul ne sépare pas du baptême qui nous communique la filiation divine, l'effusion de l'Esprit.

---

1. *Rom.*, VIII, 15 ; *Gal.*, IV, 5-6.
2. *Rom.*, VIII, 15 ; *Gal.*, IV, 5-6.
3. *Eph.*, III, 12 ; cf. *Rom.*, V, 2.
4. *Rom.*, VIII, 17 ; cf. *Gal.*, IV, 7.

Même si on rapporte cette effusion à un rite distinct, l'imposition des mains, ce rite est pour l'Apôtre étroitement lié au baptême. On le voit nettement par un incident survenu pendant son séjour à Éphèse. Il y rencontra une douzaine de disciples de Jean-Baptiste qui, n'ayant pas reçu le baptême chrétien, ignoraient l'existence de l'Esprit-Saint. Pour les initier au christianisme, saint Paul tout ensemble les baptise et fait descendre sur eux le Saint-Esprit [1]. Cet Esprit, qui est l'Esprit du Père et du Fils [2], est le lien qui nous unit à ces deux personnes de la Trinité. Il vient dans nos cœurs comme une effusion de l'amour de Dieu pour nous [3], il nous confère l'adoption filiale [4], imprime dans nos âmes la ressemblance avec le Christ, Fils de Dieu [5], et c'est mus par lui que nous apprenons à nous conduire comme des fils à l'égard de Dieu le Père. « Tous ceux qui sont mus par l'Esprit de Dieu, ceux-là sont fils de Dieu. En effet vous n'avez pas reçu un esprit de servitude, — un tempérament d'esclave, — pour retomber dans la crainte, mais vous avez reçu un esprit d'adoption filiale, — d'enfance véritable, — qui nous fait nous écrier : *Abba!* Père! L'Esprit lui-même se joint à notre esprit pour attester que nous sommes enfants de Dieu [6]. » Esprit de sainteté, il marque les baptisés à la manière d'un sceau qui signe leur appartenance à Dieu [7] et leur garantit sa

---

1. *Act.*, XIX, 1-7.
2. Dans *Rom.*, VIII, 9-14 saint Paul emploie l'une et l'autre appellation : « Esprit du Christ » (ỹ. 9) ; « Esprit de Celui qui a ressuscité Jésus », c'est-à-dire du Père (ỹ. 11) ; « Esprit de Dieu », c'est-à-dire du Père (ỹ.ỹ. 9, 14).
3. *Rom.*, V, 5.
4. *Rom.*, VIII, 15-16 ; *Gal.*, IV, 6.
5. Cf. *Rom.*, VIII, 29.
6. *Rom.*, VIII, 14-16.
7. *Eph.*, I, 13 ; IV, 30 ; cf. *II Cor.*, I, 22.

protection[1] ; il les lui consacre comme des temples[2]. Et cette consécration atteint le chrétien individuellement jusque dans son corps. « Ne savez-vous pas que votre corps est le temple de l'Esprit-Saint qui est en vous, que vous avez reçu de Dieu, de sorte que vous ne vous appartenez plus ? Vous avez été achetés, payés comptant (le prix a été le sang du Christ) : glorifiez donc Dieu dans votre corps[3]. » « Pour le chrétien, l'affirmation revêt une signification profonde : les corps promis à la résurrection s'enveloppent déjà d'une vie supérieure, divine ; ils en reçoivent la sainteté des lieux de culte[4]. »

Bien que saint Paul ne mentionne pas la formule du baptême « au nom du Père, du Fils et du Saint-Esprit[5] », on voit cependant que dans sa doctrine l'initiation baptismale a pour effet d'établir des rapports spéciaux entre le baptisé et chacune des personnes divines : « rapport de filiation à l'égard du Père, rapport de consécration à l'égard du Saint-Esprit, rapport d'identité mystique avec Jésus-Christ[6] ». Le schème trinitaire, d'après lequel s'ordonnent la préparation et la réalisation du plan du salut, ce dessein du Père, réalisé par le Christ, scellé et ratifié par l'Esprit[7], se retrouve présider à la vie individuelle du chrétien, depuis le baptême jusqu'à sa consommation dans l'éternité, où Dieu, Père, Fils et Saint-Esprit, sera « tout en tous[8] ».

---

1. *Eph.*, I, 14 ; IV, 30.
2. *I Cor.*, III, 16 : « Ne savez-vous pas que vous êtes le temple de Dieu et que l'Esprit de Dieu habite en vous ? » Saint Paul a directement en vue la communauté chrétienne, d'où l'Esprit se communique aux individus en tant qu'ils font partie du groupe. Au contraire, le texte de *I Cor.*, VI, 19, que nous citons ensuite, s'applique directement aux chrétiens pris individuellement : cf. CERFAUX, *op. cit.*, p. 121.
3. *I Cor.*, VI, 19.
4. CERFAUX, *op. cit.*, p. 122.
5. *Matth.*, XXVIII, 19.
6. PRAT, *Théologie de saint Paul*, II, p. 386.
7. *Eph.*, I, 3-14.
8. *I Cor.*, XV, 28.

L'insertion dans l'Église

Ce n'est pas le seul effet du baptême d'établir le
néophyte dans des relations nouvelles avec Dieu. Il
atteint l'homme socialement[1]. Il l'agrège à un peuple
nouveau, « l'Israël de Dieu[2] », dont le premier Israël
n'était que la figure et la préparation, il le fait membre
d'un organisme spirituel, « du Corps du Christ qui
est l'Église[3] ». C'est même la fin première du baptême
de créer les sujets d'un peuple saint : il est ordonné
à constituer l'Église. Dans l'intention divine, c'est
l'Église comme société, comme tout, qui est première ;
elle n'existe pas, il est vrai, sans les sujets qui la com-
posent, mais parmi ceux-ci il en est qui individuellement
pourront faillir à leur vocation, l'Église en tant que corps
du Christ ne périra pas. C'est en elle, l'Israël nouveau,
que se réalisent les promesses faites à l'Israël ancien.
C'est elle, comme société, peuple de Dieu, qui recueille
les droits à l'héritage des biens célestes[4]. Le chrétien
n'adhère donc au Christ et ne devient « héritier de
Dieu[5] », appelé à posséder sa vie et sa gloire, que parce
qu'il entre dans la communauté chrétienne, devient
membre du Corps mystique. « C'est par cette incorporation que chacun reçoit l'adoption filiale et se trouve
vivifié par l'Esprit-Saint. Le fait premier est de nature
sociale[6] ». L'épître aux Ephésiens (v, 23-32) marque

---

1. Cf. H. DE LUBAC, *Catholicisme*, Paris, 1938, p. 51-55.
2. *Gal.*, VI, 16.
3. *Col.*, I, 24.
4. Cf. CERFAUX, *L'Église et le Règne de Dieu d'après saint Paul*,
dans les *Ephemerides Theologicae Lovanienses*, II (1925), p. 186-187.
5. *Rom.*, VIII, 17.
6. H. DE LUBAC, *op. cit.*, p. 52-53. — Ce fait a été reconnu et
nettement exprimé par le professeur protestant FRIDRICHSEN, *Église
et sacrement dans le Nouveau Testament*, dans la *Revue d'Hist. et
de Phil. religieuses*, année 1937, p. 348 : « La foi, là où elle naît sous
l'action de la Parole, est dès lors plus qu'une conviction intellectuelle
et une attitude de vie ; elle signifie en même temps l'admission dans

nettement cette priorité de l'Église, comme société issue du Christ, sur les âmes individuelles. C'est pour l'Église que le Christ s'est livré, « afin de la sanctifier en la purifiant par le bain d'eau qu'une formule accompagne », c'est-à-dire par l'ablution du baptême comme par un bain prénuptial. C'est l'union du Christ et de l'Église, son épouse, et non directement l'union du Christ et de l'âme, que symbolise le mariage. Saint Paul nous fait ainsi comprendre que la grâce du Christ ne descend sur le baptisé qu'en raison de son insertion dans l'Église. Comme nous le verrons dans la suite, il en est du fait dernier, l'entrée dans la gloire céleste, comme du fait premier, l'initiation baptismale : le terme répond au commencement. Ce n'est pas à part et isolé que chacun des élus possédera Dieu : la possession même de cet unique et indivisible héritage sera le lien de leur union. Ils seront encore l'Église, la triomphante.

Le baptême, principe d'unité

En agrégeant de nouveaux membres à la communauté, le baptême, loin de la diviser, ne fait que manifester et promouvoir son unité, car c'est la communication à la même et unique vie divine du Christ qui est donnée à tous. Pour combattre l'esprit de parti qui avait suscité dans la communauté de Corinthe des coteries se réclamant de différents prédicateurs, Paul, Apollos, Céphas [1], l'Apôtre rappelle aux Corinthiens le fait de leur baptême. « Est-ce au nom de

---

l'église par le baptême, le passage radical du monde de Satan à l'empire du Christ, de l'ancien au nouvel éon. Foi et baptême forment chez saint Paul une unité indissoluble ; il ne connaît pas d'autre christianisme que celui de l'église qui se constitue par le baptême », et p. 351 : « L'individu baptisé réalise sa vie nouvelle en tant que membre de l'Église, dans l'unité vitale de la communauté ».

1. *I Cor.*, I, 12.

Paul que vous avez été baptisés ? [1] » Non, c'est au nom
du Christ. Tous les baptisés lui sont reliés par une
même relation d'appartenance totale, tous ont été
identiquement associés à sa mort, unique pour tous [2],
afin de ressusciter à une vie nouvelle. Cette unité qui
la constitue, la communauté chrétienne doit la manifester ; introduire dans l'Église la division, l'esprit de
schisme, équivaut à vouloir diviser, morceler le Christ
lui-même [3].

Ce caractère unifiant du baptême est déjà marqué
dans son prototype de l'Ancien Testament, dans l'événement qui pour saint Paul l'a préfiguré : le passage
de la Mer Rouge. « Je ne veux pas vous laisser ignorer,
frères, que nos pères, — nos ancêtres israélites, — furent
tous sous la nuée, qu'ils passèrent tous au travers
de la mer, qu'ils furent tous baptisés à Moïse (εἰς
τὸν Μωϋσῆν) dans la nuée et dans la mer [4] ». Parce
qu'ils ont traversé la Mer Rouge sous la conduite
d'un seul chef, Moïse, les Israélites ne forment plus
qu'un peuple, nettement distinct des autres nations.
Par analogie, mais de façon beaucoup plus profonde,
le baptême unifie « les baptisés au Christ » ; il crée
une humanité nouvelle ou, comme dit saint Paul
plus concrètement, « un homme nouveau [5] », et par

---

1. *I Cor.*, I, 13.
2. *II Cor.*, V, 15.
3. *I Cor.*, I, 13.
4. *I Cor.*, X, 1-2. — Saint Paul n'a pas marqué de même façon
le caractère figuratif de la circoncision, agrégeant au peuple de l'Ancien Testament, comme le baptême à celui du Nouveau. La polémique
avec les Judaïsants qui voulaient conserver la circoncision à côté
du baptême comme si celui-ci était insuffisant pour introduire au
salut, l'a amené à mettre en relief les contraires, à opposer à la circoncision, liée à la Loi de Moïse et à ses servitudes, le baptême qui
en libère (*Gal.*, III-v), à la circoncision « pratiquée de main d'homme »
la circoncision d'ordre spirituel, « non faite de main d'homme »,
le baptême, « qui nous dépouille de notre corps de chair », en tant
que celui-ci est instrument et siège du péché (*Col.*, II, 11).
5. *Eph.*, II, 15.

une transformation spirituelle si radicale qu'elle transcende toutes les différences de race, de caste, de nationalité. « Tous vous êtes fils de Dieu par la foi au Christ Jésus. Tous tant que vous êtes, qui avez été baptisés [pour appartenir] au Christ, vous avez revêtu le Christ. Il n'y a plus ni Juif ni Grec ; il n'y a plus ni esclave ni homme libre ; il n'y a plus ni homme ni femme. Vous n'êtes tous qu'un dans le Christ Jésus [1] ».

Même enseignement dans l'épître aux Éphésiens sur la fusion par le Christ des deux blocs ennemis, juif et païen, en un seul. « Il a détruit le mur de la haine qui les séparait, ayant anéanti dans sa chair la Loi (mosaïque) avec ses ordonnances et décrets, afin que des deux hommes (le Juif et le païen) il formât un homme nouveau, établissant entre eux la paix, et qu'il les réconciliât tous deux à Dieu en un seul corps, tuant en lui la haine... et par là nous avons accès les uns et les autres (Juifs et païens) dans un seul Esprit auprès du Père [2] ». Plus de privilège religieux pour le Juif ni de complexe d'infériorité chez le païen, auparavant impur et idolâtre. « La circoncision n'est rien, ni l'incirconcision ; ce qui compte c'est d'être une nouvelle créature [3] » : monde nouveau, ordre nouveau, vie nouvelle. On peut bien parler de la poésie de la grâce, si l'on garde au mot poésie son sens originel. Aux convertis du paganisme, saint Paul dira en toute vérité : « Vous n'êtes plus des étrangers ni des pérégrins (n'ayant pas droit de cité), mais vous êtes concitoyens des saints et membres de la famille de Dieu, édifiés que vous êtes sur le fondement des apôtres et des prophètes avec le Christ Jésus comme clef de voûte [4] ».

---

1. *Gal.*, III, 26-28.
2. *Eph.*, II, 14-16, 18.
3. *Gal.*, VI, 15.
4. *Eph.*, II, 19-20.

Conjointement avec les chrétiens venus du judaïsme, ils entrent dans la construction de l'édifice qui s'élève pour former un temple saint dans le Seigneur, un sanctuaire spirituel de Dieu[1], église terrestre et céleste à la fois, car elle a sa tête dans les cieux, le Christ.

La même doctrine ressort de l'allégorie du corps et des membres longuement développée au chapitre XII de la première épître aux Corinthiens : sans distinction de Juif ou de Grec (païen), d'esclave ou d'homme libre, tous les chrétiens ont été baptisés pour appartenir à un seul corps, à un seul organisme spirituel où circule la vie du Christ, et tous ont été abreuvés d'un seul et unique Esprit[2].

Toutes les différences de race, de culture, de rang social, de nationalité disparaissent donc devant l'union au Christ ressuscité que réalise le baptême. Saint Paul, il est vrai, maintient dans l'Église des degrés hiérarchiques. Lui-même commande avec la volonté de se faire obéir par les communautés qu'il a fondées. Dans la famille il affirme la supériorité du mari sur la femme, l'autorité des parents sur les enfants, du maître sur ses esclaves[3]. Mais autre est l'autorité visible, autre la sainteté des âmes. Les degrés hiérarchiques ne confèrent par eux-mêmes aucun droit à une union plus intime et plus profonde avec le Christ. Même saint Paul ne craint pas d'appliquer ce principe à la connaissance directe et familière que les apôtres et les premiers disciples judéens ont eue du Christ pendant sa vie terrestre, alors qu'ils le voyaient de leurs yeux et l'entendaient de leurs oreilles. « Le Christ est mort pour

---

1. Cf. *Eph.*, II, 21-22. — Voir encore *Eph.*, III, 6 où les Gentils sont proclamés *cohéritiers* avec les Juifs des biens messianiques, *concorporels*, ne formant avec eux qu'un seul corps, *copartageants* de la promesse du salut par leur incorporation au Christ.
2. *I Cor.*, XII, 13.
3. *Col.*, III, 18-25 ; *Eph.*, V, 22-VI, 9.

tous, afin que ceux qui vivent, désormais ne vivent plus pour eux-mêmes (de leur vie propre), mais pour celui qui est mort pour eux et ressuscité. De sorte que nous (les chrétiens), nous ne connaissons plus personne selon la chair (d'après ses caractéristiques purement humaines); même si nous avions connu le Christ selon la chair (dans sa vie terrestre), maintenant nous ne le connaissons plus ainsi. De sorte que si quelqu'un est dans le Christ, il est une créature nouvelle... [1]. »

Foi, baptême, effusion de l'Esprit, tels sont les éléments essentiels de l'initiation chrétienne. Ainsi introduit dans l'Église et par cette incorporation devenu fils adoptif de Dieu et temple de l'Esprit-Saint, le baptisé va commencer son itinéraire spirituel vers cette béatitude « à laquelle Dieu l'appelle là-haut dans le Christ Jésus [2] ».

---

1. *II Cor.*, V, 15-17. — Cet éloge d'un amour vraiment spirituel rejoint l'enseignement du Christ ressuscité à l'apôtre Thomas. « Parce que tu m'as vu, Thomas, tu as cru ; bienheureux ceux qui sans avoir vu croiront » (*Jn.*, XX, 29).
2. *Phil.*, III, 14.

CHAPITRE II

LA SANCTIFICATION CHRÉTIENNE

La vie pour Dieu, la vie nouvelle dans laquelle le chrétien entre par son baptême, est délivrance du péché et de sa conséquence, la mort, en tant que celle-ci est un châtiment. « Il n'y a plus de condamnation pour ceux qui sont dans le Christ Jésus » (*Rom.*, VIII, 1). Si la mort demeure pour le fidèle, ce n'est plus, dans la mesure où il a expié ses péchés, une condamnation, mais une épreuve qui doit achever ici-bas notre configuration avec le Christ. Cette vie nouvelle est une participation à la vie du Christ glorifié, mais qui reste mystérieuse, « cachée avec le Christ en Dieu [1] », et qui ne se manifestera pleinement que par la résurrection de notre corps, lors de la parousie ou second avènement du Christ. « Lorsque le Christ se manifestera, lui notre vie, alors vous aussi vous apparaîtrez avec lui dans la gloire [2]. »

Le paradoxe chrétien

La vie chrétienne ici-bas est donc essentiellement une vie en croissance, une vie commencée et non définitivement fixée. Elle est une réalité actuelle et elle est eschatologique, c'est-à-dire qu'elle a son pôle ultime d'attraction dans un avenir ultra-terrestre où elle trouvera son achèvement. La justification baptismale est appelée

---

1. *Col.*, III, 3.
2. *Col.*, III, 4.

à se développer sous la forme d'une sanctification qui doit progresser jusqu'au salut définitif, jusqu'à la pleine adoption des fils de Dieu et la rédemption de notre corps [1]. Pour le chrétien sur terre il en est du salut comme de l'héritage des fils de Dieu auquel il s'identifie concrètement : il est présent et il est à venir, il est préparé, commencé, non définitivement acquis ; nous en avons les prémices, les arrhes dans le don de l'Esprit-Saint [2], et pas encore la jouissance pleine et assurée.

Cette réalisation progressive du salut donne à la condition chrétienne sur terre son caractère particulier, « paradoxal ». Le baptisé est une créature nouvelle [3], mais qui peut retomber sous la puissance des ténèbres [4] ; il est justifié, en paix avec Dieu [5], mais sauvé seulement en espérance [6] ; il est libéré du péché [7], mais reste exposé à ses retours offensifs [8] ; avec le Christ mourant sur la croix il a vaincu les puissances diaboliques [9], mais il ne les a pas détruites et il doit se tenir en garde contre leurs attaques [10] ; il est affranchi de la Loi [11], mais doit accomplir le commandement divin [12] ; il est mort à la chair [13], mais doit vivre dans la chair [14] ; il est crucifié au monde [15], mais demeure au milieu de monde [16]. Il ne sera pleinement lui-même

1. *Rom.*, VIII, 23.
2. *Rom.*, VIII, 23 ; *II Cor.*, I, 22 ; *Eph.*, I, 13-14.
3. *II Cor.*, V, 17 ; *Gal.*, VI, 15.
4. *I Cor.*, X, 12.
5. *Rom.*, V, 1, 10-11.
6. *Rom.*, VIII, 24.
7. *Rom.*, VI, 7, 8, 11, 18 ; VIII, 2.
8. *Rom.*, VI, 12 sq.
9. *Col.*, II, 15.
10. *Eph.*, V, 11-16.
11. *Rom.*, VII, 4.
12. *Rom.*, VIII, 3.
13. *Gal.*, V, 24.
14. *Col.*, I, 24.
15. *Gal.*, VI, 14.
16. *I Cor.*, V, 10,

que lorsqu'il sera entré avec le Christ dans la joie éternelle et y vivra en sa compagnie [1], toutes les puissances démoniaques ayant été réduites définitivement à l'impuissance [2], le Péché et la Mort anéantis [3],

Inaugurée par le baptême, la vie chrétienne restera marquée tout entière par la signification et l'efficacité de ce sacrement : elle ne sera dans ses traits essentiels que le développement de la grâce baptismale, avec ses aspects de dépouillement et de revêtement, de mortification et de vivification conjugués. Le mystère du baptême est un mystère de mort et de résurrection, communion réelle à la passion du Christ et à sa vie glorieuse [4]. « La mort du Christ fut une mort au péché une fois pour toutes et sa vie est une vie pour Dieu (et en Dieu). Ainsi, vous-mêmes, regardez-vous comme morts au péché, mais vivants pour Dieu en Jésus Christ notre Seigneur [6] ». Mais alors que dans le Christ la mort a été un acte instantané, « une fois pour toutes », et que la résurrection l'a établi dans une gloire indéfectible, le baptisé n'est pas transformé tout d'un coup. La vie chrétienne est à la fois le prolongement et l'achèvement de la mort substantiellement accomplie au baptême et la vivification croissante de la nature nouvelle que le baptisé a reçue de son union au Christ, de « sa greffe en lui [6] ». Tenant compte de cette loi de développement, saint Paul pourra dire qu'au baptême « notre

---

1. *I Thess.*, v, 17 ; *Phil.*, I, 23.
2. *I Cor.*, xv, 23.
3. *I Cor.*, xv, 54.
4. Dans le baptême il y a à distinguer deux aspects, le premier que saint Paul suggère, le second qu'il exprime formellement : 1º la représentation sensible, qui imite et symbolise, par l'immersion dans l'eau baptismale et l'émersion, la mort et la résurrection du Christ ; 2º la participation réelle à l'efficacité salutaire du mystère. On peut voir là-dessus un beau développement dans saint Cyrille de Jérusalem, *Catech. Mystag.*, II (*P. G.*, 33, 1081 B-1083 C).
5. *Rom.*, vi, 10-11.
6. *Rom.*, vi, 5 ; xi, 17, 24.

vieil homme a été crucifié avec le Christ[1] » et continuer
à exhorter les fidèles, déjà engagés dans la vie chrétienne, à « dépouiller le vieil homme avec ses pratiques[2] » ; il pourra rappeler aux Galates que par le
baptême ils ont « revêtu le Christ[3] » et presser les chrétiens de Rome de « revêtir le Seigneur Jésus-Christ[4] ».

L'élan vers la perfection

Comme la justification baptismale qu'elle continue,
la sanctification présentera de multiples aspects : elle
sera un renouvellement intérieur de plus en plus profond, une pénétration de plus en plus intime dans la
famille divine, Père, Fils et Saint-Esprit, une insertion
de plus en plus étroite à ce Corps du Christ qui est
l'Église[5].

Sous tous ces rapports, qu'on peut distinguer, mais
non séparer, la vie spirituelle doit être un progrès constant, un élan qui porte toujours plus avant. Saint
Paul compare le chrétien en marche vers la perfection
au coureur du stade qui tend de tout son effort, de tout
son être, corps et esprit, vers la palme de la victoire.
« Ce n'est pas que j'aie déjà saisi le prix ou que j'aie
atteint le terme de la perfection ; mais je poursuis ma
course, parce que j'ai été moi-même empoigné par le
Christ Jésus. Frères, je ne me crois pas encore arrivé.
Une seule chose m'occupe : oubliant ce qui est derrière
moi, tout l'être tendu vers ce qui est en avant, je cours
droit au but, vers la récompense à laquelle Dieu m'appelle là-haut dans le Christ Jésus[6]. »

La vie chrétienne a une fin transcendante : Dieu

---

1. *Rom.*, VI, 6.
2. *Col.*, III, 9.
3. *Gal.*, III, 27.
4. *Rom.*, XIV, 14.
5. *Eph.*, I, 23 ; *Col.*, I, 19, 24.
6. *Phil.*, III, 12-14.

lui-même contemplé face à face [1] ; cette fin lui impose une orientation, une direction de marche. Car il faut marcher, courir, pour se rapprocher du but : la vie chrétienne est essentiellement progrès vers une union avec Dieu de plus en plus étroite. Le chrétien s'appuie sur la vérité, comme le coureur sur le sol du stade, mais jamais il n'a le droit de s'arrêter dans une attitude satisfaisante et finale. Tout pas fait en avant, tout progrès réalisé est propulsion vers une plus grande sainteté, vers un amour de Dieu plus unifiant. Il faut perpétuellement se dépasser. La vie spirituelle présente pourtant cette différence avec la course du stade que dans l'élan vers la perfection la réalité à atteindre n'est pas tout entière en avant comme la palme pour le coureur. Le chrétien la possède déjà, d'une possession imparfaite, mais ferme ; déjà il a été saisi par le Christ Jésus qui dans le baptême lui a communiqué sa vie et c'est le Christ présent en lui qui continue à l'attirer vers une union plus étroite et lui donne la force de répondre à cet appel. La perfection chrétienne ne sera donc pas la poursuite d'un idéal purement extérieur, mais l'approfondissement d'une vie en Dieu, la Réalité infinie, inépuisable, toujours susceptible d'être possédée plus pleinement.

Le combat spirituel

Ce progrès continu ne se poursuit pas sans effort ni combat. Cette conformité au Christ qu'il tient de son baptême, il faut que le chrétien la grave en lui de plus en plus profondément et la fasse transparaître dans sa conduite. C'est par là qu'il montrera à quel point la mort et la résurrection avec le Christ sont devenues en lui une réalité, avec quelle efficacité

---

1. *I Cor.*, XIII, 12.

agissent en lui les énergies divines que l'initiation
baptismale lui a communiquées. Il est mort au péché
et il doit encore y mourir. Il a mis à mort « le vieil
homme » et il doit continuer à le mortifier. C'est le
rôle de l'*ascèse* d'achever cette mort par la mortification. Dans le baptême, l'esprit (le *noûs*), « l'homme
intérieur [1] », a été réconcilié avec Dieu, informé,
renouvelé, fortifié par la présence active de l'Esprit-
Saint ; le *noûs* a été transformé en un *pneuma* divin [2].
Par l'Esprit qui nous a été donné, l'amour de Dieu
pour nous a été répandu dans nos cœurs [3] comme
une source jaillissante. Mais le corps reste un corps
mortel, qui a des *convoitises* ; l'entrée dans la vie nouvelle n'a fait qu'amorcer une spiritualisation qui ne
sera complètement achevée que par la mort et la résurrection glorieuse. En attendant le corps garde des inclinations, des appétits partiellement autonomes et insou-
mis. D'où la nécessité du combat spirituel pour faire
rayonner du fond de l'esprit, dans tout le composé
humain, l'influence de la grâce.

Cette lutte, saint Paul la décrit sous différents aspects.
Aux Romains, auxquels il vient de rappeler la signification du baptême, il demande de ne pas céder aux
convoitises du corps, à ses appétits désordonnés,
pour que le péché ne règne pas en eux. A l'inverse de
ce qu'ils ont pratiqué quand ils étaient encore païens
et qu'ils employaient leurs membres comme des armes

---

1. *Rom.*, VII, 22 : ὁ ἔσω ἄνθρωπος ; il s'agit ici du « moi » non
encore régénéré par la grâce. Dans les deux autres passages où
il emploie cette expression, *II Cor.*, IV, 16 et *Eph.*, III, 16, saint Paul
l'applique à l'homme régénéré et sanctifié.

2. Sur les différents sens de *pneuma*, qui peut signifier ou l'Esprit
de Dieu, personne divine, ou sa participation dans le fidèle, ou l'esprit
de l'homme en tant que renouvelé par ce don divin, voir notre commentaire de l'Épître aux Romains (collection *Verbum Salutis*),
p. 285-287 ; B. ALLO, *Première Épître aux Corinthiens*, Paris, 1935,
p. 91-112.

3. *Rom.*, V, 5.

à faire triompher l'impureté et l'iniquité, ils doivent maintenant les mettre au service de Dieu pour des actions saintes [1]. Cela requiert de leur part une sévère discipline imposée aux sens qui dans le passé les ont entraînés au péché, et l'implantation de bonnes habitudes qui seront les auxiliaires de la volonté droite.

Plus loin, dans la même épître, l'Apôtre parle des passions, sources des péchés, qui avant la conversion agissaient dans les membres et produisaient des fruits de mort [2], ou encore « de cette loi qui est dans mes membres, en guerre avec la loi de la raison, et qui me fait captif de la loi du péché qui est dans mes membres [3] ». Tout cet ensemble de tendances qui portent l'homme à la volupté, à la mollesse, à la cupidité, à l'orgueil, et qui trouvent dans le psychisme inférieur un instrument et un complice, saint Paul l'appelle en bref « la chair » ou « le vieil homme », hérité du premier Adam. Cette chair, il faut la mettre à mort ; ce vieil homme, il faut le dépouiller. « Mortifiez les membres de l'homme terrestre, écrit l'Apôtre aux Colossiens ; mettez à mort la fornication, l'impureté, la passion coupable, le mauvais désir, la cupidité... Rejetez tout cela, la colère, l'emportement, la méchanceté, la diffamation, les propos déshonnêtes, les mensonges mutuels, dépouillant ainsi le vieil homme avec ses pratiques [4]. » Puisque ces inclinations ont leur siège dans l'organisme humain, dans notre « corps mortel », il faut continuer à les combattre tant que subsiste ce corps mortel, c'est-à-dire pendant toute la vie terrestre. Nul ici-bas ne doit se regarder comme immunisé contre tout retour offensif des passions mauvaises ni se croire dispensé de la lutte. Saint Paul, tout apôtre qu'il est et bien

---

1. *Rom.*, VI, 12 sq.
2. *Rom.*, VII, 5.
3. *Rom.*, VII, 23.
4. *Col.*, III, 5, 8-9.

qu'ayant été ravi au troisième ciel, se traite durement ;
à la manière des athlètes qui pour un laurier périssable
s'imposent toutes sortes de privations, lui, pour une
couronne immortelle, mate son corps et le tient en
servitude, de peur qu'après avoir prêché aux autres
il ne soit lui-même réprouvé [1]. Aussi met-il les fidèles
en garde contre la suffisance et la présomption. Il s'élève
vivement contre l'attitude des Corinthiens qui, influencés
peut-être par la mystique hellénique, s'exagéraient les
effets immédiats de l'initiation chrétienne [2], et parais-
saient se croire déjà en possession définitive du Royaume
et de ses richesses [3]. A leur complaisance satisfaite il
oppose la condition authentiquement chrétienne des
apôtres, pâtissant de la faim, de la soif, de la nudité,
meurtris de coups, sans feu ni lieu, peinant à travailler
de leurs mains, insultés, persécutés, calomniés, traités
comme le rebut et la balayure du monde [4]. A ces mêmes
Corinthiens l'Apôtre rappelle plus loin l'histoire des
Israélites, peuple élu de Yahweh, qui sous la conduite
de Moïse avaient traversé la Mer Rouge, mangé la
manne tombée du ciel, bu l'eau miraculeuse jaillie du
rocher, et dont une poignée seulement parvint à la
Terre Promise, les autres ayant péri dans le désert à
cause de leurs péchés : tous événements qui ont été
consignés dans l'Écriture pour nous servir d'avertissement [5]. « Que celui qui se croit ferme sur ses pieds,
prenne garde de tomber [6] ». Dans ce même esprit qui
lui faisait dire au sujet de son apostolat : « Bien que
ma conscience ne me reproche rien, je ne suis pas
pour cela définitivement justifié ; le Seigneur est mon

---

1. *I Cor.*, IX, 25-27.
2. CERFAUX, *op. cit.*, p. 70.
3. *I Cor.*, IV, 8.
4. *I Cor.*, IV, 11-13.
5. *I Cor.*, X, 1-6, 11.
6. *I Cor.*, X, 12.

Juge [1] », saint Paul exhorte les Philippiens à « travailler à leur salut avec crainte et appréhension [2] » : ce qui ne signifie pas avec l'angoisse d'une âme qu'accable la pensée des jugements de Dieu, mais avec une attention diligente à ce qu'on fait et l'humilité qui écarte toute sécurité présomptueuse.

L'humble défiance et l'assurance du salut

On s'est demandé si ces exhortations à une humble défiance de soi étaient logiquement conciliables avec d'autres textes pauliniens qui affirment la certitude du salut. Telle cette déclaration de l'Apôtre dans l'épître aux Romains qui paraît faire de la gloire finale la conséquence nécessaire de l'élection au christianisme : « Ceux qu'il a prédestinés, Dieu les a appelés ; ceux qu'il a appelés, il les a justifiés ; et ceux qu'il a justifiés, il les a aussi glorifiés » (VIII, 30). La glorification éternelle est présentée comme déjà acquise ; c'est « une anticipation de certitude [3] ». Ce qui suit n'est pas moins fort : « Si Dieu est pour nous, qui sera contre nous ? Lui qui n'a pas épargné son propre Fils, mais qui l'a livré pour nous tous, comment avec lui ne nous donnera-t-il pas toutes choses ? Qui accusera les élus de Dieu ? C'est Dieu qui les justifie. Qui les condamnera ? Sera-ce le Christ Jésus, qui est mort, que dis-je ? qui est ressuscité, qui est à la droite de Dieu et qui intercède pour nous ? Qui nous séparera de l'amour du Christ ? Sera-ce la tribulation, ou l'angoisse, la persécution, la faim, la nudité, le péril, le glaive ?... Mais en tout cela nous sommes plus que vainqueurs par Celui qui nous

---

1. *I Cor.*, IV, 4.
2. *Phil.*, II, 12. — La même expression est employée dans *Eph.*, VI, 5, pour signifier la crainte révérentielle des serviteurs envers leurs maîtres.
3. LAGRANGE, *Épître aux Romains*, p. 217.

a aimés. Car j'ai l'assurance que ni la mort ni la vie, ni les anges ni les principautés, ni les choses présentes, ni les choses futures, ni les puissances, ni ce qui est dans les hauteurs, ni ce qui est dans l'abîme, ni aucune autre créature ne pourra nous séparer de l'amour que Dieu a pour nous dans le Christ Jésus notre Seigneur » (VIII, 31-39).

Faut-il admettre que nous sommes là en présence de deux courants de pensée et de sentiments d'origine différente, l'un s'inspirant de la théologie juive du jugement, qui introduit un élément d'incertitude tant que le jugement final sur la destinée humaine n'est pas prononcé, l'autre reflétant l'expérience religieuse de saint Paul, son assurance de sa prédestination personnelle ? Il n'y aurait pas à chercher de conciliation entre les deux séries de textes, mais simplement à reconnaître qu'il y a sur ce point dans la pensée paulinienne un manque d'équilibre, une part d'illogisme [1]. On ne saurait se résigner à cette solution que si elle s'imposait évidemment. Mais ce n'est pas le cas.

Pour écarter de saint Paul le reproche d'illogisme, il suffit de remarquer que dans les textes qui s'y rapportent, le problème du salut n'est pas toujours envisagé dans la même perspective, sous le même angle : tantôt l'Apôtre se place au point de vue des individus qui ont toujours à se tenir sur leurs gardes, lui comme les autres ; tantôt il se place au point de vue collectif, social. Ainsi fait-il dans les textes du chapitre VIII de l'épître aux Romains que nous avons cités. Saint Paul y considère non les chrétiens individuellement, mais, dès le ℣. 14, la communauté des fidèles, le nouveau peuple de Dieu, l'Église. A ce nouvel Israël, l'Apôtre, se fondant sur la volonté rédemptrice de Dieu et son

---

1. Ainsi GOGUEL, *Les fondements de l'assurance du salut chez l'apôtre Paul*, dans la *Revue d'Histoire et de Philosophie religieuses*, année 1937, p. 105-144.

amour indéfectible, donne l'assurance qu'il parviendra
à la gloire qui lui est destinée. Comme nous l'avons
dit ailleurs [1], « la pensée de saint Paul se portant sur
l'Église pour affirmer la certitude de la victoire
finale rejoint celle de Jésus disant à Pierre : « Et les
portes de l'enfer ne prévaudront point contre elle [2] ».
L'Église est l'arche du salut, qui arrivera certainement
au port; mais les individus peuvent s'en évader et
faire naufrage. Elle est le corps du Christ, qui atteindra
certainement sa pleine stature, mais des membres
peuvent s'en séparer ». Elle est le nouvel Arbre de
Vie, l'olivier nourri de sève divine qui certainement
grandira et fructifiera, mais des rameaux peuvent en
être retranchés [3]. A chacun de veiller sur soi, de vivre
selon l'Esprit, pour ne pas retomber sous l'esclavage
de la chair et du péché.

La mortification, union à la Passion du Christ

La pratique de l'ascétisme en vue de dominer les
passions charnelles, les mauvaises convoitises [4], n'est
pas la seule raison de la mortification chrétienne, ni
même la plus profonde. La mortification est union à
la Passion du Christ, elle prolonge dans la vie chrétienne
cette assimilation au Christ crucifié qu'a inaugurée le
baptême. Par ce sacrement d'initiation, « j'ai été, nous
dit saint Paul, cloué à la croix avec le Christ et j'y
demeure [5]... Ceux qui sont au Christ, ont crucifié
leur chair avec ses passions et ses convoitises [6]...

---

1. Dans notre commentaire de l'Épître aux Romains (collection *Verbum Salutis*), p. 306-307.
2. *Matth.*, XVI, 18.
3. Cf. *Rom.*, XI, 20-22.
4. *I Cor.*, X, 6.
5. *Gal.*, II, 19 : en grec, le parfait d'état.
6. *Gal.*, V, 24.

Gagner le Christ, être trouvé en lui comme lui appartenant, c'est le connaître lui, la puissance de sa résurrection et la communion à ses souffrances qui nous rend conformes à sa mort, afin de parvenir, Dieu aidant, à la résurrection glorieuse [1] ». Avec l'expérience de la force du Christ ressuscité, de la puissance de sanctification qu'il déploie dans son Corps mystique, la vie chrétienne comporte la communion à ses souffrances, sous une forme ou sous une autre : privations volontairement cherchées, durs travaux et fatigues, endurance des persécutions, douleurs et épreuves imposées du dehors mais généreusement acceptées.

Souffrance, apostolat et gloire éternelle

En se rendant semblable au Christ crucifié, en offrant son corps comme « une hostie vivante, sainte, agréable à Dieu [2] », le chrétien ne meurt pas au péché pour lui-même seulement ; il ne se borne pas à payer la dette de ses fautes personnelles ; il s'associe à toute l'œuvre du Christ qui a été de sauver le monde par la voie de l'expiation douloureuse et du sacrifice total. Il prend sa part des souffrances que le Christ doit endurer dans ses membres, pour que soient appliqués aux âmes individuelles les mérites acquis par sa vie et sa mort. Il achève dans sa chair « ce qui manque aux tribulations du Christ pour son corps qui est l'Église [3] ».

Dans le Christ, Passion et Résurrection sont inséparables : c'est parce qu'il s'est fait obéissant jusqu'à la mort et la mort sur la croix, que Dieu l'a souverainement exalté et lui a donné le nom qui est au-dessus

---

1. *Phil.*, III, 10-11.
2. *Rom.*, XII, 1.
3. *Col.*, I, 24.

de tout nom, le nom de Seigneur, devant qui tout genou doit fléchir, au ciel, sur la terre et dans les enfers [1]. Ainsi la mortification et la souffrance du chrétien, parce qu'elles sont participation à la Passion du Christ, ouvrent la voie à un afflux de vie divine qui transparaît au dehors et agit sur d'autres âmes. « Nous portons à toute heure dans notre corps la mort de Jésus [2] », « ses stigmates [3] », — les marques des mauvais traitements endurés pour son service, — « afin que la vie de Jésus se manifeste aussi dans notre corps. Vivants, nous sommes constamment livrés à la mort à cause de Jésus, afin que la vie de Jésus transparaisse aussi dans notre chair mortelle. Ainsi, tandis que la mort fait en nous son œuvre, la vie agit en vous [4] ». La puissance divine éclate à travers l'apostolat de Paul en proportion même de la faiblesse de l'Apôtre et des persécutions qui l'accablent. « Nous portons ce trésor (du ministère évangélique) dans des vases de terre », dans un corps fragile, « afin que l'on voie bien que sa force incomparable est celle de Dieu et qu'elle ne vient pas de nous [5] ».

Ce n'est pas seulement avec les fruits de l'apostolat

---

1. *Phil.*, II, 8-11.

2. *II Cor.*, IV, 10.

3. *Gal.*, VI, 17. — On a rapproché ces stigmates de l'usage qui existait chez les anciens de tatouer le nom d'un dieu ou d'imprimer au fer rouge quelque marque distinctive comme signe d'appartenance et de consécration à ce dieu : nombreuses références dans LIETZMANN, *An die Galater*, Tübingen, 1932, p. 45-46 et surtout dans la série d'articles de DOELGER, *Antike und Christentum*, Münster i. W., I (1929) et II (1930). HÉRODOTE, II, 113, cite le cas d'esclaves qui en Égypte, pour se vouer au culte du dieu Héraklès, imprimaient sur leur corps des tatouages sacrés (ἱερὰ στίγματα) et devenaient par là inviolables. Les stigmates de Paul le consacrent en quelque sorte au Christ, en font l'homme du Christ, son apôtre authentique : qu'à l'avenir donc ses adversaires judaïsants ne viennent plus l'attaquer, lui créer des ennuis *(Gal.*, VI, 17).

4. *II Cor.*, IV, 10-12.

5. *II Cor.*, IV, 7.

que les souffrances du chrétien ont un lien réel, mais aussi avec la glorification éternelle ; elles en sont la condition voulue par Dieu, le fils d'adoption doit reproduire l'image du Fils premier-né[1]. « Si nous souffrons avec le Christ, nous serons aussi glorifiés avec lui[2] ». Et que sont ces souffrances en comparaison avec la béatitude céleste ? « Elles ne sont pas à mettre en balance avec la gloire qui doit se manifester en nous[3]... La légère tribulation du moment présent nous prépare, bien au-delà de toute mesure, un trésor éternel de gloire[4]. »

Dans cette lutte contre la chair, le chrétien humble et mortifié peut avoir confiance de remporter la victoire. « Si Dieu est pour nous, qui sera contre nous ? Lui qui n'a pas épargné son propre Fils, mais l'a livré pour nous tous, comment avec lui ne nous donnera-t-il pas toutes choses ?[5]... Dieu est fidèle, qui nous a appelés à vivre de la même vie que le Christ Jésus notre Seigneur[6] ». Contre la fidélité de Dieu à son amour pour nous dans le Christ Jésus, rien en dehors de notre volonté propre ne saurait prévaloir, « ni la mort ni la vie, ni les anges ni les principautés, ni le présent ni l'avenir, ni les puissances (cosmiques), ni la hauteur ni la profondeur, ni aucune autre créature[7] ». Cette fidélité divine, qui défie toute comparaison avec les fidélités humaines, toujours courtes par quelque endroit[8], est le fondement inébranlable de l'espérance chrétienne. Cela ne signifie pas que Dieu nous épargnera toute tentation, mais en raison même de sa fidélité

1. *Rom.*, VIII, 29.
2. *Rom.*, VIII, 17.
3. *Rom.*, VIII, 18.
4. *II Cor.*, 17.
5. *Rom.*, VIII, 31-32.
6. *I Cor.*, I, 9 ; cf. *I Thess.*, V, 24 ; *II Thess.*, III, 3.
7. *Rom.*, VIII, 38-39.
8. *Rom.*, III, 3-4.

il ne permettra pas que nous soyons tentés au-delà de nos forces, et avec la tentation il procurera le moyen d'en sortir en donnant le pouvoir de la supporter[1].

La nécessité de la grâce divine

La confiance assurée dans le secours de Dieu qui aidera à mener jusqu'au bout, jusqu'au jour du Christ et de son retour glorieux, l'œuvre commencée au baptême[2], doit s'allier avec la ferme conviction que ce secours est absolument indispensable : sans lui l'homme ne peut rien dans l'ordre du salut. « L'assurance que nous avons auprès de Dieu (dans notre ministère apostolique) nous vient par le Christ. Ce n'est pas que de nous-mêmes nous soyons capables de concevoir quelque chose comme tiré de notre propre fonds ; non, notre capacité vient de Dieu[3] ». Et ceci vaut pour toute la pratique de la vie chrétienne. Il en est de toutes les œuvres méritoires comme de ces avantages spirituels que s'attribuaient les Corinthiens : elles sont un don de la miséricorde de Dieu qui nous a prévenus de ses grâces. « Qu'as-tu donc que tu n'aies reçu ? Et si tu l'as reçu, pourquoi t'en glorifier comme si tu ne l'avais pas reçu ?[4] » Réduit à ses seules forces, l'homme est impuissant à observer la Loi divine avec ces dispositions intérieures qui rendent cette observation agréable à Dieu, à la différence du légalisme des pharisiens. La Loi révélée fait connaître la volonté de Dieu et son adversaire, le péché[5]. Elle dévoile la source même du péché, la convoitise. Tous ces désirs mauvais qui grouillent au cœur de l'homme, elle les démasque comme des pourvoyeurs du péché, comme

---

1. *I Cor.*, x, 13.
2. *Phil.*, i, 6.
3. *II Cor.*, iii, 4-5.
4. *I Cor.*, iv, 7.
5. *Rom.*, iii, 20 ; vii, 7.

des provocateurs au mal que Dieu condamne : « Je n'aurais pas connu la convoitise, si la Loi n'avait dit : Tu ne convoiteras pas » [1]. La Loi, qui notifie le commandement, ne le fait pas aimer. Elle n'a pas le pouvoir d'infuser ce principe intérieur, vivifiant, qui oriente efficacement la volonté vers le Souverain Bien et la fait s'attacher à lui. Si l'homme se trouve seul, avec son « moi » naturel, en face de la Loi, le péché vaincra.

Dans une des pages les plus émouvantes de l'épître aux Romains saint Paul a peint l'opposition entre la Loi spirituelle et l'homme charnel, captif sous la loi du péché qui habite dans ses membres, impuissant à se libérer de ses chaînes, s'il ne se tourne vers le Christ Sauveur. « Nous savons que la Loi est spirituelle, mais moi je suis charnel, vendu comme esclave au péché. Mon action m'est incompréhensible : je ne fais pas ce que je veux et je fais ce que j'abhorre. Mais si je fais ce que je ne veux pas, je témoigne (par là même) que la Loi est bonne. Mais alors, ce n'est plus moi qui fais cela, c'est le péché qui habite en moi. Car je sais qu'en moi, c'est-à-dire en ma chair, n'habite rien de bon. Vouloir est à ma portée ; mais accomplir le bien, non pas. Car je ne fais pas le bien que je veux et je fais le mal que je ne veux pas... Je constate donc cette loi pour moi qui voudrais faire le bien : que c'est le mal qui est à ma portée. Je me complais dans la loi de Dieu selon l'homme intérieur, mais je vois dans mes membres une autre loi qui lutte contre la loi de mon esprit et me tient captif sous la loi du péché, laquelle est dans mes membres. Malheureux homme que je suis ! Qui me délivrera de ce corps mortifère ? Grâces soient rendues à Dieu par Jésus-Christ, notre Seigneur [2]. »

---

1. *Rom.*, VII, 7.
2. *Rom.*, VII, 13-19, 21-25.

La vie selon l'Esprit

Laissé à lui-même, l'homme intérieur peut se complaire dans la Loi divine : mais cette complaisance retombe sur elle-même, ce n'est qu'une velléité sans efficace. L'homme dira : « Je voudrais bien... », il ne prononcera pas : « Je veux ». Un obstacle intérieur, la concupiscence, paralyse le passage à l'acte bon. Pour résoudre le conflit, il faut la grâce du Christ qui change la simple velléité du bien en un amour vainqueur. Présent dans le fidèle, le Christ y opère par son Esprit : l'habitation du premier dans l'âme justifiée n'est pas séparable de la présence et de l'action du second. « Si quelqu'un n'a pas l'Esprit du Christ, il ne lui appartient pas » (*Rom.*, VIII, 9). Vivre dans le Christ et vivre dans l'Esprit sont pour saint Paul une même réalité [1]. Non que le Christ et l'Esprit soient personnellement identiques [2], mais l'action du Christ dans l'âme ne s'exerce que par le moyen de son Esprit. Dans ce combat spirituel qui est inhérent à la condition du chrétien sur terre, l'Esprit nous donne la force de nous dégager des goûts et des tendances de la chair, de vaincre cette loi de la convoitise qui est dans nos membres et d'accomplir la volonté de Dieu. « Il n'est plus maintenant de condamnation contre ceux qui sont dans le Christ Jésus. Car la loi de l'esprit

---

1. Par ex. dans *Rom.*, VIII, 9-10, saint Paul juxtapose les deux formules : « Si quelqu'un n'a pas l'Esprit du Christ... Si le Christ est en vous ».

2. Sur cette distinction des personnes, voir les textes trinitaires de *I Cor.*, XII, 4-6 ; *II Cor.*, XIII, 13 ; *Gal.*, IV, 6 ; *Rom.*, VIII, 14-17 ; XV, 15-16 ; *Eph.*, IV, 4-6 ; cf. PRAT, *op. cit.*, t. II, p. 157-165, 518-521. Dans *II Cor.*, III, 17 : « Le Seigneur est l'esprit », il ne s'agit pas de l'Esprit-Saint. A la fin d'un long passage où la lettre qui tue est opposée à l'esprit qui vivifie, saint Paul veut signifier que le Christ est principe d'intelligence spirituelle de l'Écriture et, par suite, de liberté, en contraste avec les Juifs incrédules qui ne comprennent pas l'Ancien Testament et restent asservis à sa lettre.

de vie dans le Christ Jésus, — l'action de l'esprit vivant et vivifiant que nous tenons de notre union au Christ, — (nous) a affranchis de la loi du péché et de la mort » (*Rom.*, VIII, 1-2).

Ce principe divin d'action transforme les rapports de l'homme et de la Loi morale. En même temps que le chrétien naît et grandit dans l'union au Christ et se laisse conduire par son Esprit, ne l'éteignant[1] ni ne le contristant[2], mais suivant ses inspirations[3], la Loi elle aussi se métamorphose. Au lieu de rester contrainte extérieure, autorité étrangère, elle tend à devenir pour l'homme « un élément de sa nature nouvelle, une partie de lui-même, un mobile inhérent à sa vitalité spirituelle. A ce point de vue, il sera vrai de dire : la loi, comprise d'après la définition ancienne, ne regarde pas l'homme régénéré[4] ». La Loi se transforme dans la mesure où l'homme se la rend intérieure, où l'impulsion à obéir au commandement vient du dedans, de l'Esprit de Dieu qui nous est donné.

La liberté chrétienne

Par cette intériorisation spirituelle le chrétien conquiert cette liberté à laquelle il a été appelé[5]. Libéré extérieurement des obligations du mosaïsme qui n'ont plus de raison d'être depuis la venue du Christ, « terme de la Loi[6] », il s'affranchit intérieurement de la loi du péché qui siège dans ses membres, de ces zones inférieures de l'être qui tendent à nous matérialiser. La liberté chrétienne est soumission de notre volonté à la volonté divine. Plus cette soumission est profonde,

1. *I Thess.*, V, 19.
2. *Eph.*, IV, 30.
3. *Gal.*, V, 18.
4. E. REUSS, *Les Épîtres Pauliniennes*, t. II, Paris, 1876, p. 69.
5. *Gal.*, V, 13 ; cf. *Gal.*, III, 23-25 ; IV, 1-5, 21-V, 1.
6. *Rom.*, X, 4.

plus le vouloir divin envahit le nôtre, plus la liberté
humaine coïncide avec l'activité divine, plus l'homme
est libre. « Là où est l'Esprit, le plaisir n'est pas à pécher,
et c'est la liberté ; là où l'Esprit n'est pas, le plaisir
est à pécher, et c'est l'esclavage [1] ». Liberté qui est
vérité, car elle ne fait que reconnaître ce qui est, notre
dépendance essentielle à l'égard de Dieu, non pas
seulement en tant que créature, mais en tant que personne ou sujet.

Parce que cette liberté est premièrement et essentiellement intérieure, saint Paul attache peu d'importance aux conditions sociales, dès lors qu'elles ne
menacent pas dangereusement le trésor de vie spirituelle et divine que le chrétien porte dans son cœur.
Loin de vouloir bouleverser tout d'un coup la société
de son temps, l'Apôtre donne ordinairement comme
direction aux néophytes, même esclaves, de demeurer
dans la condition où les a trouvés leur conversion au
christianisme [2]. « Étais-tu esclave quand tu as été
appelé à la foi ? Ne t'en mets pas en peine, mais alors
même que tu pourrais devenir libre, tire plutôt profit
de ta condition d'esclave [3] ». Homme libre et esclave
se retrouvent égaux sur un même plan fondamental :
tous deux ont été libérés de leurs péchés par le Christ
et tous deux sont maintenant ses serviteurs [4]. Pourtant la direction donnée par saint Paul change devant
telle situation concrète qui met gravement en péril la
foi et la vertu chrétiennes. Le cas peut se présenter
quand de deux époux infidèles un seul se convertit.
Si la partie non-chrétienne ne consent pas à cohabiter

---

1. Saint AUGUSTIN, *De Spiritu et littera*, XVI, 28 (*P. L.*, 44, 218).
2. *I Cor.*, VII, 17, 20, 24.
3. *I Cor.*, VII, 21.
4. *I Cor.*, VII, 22. — Pour plus de développement, voir notre commentaire de la Première Épître aux Corinthiens (collection *Verbum
Salutis*), Paris, 1946.

pacifiquement avec la partie chrétienne, celle-ci n'a qu'à se séparer, le lien conjugal ne subsiste plus, car « c'est dans la paix que Dieu vous a appelés[1] ».

C'est de même en se plaçant à ce point de vue de la liberté spirituelle que saint Paul proclame l'état de célibat ou de virginité comme plus parfait que le mariage. La raison qu'il apporte de cette supériorité est que le premier état permet de se consacrer plus entièrement au service de Dieu, qui pour saint Paul ne va pas sans le service du prochain : « l'homme qui n'est pas marié a souci des choses du Seigneur, des moyens de plaire au Seigneur », sans être divisé par les préoccupations et les soucis inhérents à la condition des gens mariés[2]. Seul ce motif du plus grand service de Dieu et du prochain, sans préoccupation égoïste, doit intervenir dans le choix du célibat ou de la virginité. « Nulle autre intention, remarque le P. Allo, ne pourrait justifier le rejet des obligations ordinaires. C'est toujours le grand principe de la « liberté » des « membres du Christ », qui n'est que le moyen de viser plus sûrement au but, la charité[3]. » La liberté, qui pour saint Paul est soumission à Dieu, est aussi service du prochain, don de soi aux autres. « Pour vous, mes frères, écrit-il aux Galates, c'est à la liberté que vous avez été appelés. Seulement ne faites pas de cette liberté un tremplin pour les désirs de la chair, mais rendez-vous par la charité serviteurs les uns des autres. Car toute la Loi tient dans cet unique précepte : Tu aimeras le prochain comme toi-même[4]. »

---

1. *I Cor.*, VII, 15. — Sur ce cas dit « privilège paulin » voir notre commentaire *in loc.* — Saint Paul a envisagé aussi l'éventualité d'une séparation entre époux chrétiens ; mais il ne s'agit alors que d'une séparation de corps, qui ne rompt pas le lien conjugal : *I Cor.*, VII, 10-11.

2. *I Cor.*, VII, 32-34.

3. ALLO, *Première Épître aux Corinthiens*, p. 183.

4. *Gal.*, V, 13-14.

Le progrès de la liberté chrétienne

A cette liberté, liée essentiellement à la charité, il faut appliquer ce que nous avons dit de la vie nouvelle. Elle ne nous est pas donnée tout d'une pièce dans sa perfection, elle s'acquiert et se développe par le progrès même de la vie chrétienne, sans que cependant la totale intériorité spirituelle soit jamais atteinte ici-bas et que soit supprimée toute impuissance à faire complètement ce que l'on veut, puisque les saints eux-mêmes n'évitent pas tout péché véniel semi-délibéré. Pour que la loi divine devînt complètement intérieure à l'homme, que disparût toute altérité, que toute occasion de conflit entre la volonté de Dieu et la volonté de l'homme fût radicalement supprimée, il faudrait que le corps cessât d'être un poids, un frein aux élans de l'esprit, qu'il cessât d'être un corps mortel pour être complètement spiritualisé : ce qui ne sera accompli que par la résurrection glorieuse. Alors seulement le corps sera vraiment le miroir de l'âme et son instrument docile dans une entière spontanéité. Le chrétien se prépare à cette spiritualisation de tout son être en substituant progressivement les tendances et les goûts de l'esprit à ceux de la chair [1]. « Si par l'Esprit vous mortifiez le corps et ses pratiques, vous vivrez [2] » d'une vie éternelle, d'une vie de ressuscités.

Cette condition des fidèles ici-bas qui, n'étant pas parfaitement intériorisés, ne peuvent être non plus pleinement intérieurs les uns aux autres, explique qu'ils ne soient pas dispensés de tout précepte positif promulgué du dehors ni de toute institution extérieure. Foi et charité intérieures répondent à une révélation divine extérieure qui fait connaître concrètement la volonté de Dieu et les voies qui conduisent au salut.

---

1. Cf. *Rom.*, VIII, 5-9.
2. *Rom.*, VIII, 13.

Avec des vérités à croire, la vie chrétienne comporte nécessairement pour saint Paul une part de préceptes à observer et d'institutions à maintenir, toute cette vie sacramentelle dont l'Église est la dispensatrice. Ces préceptes et ces institutions ne sont cependant que des auxiliaires, destinés à disparaître dans la société des élus, quand le Christ aura remis le Royaume à son Père et que Dieu sera « tout en tous [1] ». Dans le christianisme, tout ce qui est « loi écrite » n'a d'autre but que de préparer en nous l'avènement ou le progrès de la grâce intérieure ; et le mouvement de charité, l'Esprit de Dieu agissant au plus intime de nous-mêmes, nous porte plus loin que toutes les lois, vers une imitation toujours croissante de la sainteté du Christ [2].

La charité ou agapè

C'est cet élément de charité qui est primordial, essentiel, le seul qui demeure éternellement. « La charité ne passera jamais. Qu'il s'agisse des prophéties, elles disparaîtront ; du don des langues, il cessera ; de la gnose, elle aura une fin [3]. » Dans la triade des vertus, foi, espérance et charité, qui sont présentement les organes nécessaires de la vie surnaturelle en nous, la charité est la plus grande des trois [4]. Comme les charismes, prophétie, gnose, don des langues, la foi, connaissance médiate et obscure, « dans un miroir et en énigme », cessera par la vision face à face [5] ; et de même l'espérance, par l'entrée en possession de l'héritage céleste [6]. Seule la charité est éternelle.

---

1. *I Cor.*, XV, 28.
2. *I Cor.*, IV, 16 ; XI, 1.
3. *I Cor.*, XIII, 8.
4. *I Cor.*, XIII, 13.
5. *I Cor.*, XIII, 12.
6. *Rom.*, VIII, 26.

La charité du chrétien est l'écoulement dans l'âme de la charité divine. Elle est tout ensemble et de façon indissoluble amour de Dieu et amour du prochain. Notre volonté, coïncidant en quelque sorte avec la charité divine qui a été versée dans nos cœurs par l'Esprit-Saint [1], devient par là même amour de Dieu [2] ; mais ce flot divin la presse [3], elle ne saurait le retenir, il faut qu'elle le répande sur le prochain, juste ou injuste, ami ou ennemi, à l'exemple du Christ qui n'a pas cherché son intérêt [4], mais a donné sa vie pour nous alors que nous étions pécheurs et ennemis de Dieu [5]. « La charité excuse tout, elle croit tout, elle espère tout, elle supporte tout [6]. »

Étant donné cette excellence de la charité, on comprend que pour saint Paul « la charité qui jaillit d'un cœur pur, d'une bonne conscience et d'une foi sincère », soit la fin, le but de tout le message divin [7]. En elle est « récapitulée [8] » toute la Loi ; elle en est le parfait accomplissement [9], elle enferme « la plénitude

---

1. *Rom.*, V, 5.
2. On a noté que dans saint Paul le mot *agapè* s'emploie régulièrement pour désigner l'amour de Dieu ou du Christ pour les hommes ou l'amour du chrétien pour le prochain ; les cas où il signifie distinctement l'amour de l'homme pour Dieu sont rares (ex. *II Thess.*, III, 5, discuté ; *I Cor.*, II, 9 ; VIII, 3 ; *Rom.*, VIII, 28 : dans ces trois cas, c'est le verbe « aimer », ἀγαπᾶν, qui est employé). Pour désigner la réponse de l'homme à l'*agapè* divine, l'Apôtre se sert de préférence du mot *pistis*, foi. « De toute évidence, remarque NYGREN, Paul n'entend pas nier la réalité spirituelle définie par le terme « d'amour pour Dieu » : il ne veut que lui donner son vrai nom. Il le trouve dans la notion de la foi ; celle-ci implique un don total, par amour, mais en en faisant ressortir le vrai caractère, celui d'être une réponse, un amour donné en retour » (*Erôs et Agapè*, trad. fr., p. 133-134).
3. *II Cor.*, VI, 14 : « L'amour du Christ nous presse ».
4. *Rom.*, XV, 3.
5. *Rom.*, V, 6, 8.
6. *I Cor.*, XIII, 7.
7. *I Tim.*, I, 5.
8. *Rom.*, XIII, 9 ; *Gal.*, V, 14.
9. *Rom.*, XIII, 10.

de tous les préceptes et de toutes les œuvres [1] ». « Ce qui fait la force de ce texte (*Rom.*, XIII, 8-10), remarque le P. de Guibert, c'est l'emploi des deux mots « récapituler » (ἀνακεφαλαιοῦσθαι) et « plénitude » (πλήρωμα) appliqués à définir la place de la charité dans la vie spirituelle, comme ils sont appliqués par le même Paul à définir celle du Christ lui-même dans l'économie surnaturelle du monde : dans le Christ, « toutes choses sont récapitulées » et, en lui, « habite toute la plénitude », la plénitude de toutes choses, la plénitude même de la divinité [2]. On peut donc conclure que la même primauté qui appartient au Christ dans le monde surnaturel, appartient aussi à la charité dans la vie spirituelle de chaque homme [3]. »

Charité et Corps mystique [4]

Cette mention de la charité nous amène à mettre en lumière un autre trait essentiel de la vie chrétienne, qui se manifestait dès le baptême. Elle n'est pas une performance individuelle ; elle revêt nécessairement un caractère social, communautaire. Par le baptême le chrétien est devenu membre de l'Église qui est le Corps du Christ. Uni au Seigneur, « ne faisant avec lui qu'un esprit [5] », il est en communion avec tous les

---

1. LAGRANGE, *Épître aux Romains*, p. 317.
2. *Eph.*, I, 10; *Col.*, I, 19; II, 9.
3. *Leçons de théologie spirituelle*, t. I, p. 139. — La charité est encore appelée par saint Paul « le lien de la perfection » (*Col.*, III, 14) : ce qui peut signifier qu'elle assemble comme un faisceau et confirme les vertus qui constituent la perfection ou qu'elle est le lien parfait des fidèles entre eux.
4. Saint Paul n'a pas appliqué cette épithète au « Corps du Christ qui est l'Église ». Par ce mot, maintenant admis dans les documents du Magistère (Encyclique de PIE XII, « *Mystici corporis Christi* »), nous distinguons le Corps « ecclésial » du Corps du Christ ressuscité ou présent sacramentellement dans l'Eucharistie.
5. *I Cor.*, VI, 17.

frères du Christ premier-né, les fils de Dieu par adoption. Grandir dans le Christ, ce sera s'insérer plus intimement dans cet organisme spirituel qu'est l'Église, participer plus profondément au courant de vie qui circule en elle.

Divers sont les dons que Dieu fait à chacun, si bien que l'on peut dire que dans l'histoire de la grâce en toute âme chrétienne il y a une part d'inédit, un mode personnel de s'associer aux mystères de l'Incarnation, de la Rédemption, des sacrements. Diverses aussi sont les manifestations visibles de l'Esprit qu'on appelle les « charismes ». Comme tous ces dons et charismes ont une source unique, Dieu, Père, Fils et Saint-Esprit, ils tendent tous à une même fin : contribuer non seulement à la sanctification de celui qui les reçoit, mais au bien-être de tout le Corps mystique. « Il y a diversité de charismes, mais c'est le même Esprit ; il y a diversité de ministères, mais c'est le même Seigneur ; il y a diversité d'opérations, c'est le même Dieu qui opère tout en tous. A chacun la manifestation de l'Esprit est départie en vue du bien commun [1]. »

Le chrétien respectera cette variété des dons spirituels et la hiérarchie des charismes. De même que dans le corps humain Dieu a donné à chaque membre sa place et sa fonction et que tous sont solidaires les uns des autres [2], de même il a établi dans l'Église des fonctions diverses, les distribuant comme il lui plaît, sans que personne ait à envier la part faite au voisin. Comme les membres dans le corps, chacun en son rang, « il a mis dans la communauté chrétienne d'abord les apôtres, deuxièmement les prophètes, troisièmement les docteurs. Puis c'est le don des miracles, celui des guérisons, celui d'assister, de gouverner, de parler

---

1. *I Cor.*, XII, 4-7.
2. Cf. *I Cor.*, XII, 14 sq.

en langues. Tout le monde est-il apôtre ? Tout le monde est-il prophète ? Tout le monde est-il docteur ? Tout le monde est-il thaumaturge ? Tout le monde a-t-il le don des guérisons ? Tout le monde est-il glossolale ? Tout le monde a-t-il le don d'interpréter le parler en langues ? [1] ». Non, il y a diversité de dons, diversité de bénéficiaires, diversité de mesures dans la répartition. « A chacun de nous la grâce a été donnée dans la mesure où il a plu au Christ de la dispenser [2]. »

Cette distribution par le Christ des différents charismes ou dons spirituels est faite en vue de toute l'Église. Elle a pour but, nous dit saint Paul dans l'épître aux Éphésiens, de rendre les saints, c'est-à-dire les chrétiens, aptes à l'œuvre du ministère, de les mettre à même de travailler, chacun suivant sa vocation et la mesure de la grâce à lui départie, au progrès du Règne de Dieu, à l'édification, à la construction du Corps du Christ, au développement et à la croissance de l'Église. Celle-ci est « le plérome [3] » du Christ, la plénitude de celui « qui remplit tout en tous », qui achève et parfait toute sainteté : en elle, le Christ verse jusqu'à la combler ses richesses inépuisables afin qu'à son tour elle manifeste pour la faire reconnaître, même par les Principautés et les Puissances hostiles qui sont dans les régions célestes, la sagesse infiniment variée de Dieu [4].

Le terme proposé au commun effort des chrétiens, c'est de constituer tous ensemble, sur le fondement des apôtres et des prophètes, avec le Christ comme clef de voûte, un temple saint, la demeure spirituelle de Dieu [5], ou, suivant une autre ligne de comparaison, d'atteindre à la perfection de l'homme fait, à la taille

---

1. *I Cor.*, XII, 28-30.
2. *Eph.*, IV, 7.
3. *Eph.*, I, 23.
4. *Eph.*, III, 10.
5. *Eph.*, II, 20-22.

qui sied à la plénitude du Christ [1], quand il répand ses grâces et exerce ses opérations dans des membres ayant leur plein développement, dans un corps arrivé à sa parfaite croissance.

A l'unité divine du Père, du Seigneur Jésus-Christ et de l'Esprit-Saint, répond dans la communauté chrétienne l'unité de la foi, de l'espérance et de la charité. Un passage de l'épître aux Éphésiens fait la synthèse de tous ces éléments : « Comportez-vous d'une manière digne de l'appel que vous avez reçu, en toute humilité, douceur et longanimité, vous supportant mutuellement avec charité, vous appliquant à maintenir l'unité de l'Esprit par le lien de la paix. Il n'y a qu'un seul corps et un seul Esprit, comme aussi vous avez été appelés, par votre vocation, à une espérance unique. Il n'y a qu'un Seigneur, une foi, un baptême. Il n'y a qu'un Dieu et Père de tous, qui est au-dessus de tout, pénètre tout et est en tout [2] ».

Foi, espérance et charité : comme la charité, l'*agapè*, est la plus grande des trois, elle constitue le lien le plus intime, le lien parfait entre les membres de la communauté chrétienne. C'est en professant la vérité dans la charité que les fidèles doivent tendre de toutes manières vers Celui qui est la tête de l'Église, le Christ ; sous son influence le Corps entier, lié ensemble et coordonné comme un organisme par les jointures qui transmettent l'énergie vitale, chaque membre remplissant sa fonction propre, croît et s'édifie dans la charité [3].

L'Eucharistie, sacrement de l'agapè

L'initiation chrétienne était produite par un sacrement, le baptême, qui apparaissait comme le signe

---

1. *Eph.*, IV, 13.
2. *Eph.*, IV, 1-6.
3. Cf. *Eph.*, IV, 15-16.

efficace de l'unité de la communauté des fidèles dans une même foi au Christ. De même la croissance dans la vie chrétienne est liée à un autre sacrement, préfiguré dans l'Ancien Testament par la manne du désert et l'eau du rocher miraculeux [1], comme le baptême par le passage de la Mer Rouge. Prolongeant la signification du baptême et la portant à sa perfection, l'Eucharistie symbolise et réalise l'unité chrétienne et, plus spécialement, l'unité dans la charité. Elle est par excellence le sacrement de la communion (κοινωνία) : union des fidèles avec le Christ et union des fidèles entre eux. Elle est l'aliment de notre filiation divine, puisqu'aux fils d'adoption elle apporte sous les apparences du pain et du vin la vie même du Fils premier-né, et elle entretient leur fraternité spirituelle puisque tous participent au même Pain céleste. « Le calice de bénédiction que nous bénissons, n'est-il pas communion au sang du Christ ? Le pain que nous rompons, n'est-il pas communion au corps du Christ ? » (I Cor., x, 16). Voilà pour l'union des fidèles au Christ. Et saint Paul ajoute ceci qui exprime l'union des chrétiens entre eux : « Et parce qu'il n'y a qu'un seul Pain (eucharistique), nous sommes tous un seul corps, car tous nous participons à ce Pain unique » (I Cor., x, 17). En communiant au Pain unique, nous devenons un avec le Christ et un entre nous, puisque nous communions tous au seul et unique corps du Christ.

Aussi tout ce qui compromet cette unité dans la charité est-il inconciliable avec la célébration de la Cène du Seigneur. Saint Paul blâme vivement les Corinthiens d'oublier ce caractère de l'Eucharistie, repas de toute la communauté, et d'introduire dans la réunion liturgique les excès des repas particuliers, par groupes séparés, au détriment de l'union des cœurs.

---

1. I Cor., x, 3-4.

« Lors donc que vous vous assemblez, il n'est pas possible de manger le repas du Seigneur », de célébrer la Cène comme il convient. « Car, dès qu'on se met à table, chacun prend aussitôt son propre repas ; et l'un a faim tandis que l'autre s'enivre. N'avez-vous donc pas vos maisons pour manger et pour boire ? Ou méprisez-vous l'assemblée de Dieu et voulez-vous remplir de honte les indigents ? Que vous dire ? Vais-je vous louer ? Non certes, pas sur ce point » (*I Cor.*, XI, 20-22).

Les chrétiens qui, au lieu de favoriser la charité fraternelle, introduisent dans la communauté esprit de parti et division, ne méritent pas le nom de « spirituels » (πνευματικοί) ; ils sont encore « charnels » et se laissent conduire par des passions humaines, trop humaines. Tels ces convertis de Corinthe qui formaient des coteries autour de certains prédicateurs de l'Évangile et se réclamaient les uns de Paul, les autres d'Apollos, les autres de Céphas [1]. « Vous êtes encore charnels, leur écrit l'Apôtre. Tant qu'il y a parmi vous jalousie et esprit de dispute, n'est-ce pas la preuve que vous êtes charnels et que vous vous conduisez d'une façon tout humaine ? Lorsqu'il y en a qui disent : Moi, je suis à Paul, et d'autres : Moi je suis à Apollos, n'est-ce pas la preuve que vous n'êtes que des hommes », en qui l'Esprit de Dieu n'a pas assuré son pouvoir ? (*I Cor.*, III, 3-4).

Charité condescendante et justice

Cette charité est nécessairement expansive, car elle ne cherche pas son avantage [2], mais les intérêts du Christ [3] et du prochain [4]. Le chrétien est un homme qui

---

1. *I Cor.*, I, 12.
2. *I Cor.*, XIII, 5.
3. *Phil.*, II, 21 ; *Rom.*, XIV, 8.
4. *I Cor.*, X, 24, 33 ; *Phil.*, II, 4.

ne s'appartient pas. « Pas un de nous ne vit pour soi
et pas un de nous ne meurt pour soi ; car si nous vivons,
nous vivons pour le Seigneur, et si nous mourons,
nous mourons pour le Seigneur. Soit donc que nous
vivions, soit que nous mourions, nous sommes au Seigneur » (*Rom.*, xiv, 7-8). C'est le contraire d'une vie
qui a pour centre le moi et ses satisfactions égoïstes ;
sa joie est de se donner, de se sacrifier, car « il vaut
mieux donner que recevoir [1] ». Alors que la science
rend orgueilleux, la charité édifie [2] ; c'est elle qui construit l'Église [3], elle l'étend en largeur et en profondeur.
Et pour cela, à l'image du Christ notre Seigneur, qui
s'est abaissé vers nous par un amour purement gratuit, qui, tout riche qu'il était, s'est fait pauvre afin
de nous enrichir par sa pauvreté [4], le chrétien, au lieu
de montrer griffes et ongles pour réclamer ce qui lui
revient, cède de son droit strict et condescend à la
faiblesse du prochain, si un bien spirituel doit en résul-
ter. En principe, saint Paul permet aux fidèles de manger
des idolothytes ou viandes offertes aux idoles, en dehors
des banquets païens sacrificiels, quand, le sacrifice
accompli, ces viandes ont été mises en vente sur le
marché [5] ; pourtant il recommande de s'en abstenir,
si en manger risque de causer préjudice à la conscience
encore faible d'un néophyte insuffisamment éclairé. [6]
« Si un aliment doit scandaliser mon frère, je préfère

---

1. Parole du Christ rapportée par saint Paul, *Act.*, xx, 35.
2. *I Cor.*, viii, 1.
3. *Eph.*, iii, 17 ; iv, 16.
4. *II Cor.*, viii, 9.
5. *I Cor.*, x, 25.
6. *I Cor.*, x, 28. — C'est la même attitude que saint Paul recomman-
dait aux chrétiens de Rome envers ceux de leurs frères qui n'étant
pas complètement libérés de leurs préjugés anciens, n'osaient pas
manger indistinctement de tout aliment. Sans abandonner le principe
qu'aucun aliment n'est de soi impur, l'Apôtre demandait d'éviter
dans la pratique de blesser des consciences encore faibles : *Rom.*,
xiv, 15-21.

renoncer à la viande pour toujours plutôt que d'être pour mon frère une occasion de scandale » (*I Cor.*, VIII, 13). La charité se fait tout à tous pour en gagner le plus grand nombre possible [1] ; elle se réjouit avec ceux qui sont dans la joie ; elle pleure avec ceux qui sont dans les larmes [2] ; autant qu'il dépend d'elle, elle est en paix avec tout le monde [3]. Elle ne prend pas plaisir à l'injustice, mais elle se réjouit de la vérité [4]. Elle ne garde pas rancune du mal subi, elle n'en tient pas registre [5] ; loin de chercher à se venger d'une injure personnelle, elle bénit ceux qui la persécutent et fait du bien à ses ennemis. « Si ton ennemi a faim, donne-lui à manger ; s'il a soif, donne-lui à boire ; car, ce faisant, tu amasseras sur sa tête des charbons ardents [6]. Ne te laisse pas vaincre par le mal, mais triomphe du mal par le bien » (*Rom.*, XII, 20-21). Ce sont là les victoires les plus difficiles à la nature humaine, naturellement égoïste, et l'on comprend que dans ses prières pour ses chrétiens l'Apôtre demande à Dieu qu'ils soient « enracinés dans la charité [7] » comme dans une

---

1. *I Cor.*, IX, 22. Tout ce chapitre IX de *I Cor.* nous montre dans saint Paul un admirable exemple de cette charité oublieuse de soi pour se faire souple et condescendante à l'égard du prochain dès lors que la vérité révélée n'est pas en cause : « Alors que je suis libre à l'égard de tous, je me suis mis au service de tous, afin d'en gagner le plus grand nombre. Je me suis fait Juif avec les Juifs pour gagner les Juifs... Avec ceux qui n'ont pas la Loi (mosaïque), j'ai été comme n'ayant pas la Loi... afin de gagner ceux qui n'ont pas la Loi. Je me suis fait faible avec les faibles pour gagner les faibles. Je me suis fait tout à tous, afin que de toute manière j'en sauve quelques-uns » (*I Cor.*, IX, 19-22).

2. *Rom.*, XII, 15.

3. *Rom.*, XII, 18.

4. *I Cor.*, XIII, 6.

5. *I Cor.*, XIII, 5.

6. Sur ce texte, voir notre commentaire de l'Épître aux Romains, p. 428-430. Il ne s'agit pas d'attirer sur le coupable la colère de Dieu mais, par la bonté témoignée, de l'amener à éprouver la brûlure du remords qui le fera changer de sentiments.

7. *Eph.*, III, 18.

terre nourricière, « fondés[1] » sur elle comme sur un roc inébranlable.

L'attitude du chrétien qui répond à la haine par l'amour et le pardon, n'est pas à confondre avec une débonnaireté flasque et débile qui écarterait du coupable tout châtiment, toute expiation et réparation du mal commis. Une telle conduite systématiquement prati-quée ne ferait qu'encourager les criminels. Et ce ne fut pas celle de saint Paul. On le voit sévir vigoureuse-ment contre un chrétien de Corinthe qui avait fait scandale en prenant pour femme sa marâtre[2]. L'Apôtre le livre à Satan pour qu'il soit mortifié dans sa chair par quelque maladie grave[3]. Mais il agit ainsi non par vindicte personnelle, mais pour la guérison spirituelle du coupable, « afin que son esprit soit sauvé au jour du Seigneur[4] ». Avec force, saint Paul menace les Corinthiens indociles et gonflés d'eux-mêmes de venir chez eux armé de verges, s'ils ne s'amendent pas[5]. En face des persécuteurs, quand il s'agit de maintenir la dignité et la liberté de son apostolat, il revendique fièrement son titre et ses droits de citoyen romain[6]. D'autre part, et cela paraît contredire les remarques précédentes, il recommande aux Corinthiens d'éviter non seulement de porter leurs litiges devant les tri-bunaux païens, mais de se diviser entre eux sur des questions d'intérêt et pour cela de souffrir plutôt d'être lésés dans leurs biens[7]. Mais nous sommes là en présence d'une situation particulière : saint Paul s'adresse à une communauté chrétienne, constituant

---

1. *Eph.*, III, 18.
2. *I Cor.*, V, 1.
3. *I Cor.*, V, 4-5.
4. *I Cor.*, V, 5.
5. *I Cor.*, IV, 21.
6. *Act.*, XVI, 37 ; XXII, 25.
7. *I Cor.*, VI, 6-7.

au milieu du paganisme un îlot à part, où les fidèles devraient régler entre eux leurs différends, comme faisaient les Juifs, sans y mêler ceux du dehors : s'il recommande dans ce cas de supporter l'injustice sans se plaindre, c'est qu'il espère que cet exemple provoquera dans la communauté le réveil de l'esprit chrétien, pourra faire réfléchir le coupable et l'amener à résipiscence. Mais ce conseil de perfection ne saurait s'appliquer indistinctement à tous les cas qui peuvent se présenter dans une société mêlée, très imparfaitement pénétrée d'esprit chrétien, où pour beaucoup la crainte du châtiment est le commencement de la sagesse. Saint Paul reconnaît dans l'empire romain un pouvoir légitimement armé du glaive « pour exercer la répression vengeresse de la colère divine contre les malfaiteurs [1] ». De même, dans notre monde moderne, *la charité* elle-même, sainement comprise, demandera, pour le bien commun de la société, nationale ou internationale, que *la justice* s'exerce et que les coupables soient châtiés. Le devoir du chrétien, dans la revendication de ses droits et la répression de l'injustice, sera d'évacuer de son âme tout sentiment de vengeance personnelle ; si le bien commun l'oblige à punir, il fera ce qui est en son pouvoir pour que le châtiment ne serve pas seulement à empêcher le coupable de commettre de nouveaux méfaits, mais l'aide à s'engager par l'expiation sur le chemin du redressement spirituel [2].

La communion des saints

La charité qui unit les fidèles entre eux et avec le Christ, confère à leur activité, à leurs travaux, à leurs

---

1. *Rom.*, XIII, 4.
2. Tel ce chef français du maquis qui obligé de faire fusiller un traître, passa auprès de lui toute la nuit qui précéda l'exécution, pour le préparer à mourir chrétiennement : *Témoignage chrétien*, 23 mars 1945.

souffrances une efficacité qui atteint tout le Corps mystique. Nous avons déjà vu que la mortification nous fait participer à la puissance rédemptrice du Christ. Mais la même chose peut se dire de tout ce qui dans la vie chrétienne est œuvre méritoire. Ce mérite entre pour sa part dans le trésor spirituel où l'Église puise pour la sanctification de ses membres. Sans doute la charité de l'un ne saurait remplacer tout effort personnel et libre de l'autre. Mais elle peut obtenir que la grâce soit offerte au prochain avec plus d'abondance, dans un moment plus opportun, d'une manière plus intimement sollicitante. Partout où il y a une activité chrétienne qu'anime la charité, l'Église tout entière en ressent le bienfait. Ainsi par l'union et la coopération de tous ses membres, chacun remplissant sa fonction propre pour le bien de l'ensemble, le Corps mystique du Christ « croît et s'édifie dans la charité [1] » : c'est le dogme de la communion des saints.

Charité et Prière

La charité imprimera de même sa marque sur la prière chrétienne. Celle-ci doit être filiale à l'égard de Dieu, puisque nous avons reçu par le baptême, non un esprit de servitude pour retomber dans la crainte, mais un esprit d'adoption qui nous fait nous écrier : « *Abba*, Père ! [2] » Cette qualité de fils donne à la prière ce que saint Paul appelle la *parrhésia*, assurance, hardiesse, confiance [3]. Le mot signifie dans la langue classique le franc parler du citoyen, en opposition à l'esclave, la liberté qu'il a de s'exprimer dans l'assemblée du peuple. Chez saint Paul il indique, dans les rapports

---

1. *Eph.*, IV, 16.
2. *Rom.*, VIII, 15 ; *Gal.*, IV, 6.
3. *Eph.*, III, 12.

de l'homme avec Dieu, l'assurance qui nous permet l'accès auprès du Père, lorsque rétablis dans l'amitié divine par le Christ, nous lui sommes unis moyennant la foi et participons à sa filiation[1]. Cette assurance n'exclut pas l'adoration qui fait fléchir les genoux devant le Père de qui toute famille tire son nom au ciel et sur la terre[2], mais elle chasse la crainte de l'esclave pour y substituer la confiance de l'enfant qui traite avec Dieu sur le plan de l'intimité familiale[3].

Par le fait même que cette prière est comme « l'épanouissement des sentiments qui résultent de notre adoption divine[4] », elle sera nécessairement fraternelle dans son objet, soucieuse des intérêts du prochain. Car le chrétien n'est pas un fils unique ; comme le Christ premier-né il a beaucoup de frères, tous les hommes, et il n'en est aucun qui puisse lui être indifférent[5]. La prière ne serait pas animée par la charité, — cette charité qui ne cherche pas son propre avantage[6], — elle ne serait pas sous l'inspiration de l'Esprit qui prie en nous par ses gémissements ineffables et intercède selon Dieu[7], si elle s'arrêtait à quelque jouissance

1. *Eph.*, III,12 : « en lui (le Christ) nous avons *l'assurance* (παρρησία) et *l'accès* (προσαγωγή) confiant (auprès du Père) moyennant la foi en lui (le Christ) » : cf. *Rom.*, v, 2.

2. *Eph.*, III, 14.

3. Ce thème de la *parrhésie* a été repris et admirablement développé par saint Grégoire de Nysse : voir J. DANIÉLOU, *Platonisme et Théologie mystique. Essai sur la doctrine spirituelle de saint Grégoire de Nysse*, Paris, 1944, p. 118-123.

4. Dom MARMION, *Le Christ, vie de l'âme*, p. 167.

5. « Si l'astronome, le cœur battant, passe des nuits à l'équatorial,
    Épiant avec la même poignante curiosité le visage de Mars
        [qu'une coquette qui étudie son miroir,
    Combien plus ne doit pas être pour moi que la plus fameuse
        [étoile
    Votre enfant le plus humble que vous fîtes à votre image ? »
    (CLAUDEL, *La Maison fermée* dans *Cinq grandes Odes*,
        éd. de la N. R. F., p. 162)

6. *I Cor.*, XIII, 5.

7. *Rom.*, VIII, 26, 27.

égoïste, fût-ce une fruition des choses célestes qui
se désintéressât du plan divin du salut et de l'expansion
du Règne de Dieu. Dans la prière comme dans tout le
reste, le fidèle doit, à l'exemple du Christ, dont la mission
ici-bas a été essentiellement celle de Sauveur des
hommes, accorder sa volonté au dessein de Dieu qui
veut le salut du monde, travailler à l'universelle rédemption. La prière chrétienne sera donc intercession non
seulement pour le salut personnel de celui qui prie,
mais pour toute l'Église, plus que cela, pour tous les
hommes : car « Dieu veut que tous les hommes soient
sauvés et parviennent à la connaissance de la vérité »
(*I Tim.*, II, 4).

La conformité au Christ

Nous avons déjà dit que dans l'observation de la
loi morale le mouvement intérieur de la charité était
l'élément essentiel, supérieur à toute loi écrite. Il en
résulte que l'éthique chrétienne est nettement religieuse.
Elle n'est pas pour saint Paul la soumission à un Idéal
impersonnel, qu'on l'appelle le Bien, le Beau, la Justice,
la Vérité ou de quelque autre nom que ce soit, mais
l'assimilation à l'exemplaire vivant de la charité parfaite,
le Christ [1]. La fin du plan de Dieu dans l'appel des
hommes au christianisme est qu'ils soient conformes
à l'image de son Fils [2], qu'ils reproduisent les traits

---

1. On connaît les vers de CLAUDEL :
« Soyez béni, mon Dieu, qui m'avez délivré des idoles,
Et qui faites que je n'adore que Vous seul, et non point Isis et
[Osiris,
Ou la Justice, ou le Progrès, ou la Vérité, ou la Divinité, ou l'Hu-
[manité,
ou les Lois de la Nature, ou l'Art, ou la Beauté,
Et qui n'avez pas permis d'exister à toutes ces choses qui ne sont pas,
ou le Vide laissé par votre absence.
                    (*Magnificat* dans *Cinq grandes Odes*, p. 85-86).
2. *Rom.*, VIII, 29.

de Celui qui est l'image parfaite du Dieu invisible [1].
Le Créateur qui au premier jour du monde a dit :
« Que des ténèbres jaillisse la lumière ! » a fait entendre
cette même parole dans nos cœurs ; il y a fait luire sa
lumière pour que s'allume et brille en eux la connaissance de sa gloire, telle qu'elle resplendit sur la face
du Christ [2]. De Celui-ci partent des rayons de grâce
qui pénètrent intimement ceux qui les reçoivent avec
foi et les rendent de plus en plus semblables à leur
modèle divin. A la différence des Juifs incrédules qui,
lorsqu'ils lisent l'Écriture, ont un voile sur leur cœur
et ne la comprennent pas, les chrétiens, le visage décou-
vert, contemplent la gloire du Seigneur dans un miroir
qui n'est autre que lui-même se révélant dans l'Évangile,
et ils sont transformés en cette image, avec un éclat sans
cesse accru, par l'opération du Seigneur qui est esprit [3].

Cette conformité implique qu'associés au mystère
de la mort et de la résurrection du Christ, les fidèles
s'efforcent de reproduire sa vie pour Dieu [4], sa sainteté [5],
sa douceur et mansuétude [6], son humilité et obéissance [7],
son dévouement total aux hommes ses frères [8]. Tous
les devoirs de la vie chrétienne se ramènent à cette
assimilation au Christ ou, comme dit saint Paul, à ce
« revêtement du Christ » inauguré au baptême [9] et qui
doit se poursuivre pendant toute la vie chrétienne [10].

---

1. *Col.*, I, 15 ; *II Cor.*, IV, 5.
2. Cf. *II Cor.*, IV, 6.
3. Cf. *II Cor.*, III, 18.
4. *Rom.*, VI, 10.
5. *II Cor.*, V, 21.
6. *II Cor.*, X, 1.
7. *Phil.*, II, 5-8.
8. *Gal.*, II, 20 ; *II Cor.*, VIII, 9 ; *Rom.*, XV, 3 ; *Eph.*, V, 2 ; *I Tim.*,
II, 6 ; *Tit.*, II, 14.
9. *Gal.*, III, 27.
10. *Rom.*, XIII, 14. — Saint Paul dit encore : « revêtir l'homme
nouveau », c'est-à-dire, par opposition au vieil homme dominé par
le péché, l'homme livré à l'influence de la grâce dont Jésus-Christ
est la source (*Col.*, III, 10 ; *Eph.*, IV, 24).

Les diverses obligations du fidèle ne sont que les applications particulières de cette assimilation intégrale. Revêtir le Christ, c'est dépouiller les œuvres des ténèbres, tout ce qui est péché et passion coupable, et revêtir les armes de lumière[1], ces vertus qui constituent l'équipement du chrétien[2], vérité, justice, dévouement à l'Évangile, espérance du salut, connaissance de la Parole révélée, vigilance et persévérance dans la prière[3] ; c'est être porté par ses goûts et ses désirs vers les biens célestes, là où le Christ est assis à la droite de Dieu[4], c'est mortifier les membres de l'homme charnel, les passions terrestres[5], et revêtir la miséricorde, la bonté, l'humilité, la douceur, la longanimité qui pardonne comme le Christ nous a pardonné[6], et, couronnant le tout, la charité[7]. « Vivez dans la charité à l'exemple du Christ qui nous a aimés et s'est livré pour nous comme une offrande et un sacrifice d'agréable odeur présenté à Dieu[8] ».

Tous les actes du chrétien, tout son comportement, doivent témoigner de la présence en lui du Christ et de son Esprit. « Quoi que vous fassiez en parole ou en œuvre, faites tout au nom du Seigneur Jésus, rendant grâces par lui à Dieu le Père » (*Col.*, III, 17). Dans son ensemble comme dans ses détails la vie chrétienne doit être une œuvre de sainteté, en continuation et en imitation de la vie du Christ, à la gloire de Dieu le Père. « Soit que vous mangiez, soit que vous buviez ou quelque autre chose que vous fassiez, faites tout pour la gloire de Dieu le Père » (*I Cor.*, X, 31).

---

1. *Rom.*, XIII, 12.
2. *Eph.*, VI, 11, 13.
3. *Eph.*, VI, 13-19.
4. *Col.*, III, 1-2.
5. *Col.*, III, 5.
6. *Col.*, III, 12-13 ; *Eph.*, IV, 32.
7. *Col.*, III, 14.
8. *Eph.*, V, 2.

Charité et connaissance

Cette assimilation progressive au Christ sous l'action de son Esprit contient, avec l'effort de la volonté, un élément de connaissance, dont le progrès est lié à celui de la charité. Cette connaissance n'est pas, cela va sans dire, par son objet et par ses méthodes, d'ordre rationnel et scientifique : ce n'est pas une sagesse humaine, elle ne suit pas les règles de la dialectique aristotélicienne. Son objet, ce sont les mystères de la foi chrétienne, l'économie du plan divin du salut, tous ces biens de la grâce et de la gloire « que l'œil n'a pas vus, que l'oreille n'a pas entendus, dont la pensée n'est pas montée au cœur de l'homme, toutes ces choses que Dieu a préparées pour ceux qui l'aiment » (*I Cor.*, II, 9). Le premier de tous ces biens, d'où tous les autres découlent, c'est l'amour de Dieu et du Christ pour les hommes, l'*agapè* divine « qui surpasse toute science [1] », toute spéculation de l'humaine sagesse. Pour connaître cet amour, il faut y être accordé, — un équipement purement intellectuel ne suffit pas, — et on le connaît d'autant mieux que l'accord de la volonté humaine à la volonté divine est plus profond. « La science, — qui n'est que science, — enfle, tandis que la charité édifie. Si quelqu'un croit savoir quelque chose, — s'il n'a que sa science sans la charité, — il n'a pas encore appris à connaître comme il faut connaître. Mais si quelqu'un aime Dieu, il est connu de lui [2] » et réciproquement il le connaît, d'une connaissance qui est communion [3].

Cette connaissance va de pair avec la rénovation de l'homme intérieur, avec son progrès dans la vertu [4].

---

1. *Eph.*, III, 19.
2. *I Cor.*, VIII, 1ᵇ-3.
3. « Être connu de Dieu » dans le langage de l'Écriture, c'est être connu de lui comme ami, vivre en communion avec lui.
4. Cette liaison est particulièrement marquée dans les Épîtres de la captivité (*Colossiens, Éphésiens*).

En dépouillant le vieil homme, les chrétiens ont « à se renouveler divinement au plus profond de leur intelligence [1] » ; « en se renouvelant sans cesse à l'image de celui qui l'a créé », l'homme nouveau tend « à une connaissance approfondie [2] » du mystère chrétien. Aussi saint Paul, en priant pour les fidèles, demande-t-il pour eux tout à la fois progrès dans la force et l'intelligence spirituelles. « Je fléchis le genou devant le Père, de qui tire son nom toute famille au ciel et sur la terre. Qu'il vous accorde, dans la richesse de sa gloire, d'être puissamment fortifiés par son Esprit pour le progrès en vous de l'homme intérieur ; que le Christ habite en vos cœurs par la foi, afin qu'enracinés et fondés dans la charité, vous puissiez saisir, avec tous les saints, quelle est la largeur et la longueur, la hauteur et la profondeur (du mystère du Christ rédempteur) et connaître l'amour du Christ qui surpasse toute science, en sorte que vous soyez remplis de la plénitude même de Dieu » (*Eph.*, III, 14-19) [3].

Saisir le mystère du Christ, sa largeur et sa longueur, sa hauteur et sa profondeur, ce n'est pas l'embrasser d'un regard circonférenciel, en faire le tour comme d'une grandeur finie, — saint Paul en déclare les richesses « insondables [4] » — mais plonger le regard de plus en plus profondément dans cette immensité sans bornes, comprendre de mieux en mieux qu'elle est

---

1. *Eph.*, IV, 23.
2. *Col.*, III, 10.
3. Comparez *Eph.*, I, 17 sq., où l'Apôtre demande pour ses correspondants : « que le Dieu de notre Seigneur Jésus Christ, le Père de la gloire, vous donne un esprit de sagesse qui le révèle pour le bien connaître, qu'il illumine les yeux de votre intelligence, afin que vous sachiez quelle est l'espérance à laquelle il vous a appelés, quelles sont les richesses du glorieux héritage qu'il vous réserve parmi les saints, quelle est la grandeur incommensurable de sa toute-puissance à notre égard, nous les croyants ».
4. *Eph.*, III, 8.

incompréhensible, c'est-à-dire inépuisable à toute intelligence créée, se pénétrer d'une reconnaissance toujours plus aimante pour ce Dieu infini qui dans son Christ nous a donné tous les biens [1].

La Sagesse des « parfaits »

Cet approfondissement de la connaissance de foi, cette pénétration dans le mystère divin est accordée à ceux que saint Paul appelle les « parfaits [2] » ou encore les « spirituels » *(pneumatikoi)* [3]. Ces « parfaits », ces « spirituels », par opposition aux « charnels [4] », ce sont les chrétiens dociles à l'Esprit, qui mènent une vie en accord avec leur foi. L'Esprit-Saint, qui scrute jusqu'aux abîmes de Dieu [5], illumine pour eux ces profondeurs [6], leur communique une sagesse [7] qui n'est pas une connaissance sèche et abstraite, mais une appréhension toute pénétrée d'amour et par là même transformante. Lumière et charité s'unissent pour le progrès de l'assimilation au Christ, et ceci jusque dans la trame de l'existence quotidienne. Saint Paul exhorte les Romains « à ne pas se modeler sur le siècle présent », sur ce monde pénétré d'influences mauvaises, où le péché est toujours menaçant et trop souvent victorieux, mais « à se transformer par le renouvellement de l'esprit pour arriver à discerner quelle est la volonté de Dieu, ce qui est bon, agréable à Dieu, parfait » *(Rom.,* XII, 2). L'expérience de la vie chrétienne est source de lumière et plus l'âme est fidèle, plus Dieu se manifeste à elle par ses inspirations.

---

1. *Rom.,* VIII, 32.
2. *I Cor.,* II, 6; *Phil.,* III, 15.
3. *I Cor.,* III, 1.
4. *I Cor.,* III, 1.
5. *I Cor.,* II, 10.
6. *I Cor.,* II, 9.
7. *I Cor.,* II, 6.

Dans ses prières pour les Philippiens, l'Apôtre demande au Seigneur « que leur charité croisse de plus en plus en vraie connaissance et en toute intelligence pour discerner ce qui est le mieux » (*Phil.*, I, 9-10). La croissance de la charité allant de pair avec le progrès de la connaissance, le discernement spirituel appliquera cette connaissance des choses divines au détail particulier, aux circonstances concrètes de la vie chrétienne. Dans ses jugements comme dans ses actes le fidèle s'inspirera de plus en plus de l'esprit du Christ.

Conformité qui n'est pas conformisme

Par la charité se conjuguant avec la connaissance le chrétien tendra à la conformité avec le Christ, « en union avec tous les saints [1] », dans l'unité du Corps dont il est membre. Mais cette conformité n'est pas conformisme, loin de là. A la différence des membres du corps humain, chacun des membres de l'Église est une personne, c'est-à-dire une originalité et une liberté, qui doit se sanctifier d'une manière personnelle. « Tout en tenant sa vie de son insertion dans le corps, chaque individualité chrétienne vit comme telle. Elle croit et aime, non seulement parce qu'elle appartient à un corps qui croit et aime, mais parce qu'elle a sa foi et sa charité personnelles [2]. » Toutes les existences chrétiennes expriment, chacune à sa façon, une même vie selon l'Esprit ; elles sont les reflets infiniment variés de la même image du Christ. Cette diversité doit constituer pour tous un soutien et un enrichissement. Chacun, s'efforçant de dépasser les limites où l'égoïsme tend à le confiner, favorisera le développement

---

1. *Eph.*, III, 18.
2. Y. de MONTCHEUIL, *Liberté et Diversité*, dans l'ouvrage *L'Église est une. Hommage à Moehler*, Paris, 1939, p. 234-254.

spirituel des autres en même temps qu'il en bénéficiera. « Cet effort poursuivi par tous soude progressivement l'unité chrétienne, dont la perfection est toujours en devenir... (Celle-ci) ne sera pas l'œuvre des organisateurs et des politiques, mais des âmes intérieures dont la prière et l'immolation accroissent dans le Corps mystique l'amour de tous pour chacun et de chacun pour tous [1]. »

Charité et désir

Cette charité, saint Paul l'a appelée *agapè* et non *érôs*. Ce dernier mot indiquait le désir passionné de posséder pour soi, de façon égoïste, souvent physique, l'objet de l'amour, personne ou chose. Un philosophe comme Platon avait pu charger le mot de valeur spirituelle, l'appliquer à l'aspiration de l'âme vers le Beau ou le Bien. Cependant chez des gens de culture hellénique le terme était peu propre à éveiller l'idée d'un amour gratuit, pur de toute résonance charnelle. *Agapè* exprimait cette charité active et désintéressée qu'*érôs* ne suggérait pas [2]. C'est pourquoi saint Paul et les autres écrivains du Nouveau Testament ont employé *agapè* à l'exclusion d'*érôs*. Parce qu'il ne se servait pas d'*érôs*, l'Apôtre entendait-il écarter de l'*agapè* toute forme de désir, d'aspiration ? Oui, s'il s'agit de l'*agapè* divine : l'amour en Dieu est une plénitude infinie dont l'acte propre est de se donner avec une liberté et une gratuité qui ne comportent ni tendance ni désir, et moins encore besoin. Il en va différemment chez l'homme. Alors même qu'il a été réconcilié avec Dieu, qu'il n'est plus dans cette misère et cette indi-

---

1. *Ibid.*, p. 251-253.
2. Sur les différences entre les deux termes, voir A.-J. Festugière, *L'Enfant d'Agrigente*, Paris, 1941, p. 124-125 et *La Sainteté*, Paris, 1942, p. 92 ; A. Nygren, *Erôs et Agapè*, trad. fr., Paris, 1944, p. 235.

gence du pécheur qui appelle la guérison, sa charité, avec le double mouvement qui la porte vers Dieu et le prochain, n'atteint pas du premier coup sa plénitude. Elle est susceptible d'une intensité croissante, qui correspond à une connaissance plus profonde de Dieu, jusqu'au jour où ce qui est partiel et imparfait fera place au parfait accomplissement [1], où la vision face à face se substituera à la connaissance obscure de la foi. « Alors je connaîtrai Dieu, — intuitivement, sans intermédiaire d'aucune sorte, signe ou symbole, — comme moi-même je suis connu de Lui [2]. » C'est donc une attitude normale de l'âme chrétienne d'aspirer à la possession plénière des biens « que Dieu a préparés à ceux qui l'aiment [3] ». Parlant au nom des chrétiens de son temps, saint Paul exprime leur commun désir d'être trouvés vivants lors de la Parousie du Seigneur, de revêtir leur demeure céleste, — leurs corps glorieux, — par-dessus leur demeure terrestre, c'est-à-dire d'être transformés à l'image du Christ ressuscité sans avoir à passer par la mort [4]. Même si cette espérance ne doit pas se réaliser pour l'Apôtre et ses contemporains, plutôt que d'être loin du Seigneur, dans une condition qui est celle de la foi et non de la vision, mieux vaut déloger de ce corps et habiter près du Seigneur [5]. « J'ai le désir de quitter cette vie et d'être réuni avec le Christ, ce qui est de beaucoup le meilleur [6] » écrivait l'Apôtre aux Philippiens, quand pendant sa première captivité à Rome il envisageait la possibilité du martyre. Désir qui n'avait rien d'égoïste, puisque saint Paul se déclarait prêt à faire passer cette satis-

---

1. *I Cor.*, XIII, 10.
2. *I Cor.*, XIII, 12.
3. *I Cor.*, II, 9.
4. *II Cor.*, V, 1-4. Cf. *I Cor.*, XV, 50.
5. *II Cor.*, V, 6-8.
6. *Pil.*, I, 23.

faction personnelle, la plus douce à son cœur, après la continuation de son apostolat, jugée plus nécessaire au bien de la communauté chrétienne [1].

Le plus souvent saint Paul, quand il parle de l'attente des biens célestes, se place à un point de vue collectif, social : c'est toute l'Église dont il est membre et dont il exprime une disposition foncière, qu'il nous représente tendue dans l'espérance du retour triomphal du Christ et de la gloire qui se manifestera alors dans les fils de Dieu ressuscités [2]. Cette aspiration, à laquelle saint Paul associe toute la création, solidaire du péché de l'homme et de sa liberté reconquise [3], une formule araméenne, souvent répétée par les premiers chrétiens, la résume : « *Marana tha*, notre Seigneur, venez [4] », la même que dans l'Apocalypse (XXII, 20) : « Oui, venez, Seigneur Jésus ». Cette formule, que nous retrouvons dans la *Didachè* (x, 6), semble avoir été jointe à la célébration de l'Eucharistie. Ce mystère, en effet, est intimement lié dans la doctrine paulinienne à l'espérance du retour glorieux du Christ ou *parousie*. « Toutes les fois que vous mangez ce pain et que vous buvez cette coupe, vous commémorez la mort du Seigneur, *jusqu'à ce qu'il revienne* » (*I Cor.*, XI, 26). Commémoration active du sacrifice du Calvaire par la présence réelle du Christ sous les éléments qui servent à la célébration du rite, communion des fidèles entre eux dans un repas qui les fait participer à une même Victime, l'Eucharistie est le symbole, le gage, l'anticipation de ce banquet céleste qui réunira toute la communauté des élus autour du Christ, l'auteur et l'aliment de leur joie éternelle. Sa célébration tourne les regards

---

1. *Phil.*, I, 25.
2. *Rom.*, VIII, 18.
3. *Rom.*, VIII, 19-22 : voir sur ce passage notre commentaire de l'Épître aux Romains.
4. *I Cor.*, XVI, 22.

des fidèles vers cette perspective bienheureuse et leur en fait désirer la réalisation .

Ce désir qui soulève saint Paul et avec lui la première génération chrétienne, est un désir humble, qui exclut toute présomption. L'Apôtre ne cherche pas à contraindre le Seigneur, en lui imposant une date pour son retour. Il a pu espérer que cette parousie du Christ glorieux serait proche, que cette fin des temps où nous sommes entrés [2], verrait bientôt la consommation du siècle présent. Mais là-dessus il n'avait pas d'enseignement positif à communiquer et de fait il n'en a pas donné. Seulement il a dissipé l'illusion de ceux qui croyant la parousie imminente s'abstenaient de travailler [3] ; il a réfuté l'erreur de ceux qui pensaient qu'il n'y aurait à rejoindre le Seigneur, lors de son retour, que les fidèles alors vivants [4], et il a montré que ceux qui seraient morts auparavant « dans le Christ [5] », ne seraient pas désavantagés [6]. En attendant, les tâches ordinaires de la vie sont à poursuivre. Ce qui importe, c'est l'esprit dans lequel on les accomplit, un esprit de détachement, non de paresse et de lâcheté, mais de foi pure, qui ne met dans aucun bien terrestre, mais dans l'union éternelle avec Dieu, son ultime désir, son suprême espoir, son amour premier et dernier.

La charité désintéressée

Planter au cœur du chrétien la flèche du désir, insérer dans l'amour de l'homme pour Dieu l'espoir d'une

1. Voir l'article du P. DE MONTCHEUIL, *Signification eschatologique du Repas eucharistique*, dans les *Recherches de Science religieuse*, 1946, p. 10-43.

2. *I Cor.*, X, 10.

3. *II Thess.*, II, 1 sq. ; III, 11-12.

4. *I Thess.*, IV, 15-17.

5. *I Cor.*, XV, 18.

6. *I Thess.*, IV, 13-17.

béatitude que saint Paul présente non comme un salaire, mais comme une récompense qui reste gratification [1], n'est-ce pas altérer le caractère de l'*agapè* qui est amour désintéressé? Ce serait le cas si l'*agapè* empruntait les caractères de l'*érôs*, si elle était, à l'instar de celui-ci dans la philosophie grecque et la mystique hellénistique, l'aspiration purement naturelle de l'inférieur vers le supérieur, du pauvre vers le riche, de l'être imparfait vers une Divinité parfaite, qui, n'étant pas créatrice, ne lui a pas donné l'existence, ne vient pas à lui, ne s'abaisse pas vers lui, mais, immuable dans son éternité, se borne à exercer sur lui une sorte d'attirance, de gravitation, « comme l'aimé meut l'aimant » (ARISTOTE) [2]. Dans la doctrine paulinienne, l'*agapè* a sa source en Dieu ; l'amour de l'homme pour Dieu n'existe que parce que, le premier, Dieu a aimé l'homme, l'appelant à la vie éternelle dans l'acte même qui le créait, et se donnant à lui dans l'Incarnation et la Rédemption. Le désir qui porte l'homme vers Dieu n'est pas l'aspiration d'une nature posée en dehors de Dieu, mais la réponse d'un être créé par amour, réponse qui est elle-même un don de Dieu. « La passion et la faim de Dieu ont leur origine en Dieu [3] » ; et Dieu lui-même est immanent au désir inassouvi qui nous porte vers lui. Désirer les biens éternels, c'est aspirer à rassasier cette faim d'origine divine, non en conquérant Dieu, mais en étant envahi par lui ; c'est moins vouloir le posséder que désirer se perdre en lui. Il y aurait égoïsme si le désir demeurait centré sur le sujet, si l'homme se rapportait à soi-même Dieu comme un objet de conquête ou de jouissance ; la

---

1. *Rom.*, VI, 23.
2. Sur ces caractères de l'*érôs* opposé à l'*agapè*, voir Max SCHELER, *op. cit.*, p. 69 sq. ; A. NYGREN, *op. cit.*, p. 235.
3. Fr. VON HÜGEL, dans NÉDONCELLE, *La pensée religieuse de Fr. von Hügel*, Paris, 1935, p. 106.

charité reste désintéressée si la relation est inverse, si l'homme rapporte à Dieu tout ce qu'il est et tout ce qu'il a, si son amour pour Dieu est un don reçu et s'il s'abandonne à Dieu dans l'opération même de ce don. Ce n'est pas panthéisme, absorption de l'homme en Dieu jusqu'à la perte de sa personnalité; saint Paul maintient l'existence du moi, au plus haut sommet de la vie chrétienne, dans la vision béatifique : « *Je* connaîtrai *Dieu*, comme *je* suis connu de *Lui* » (*I Cor.*, XIII, 12). Ce n'est pas non plus une dualité de sujets indépendants. Parlant de la vie de la foi ici-bas, saint Paul a dit : « Ce n'est plus moi qui vis, c'est le Christ qui vit en moi » (*Gal.*, II, 20). Union si étroite qu'on a pu la qualifier d'identité ou d'identification, non pas absolues, mais relatives : en ce sens que si la grâce ne supprime pas la personnalité de l'Apôtre, sa vie est si intimement pénétrée de la présence du Christ et de son action qu'elle est plus du Christ que de Paul. De même on peut dire de la vie de charité : « Ce n'est plus moi qui aime, c'est Dieu qui aime et qui s'aime en moi [1] ».

La charité consommée : Dieu tout en tous

La perfection de cette charité sera atteinte lorsque, à la consommation des temps, toutes choses ayant été soumises au Christ, toute Principauté, Domination et Puissance hostiles ayant été vaincues, le Fils remettra au Père le pouvoir royal qu'il exerçait comme Sauveur des hommes et Chef de l'Église militante, et que Dieu sera « tout en tous [2] » : péché et mort ayant été anéan-

---

1. Le mot de LACHELIER nous revient en mémoire : « Nous ne pouvons cesser de nous vouloir nous-mêmes que si Dieu condescend à se vouloir en nous » (cité par BOUTROUX, *Revue de Métaphysique et de Morale*, 1921, p. 18).
2. *I Cor.*, XV, 24-28.

tis, il pénétrera totalement de sa lumière et de sa joie tous et chacun des élus. Leur jubilation sera de rendre éternellement témoignage de sa bonté et de son amour.

Ce témoignage, les élus le porteront dans des corps ressuscités [1]. La résurrection du Christ, premier-né d'entre les morts [2], prémices de ceux qui se sont endormis en se confiant en lui [3], garantit celle de ses fidèles [4]; son triomphe est « l'éclosion du printemps de la vie supra-terrestre [5] », où ils s'épanouiront pleinement dans une humanité transfigurée et vivront éternellement de la vie de Dieu. Leurs corps seront *spirituels* [6], c'est-à-dire participeront à la condition du Christ glorieux : pour eux, plus de résistance, d'opacité, de corruptibilité. Dans une durée qui ne sera plus celle du temps historique [7], les élus seront soustraits aux limitations spatiales, et comme le Christ actuellement se rend présent à l'âme de chacun de ses fidèles, ils seront perméables les uns aux autres et entièrement transparents. Le corps restera un élément de détermination, qui distinguera entre eux les bienheureux : par là, le christianisme s'oppose à des mystiques comme

---

1. *I Cor.*, tout le chapitre xv.
2. *Col.*, I, 18.
3. *I Cor.*, xv, 20.
4. Cf. *I Cor.*, xv, 20-23.
5. SCHWEITZER, *op. cit.*, p. 111.
6. *I Cor.*, xv, 44.
7. Rien ne permet d'attribuer à saint Paul, comme le fait SCHWEITZER, *op. cit.*, p. 67, l'idée d'un Royaume messianique, une sorte de *Millenium*, qui serait à placer entre la Parousie du Christ, qu'accompagne la résurrection des justes, et une fin ultérieure du monde, qui serait marquée par la résurrection et le jugement des pécheurs. Avec la Parousie du Christ, la lutte contre les puissances hostiles est achevée; tous les ennemis du Règne de Dieu sont anéantis; c'est la consommation du siècle présent : voir ALLO, *Saint Paul et la « double résurrection » corporelle*, dans la *Revue Biblique*, 1937, p. 187-209; J. HERING, *Le Royaume de Dieu*, Paris, 1937, p. 175 sq. et notre commentaire de la Première Épître aux Corinthiens (collection *Verbum Salutis*), Paris, 1946, p. 373.

celles de l'Inde qui, séparant totalement l'esprit indestructible et la matière illusoire, tendent à résorber le
moi personnel dans un Tout divin homogène. Mais
à l'inverse de ce qui se passe ici-bas dans l'état de
corps *psychique* , non totalement pénétré par l'Esprit,
la détermination par le corps spirituel ne sera plus
une limite, un écran, faisant obstacle à la communication parfaite des consciences : le corps sera devenu
« *un instrument pur* d'expression, d'action et de communion [2] ».

Le plus souvent saint Paul, conformément à son
habitude de considérer la destinée du nouvel Israël,
de l'Église comme corps, plus que celle de chaque
fidèle pris individuellement, met au premier plan de
son enseignement la résurrection des justes et la Parousie
glorieuse du Christ, sans s'arrêter au sort particulier
du croyant aussitôt après la mort. Pourtant un passage
de l'épître aux Philippiens (1, 23) atteste que ce dernier
point n'est pas demeuré totalement en dehors de sa
pensée. Pendant sa captivité romaine, envisageant
comme possible un martyre prochain, il s'en réjouit
comme d'un départ qui le réunira immédiatement
au Christ. La mort, loin de le séparer du Christ qui
dès ici-bas vit en lui [3], l'introduira à une vie plus pleine
avec son Seigneur : elle sera pour lui un gain [4]. Cette
réunion immédiate avec le Christ, que saint Paul attend
personnellement après sa mort, il est dans la logique
de sa doctrine qu'elle ne lui soit pas à lui seul réservée,

---

1. Corps *psychique*, animé et mû par la *psyché* (âme), principe
de vie naturelle, opposé au corps *spirituel (pneumatikon)*, vivifié par
le *pneuma*, l'esprit de l'homme totalement pénétré par l'Esprit de
Dieu : voir notre commentaire de la Première Épître aux Corinthiens,
p. 387 sq.

2. J. Mouroux, *Sens chrétien de l'homme*, Paris, 1945, p. 102.

3. *Gal.*, II, 20.

4. *Phil.*, I, 21. — Sur ce passage, voir notre commentaire des Épîtres
de la Captivité.

mais qu'elle soit accordée à tous ceux qui comme lui seront unis au Christ par une charité prête à s'affirmer, s'il le faut, par le martyre.

« Dieu tout en tous » : les élus étant tous rassemblés, il n'y aura plus de médiation du Christ, ni d'effusion de grâces par le Saint-Esprit, mais une seule royauté de gloire commune aux trois personnes divines [1].

Le Christ (et l'Esprit) en nous et nous dans le Christ (et l'Esprit)

Quand saint Paul parle de la vie chrétienne ici-bas, il n'emploie pas cette formule « Dieu tout en tous », mais il recourt à d'autres expressions qui rappellent la médiation du Christ ou l'opération de son Esprit. C'est du Christ qu'il dit qu'il « est tout et en tous [2] ».

Des textes, en nombre relativement faible, représentent le Christ comme étant dans ses fidèles [3], habitant dans leurs cœurs par la foi [4], vivant en eux [5] ; semblablement est enseignée la présence de l'Esprit-Saint dans les fidèles, son inhabitation en eux [6]. Plus souvent saint Paul dit des chrétiens qu'ils « sont dans le Christ ». La formule, comme nous l'avons déjà noté, signifie appartenance au Christ, sans spécifier par elle-même la nature de ce rapport ; prise au sens fort, comme invitent à le faire plusieurs textes [7], elle marquera

---

1. Certaines grâces mystiques ne seraient-elles pas comme une anticipation de la vision de cette unique royauté de gloire, avec effacement, mais seulement temporaire, de la pensée du rôle médiateur du Christ ?
2. *Col.*, III, 11.
3. *Rom.*, VIII, 9-11 ; *II Cor.*, XIII, 5 ; *Gal.*, IV, 19 ; *Col.*, I, 27 ; III, 11.
4. *Eph.*, III, 17.
5. *Gal.*, II, 20.
6. *Rom.*, VIII, 9-11 ; *I Cor.*, III, 16 ; VI, 19.
7. *Phil.*, III, 9 ; *Rom.*, VI, 11 ; *Gal.*, III, 28 ; *Eph.*, II, 21, 22 ; III, 12.

une présence du chrétien dans le Christ comme dans
un milieu vital. Le Christ dans ses fidèles, les chrétiens
dans le Christ : les deux formules réunies expriment
présence mutuelle du chrétien et du Christ, compé-
nétration réciproque[1], le Christ demeurant toutefois
dans cette union le principe supérieur, transcendant,
qui imprime à la vie nouvelle du chrétien le caractère
propre qui la distingue de la vie naturelle. « L'amour
du Christ nous presse, persuadés comme nous le sommes, que si un seul est mort pour tous, tous donc sont
morts avec lui ; et qu'il est mort pour tous, afin que
les vivants ne vivent plus pour eux-mêmes, mais pour
celui qui est mort et ressuscité pour eux[2]. » Le chrétien
vit *pour* le Christ, parce qu'il vit *dans* le Christ, parce
qu'en lui la vie de l'homme « animal[3] » a fait place
à une autre dont le Christ est la source ; à un vouloir
égoïste dans son principe et dans sa fin s'est substituée
une liberté qui puise sa force plus profond que l'homme
et tend plus haut que lui. « Ma volonté n'est vraiment
mienne qu'en cessant d'être mienne, et non pas simplement en ce sens que je doive vouloir un bien plus
haut et plus large que moi, mais en ce sens qu'un autre
doit me faire vouloir ; il ne faut pas seulement que le
moi cesse d'être l'*objet* du vouloir ; il faut que *je* me
résigne à mon incapacité d'en être le suffisant *sujet*.
Que dis-je : que je me résigne ? Il faut que je m'y

---

1. Il n'est pas sans intérêt de comparer les deux formules pauliniennes, qui expriment l'unité et l'égalité de tous les hommes dans
le Christ. *Gal.*, III, 28 : « Il n'est plus de Juif ni de Grec, plus d'esclave
ni d'homme libre, plus d'homme ni de femme ; car vous tous êtes
un *dans le Christ Jésus* » ; et *Col.*, III, 11 : « Il n'y a plus ni Grec
ni Juif, ni circoncis ni incirconcis, ni barbare, ni Scythe, ni esclave,
ni homme libre, mais *le Christ est tout et en tous* ».

2. *II Cor.*, V, 14-15.

3. En prenant le mot au sens que lui donne saint Paul, *I Cor.*,
II, 14 : l'homme qui n'a que sa *psyché*, son âme d'animal raisonnable,
sans le *pneuma* divin, sans aucune participation au don de l'Esprit-
Saint.

complaise, que j'en exulte, que j'en triomphe de joie. Abnégation la plus profonde, amour le plus amoureux, car au delà de la joie ravissante de se donner, il y a celle de s'abandonner pour l'opération du don même [1]. » C'est tout cela qu'expriment les formules si denses de saint Paul : « Pour moi, vivre c'est le Christ [2]... Ce n'est plus moi qui vis, c'est le Christ qui vit en moi [3] ».

Comme nous l'avons déjà noté à propos du baptême et de l'accomplissement de la loi morale, l'habitation du Christ en nous n'est pas séparable de la présence de son Esprit. Mais cette union indissoluble n'exclut pas toute différence entre le Christ et son Esprit dans le mode de leur action : c'est *par* l'Esprit que le Christ exerce son action vivificatrice [4]. L'Esprit est au principe de la foi qui fait adhérer au Christ Seigneur [5], de la sagesse dont le regard plonge dans les profondeurs de Dieu [6] ; c'est par son Esprit, en tant qu'il nous le donne, que Dieu répand son amour dans nos cœurs [7]. Dans la prière, l'Esprit vient en aide à notre faiblesse [8] pour nous donner d'approcher de Dieu avec confiance, de nous adresser à lui comme à notre Père [9], de pousser

---

1. P. ROUSSELOT, *La grâce selon saint Paul et selon saint Jean*, dans les *Mélanges Grandmaison* (*Recherches de Science religieuse*, 1928), p. 99-100.

2. *Phil.*, I, 21.

3. *Gal.*, II, 20. Dans son commentaire de l'Épître aux Galates, Paris, 1946 (collection *Verbum Salutis*), M. AMIOT illustre ce texte par ce jugement de M. Olier sur le Père de Condren, second supérieur de l'Oratoire, qu'il était « si rempli de Jésus-Christ que c'était plutôt Jésus-Christ vivant dans le Père de Condren que le Père de Condren vivant en lui-même ».

4. Cf. TOBAC, art. *Grâce* du *Dictionnaire apologétique de la Foi catholique*, t. II, col. 335 ; PRAT, *op. cit.*, t. II, p. 354 ; L. MALEVEZ, *L'Encyclique « Mystici corporis Christi »*, dans la *Nouvelle Revue Théologique*, septembre-octobre 1945, p. 398-399.

5. *I Cor.*, XII, 3.

6. *I Cor.*, II, 10-11.

7. *Rom.*, V, 5.

8. *Rom.*, VIII, 26.

9. *Rom.*, VIII, 15 ; *Gal.*, IV, 6.

vers lui des gémissements ineffables [1]. C'est par lui
que nous sommes mis à même d'accomplir le commandement divin [2], que notre homme intérieur est fortifié [3],
que nous nous transformons graduellement en l'image
du Seigneur glorieux [4], en attendant de ressusciter
« par la vertu de l'Esprit qui habite en nous [5] ». Aussi
les fruits de la vie chrétienne sont-ils les fruits de
l'Esprit [6], et les vertus du Royaume, la justice, la paix,
la joie, des vertus « dans l'Esprit [7] », inspirées et produites
par lui [8].

Cette médiation de l'Esprit est d'un ordre unique,
qui transcende toutes les médiations humaines. Elle
ne fait pas de l'Esprit une sorte d'intermédiaire qui
s'interposerait entre nous et le Christ pour rendre notre
union avec celui-ci moins étroite et moins intime.
« L'Esprit est l'Esprit du Christ plus étroitement encore
que l'intelligence et la volonté, « émanées » de l'âme,
ne sont la propriété de cette âme. Et c'est pourquoi
l'intervention de cet Esprit ne relâche en rien la rigueur
de notre union avec le Sauveur ; les actions dont l'Esprit
est en nous le principe absolument immédiat n'en
sont pas moins actions du Christ lui-même. Sans doute,
c'est selon son Esprit que le Christ nous identifie à
soi, mais il nous identifie vraiment ; c'est par son Esprit
que nous sommes siens, mais nous le sommes en
toute vérité. Et l'Église, née de l'Esprit, n'en sera pas
moins l'incarnation prolongée du Fils de Dieu : dans
l'Église, dans la foi des siens, dans leur charité, dans

---

1. *Rom.*, VIII, 26.
2. *Rom.*, VIII, 2-4.
3. *Eph.*, III, 16.
4. *II Cor.*, III, 18.
5. *Rom.*, VIII, 11 : en lisant διά avec le génitif.
6. *Gal.*, V, 22.
7. *Rom.*, XIV, 17.
8. On trouvera dans TOBAC, art. *Grâce* du *Dict. apologétique*,
c. 335-338, un excellent tableau de cette activité de l'Esprit du Christ,

leur souffrance, c'est le Christ qui vit, qui s'exprime, qui s'épanouit comme en son parfait plérome qui expose et pour ainsi dire raconte toute la richesse de ses dons [1] ».

Dans les textes qui parlent de la présence du Christ au cœur des fidèles ou de la présence des fidèles dans le Christ, il s'agit toujours du Christ ressuscité et glorifié. « Suivant toute la force de la théologie paulinienne, c'est le Christ personnel et réel, élevé en gloire, qui est l'origine de toute spiritualisation [2] ». La présence intérieure d'un seul et même Christ dans de nombreux fidèles n'eût pu être affirmée du Christ terrestre, dont le corps occupait un espace défini et limité. Elle n'apparaît pas contradictoire, bien que nous ne puissions pas nous la représenter positivement, dans le cas du Christ glorifié, devenu par sa résurrection « esprit vivifiant » (*I Cor.*, xv, 45), dans une condition qui, si elle n'est pas absolument identique à celle d'un esprit pur [3], le soustrait cependant à toute limitation spatiale, de sorte que l'inhabitation de l'Esprit-Saint dans les fidèles ne va pas sans l'inhabitation du Christ, « le Seigneur de gloire [4] ».

Notons que saint Paul ne fait pas mention explicite de l'inhabitation du Père dans l'âme du chrétien ici-

---

1. L. MALEVEZ, *art. cit.*, p. 404. — On peut voir *ibid.*, p. 400-402, les raisons théologiques apportées en explication de cette priorité de la venue de l'Esprit, priorité non de temps, mais « d'intelligibilité et de nature » : l'Esprit, amour substantiel du Père et du Fils, doit à cette procession selon l'amour d'être « le premier don » (saint THOMAS), par qui les deux autres personnes de la Trinité atteignent les âmes des fidèles que lui-même à son tour rattache au Fils et au Père.

2. CERFAUX, *op. cit.*, p. 224.

3. Le seul fait que la mémoire du Christ ressuscité est celle d'un être qui a passé par une existence et une durée terrestres, suffirait à le distinguer d'un esprit pur.

4. *I Cor.*, II, 8.

bas [1]. C'est un trait qui distingue sa mystique de celle de saint Jean, où cette inhabitation du Père est explicitement affirmée avec celle du Fils et du Saint-Esprit [2]. Cette différence entre saint Paul et saint Jean ne serait-elle pas solidaire de leur doctrine trinitaire? Tous deux ont enseigné la distinction des personnes, Père, Fils et Saint-Esprit, dans l'unité de la nature divine ; mais saint Paul n'a pas marqué en termes explicites la présence du Fils dans le Père et du Père dans le Fils, tandis que saint Jean affirme expressément cette immanence réciproque [3]. En conséquence l'affirmation johannique de la présence du Fils dans l'âme juste amenait naturellement l'affirmation de la cohabitation du Père : ce qui dans saint Paul est resté inexprimé.

« Mystique du Christ » et « Mystique de Dieu »

On peut donc concéder à Schweitzer que si l'on considère l'élément caractéristique, le trait spécifique

---

1. Deux textes, apparemment contraires à cette assertion, *I Cor.*, XIV, 25 et *Eph.*, IV, 26, ne se rapportent pas selon nous à cette inhabitation. Le premier, « Dieu est réellement ἐν ὑμῖν (*in vobis*) en vous » ou « parmi vous », quand se manifeste dans l'assemblée liturgique le charisme de la prophétie, s'entend d'une Providence particulière de Dieu sur la communauté chrétienne que son Esprit assiste et inspire, sans détermination précise d'une inhabitation proprement dite dans l'âme des fidèles pris individuellement. Dans le second texte l'expression ἐν πᾶσιν (*in omnibus*) est susceptible de deux traductions : « Dieu le Père... qui est en tous », ce qui peut faire songer à sa présence dans l'âme des fidèles, et « Dieu le Père... qui est *en tout* », ce qui signifie, non une inhabitation spéciale dans l'âme juste, mais l'omniprésence divine dans tous les êtres créés ; cette dernière interprétation nous paraît préférable. C'est dans le même sens que nous interprétons le texte du discours à l'Aréopage (*Act.*, XVII, 28) : « En Lui (Dieu) nous avons la vie, le mouvement et l'être ». Dans *I Cor.*, XII, 6 saint Paul dit de Dieu le Père que c'est lui « qui opère tout en tous », mais il s'agit dans ce texte de charismes, activités surnaturelles de caractère intermittent, et non d'une habitation permanente du Père dans les âmes chrétiennes.

2. *Jn.*, XIV, 23 ; *I Jean*, IV, 12, 13, 15.

3. *Jn.*, X, 28 ; XIV, 11, 20 ; XVII, 21-23.

de la mystique paulinienne, elle apparaît comme une *Christusmystik*, « une mystique du Christ ». Nous n'irons pas cependant jusqu'à dire avec le même auteur qu'elle n'est aucunement une *Gottesmystik*, « une mystique de Dieu [1] », comme si elle ne renfermait aucun indice d'une union, d'un contact du chrétien avec le Père. Pour saint Paul, la vie des chrétiens est une vie qui « est cachée avec le Christ en Dieu [2] », comme dans un contenant mystérieux, qui en est aussi la source [3], C'est dans le Christ que nous avons accès au Père [4]. un accès qui ne peut se concevoir que comme une proximité spirituelle, une mutuelle présence. Dans l'épître aux Romains, saint Paul exhorte les chrétiens à conformer leur vie à celle du Christ qui, mort au péché une fois pour toutes, vit *à Dieu*, c'est-à-dire en Dieu et pour Dieu [5]. « Tout est à vous, écrit l'Apôtre aux Corinthiens, mais vous, vous êtes au Christ et le Christ est à Dieu [6] » : ne faisant qu'un avec le Christ, comme lui ils appartiennent au Père ; ils sont de sa maison, de sa famille [7], ses enfants par communication de sa vie. Saint Paul nous les montre déjà associés à la gloire du Christ, siégeant avec lui « dans les régions célestes [8] », où il est assis à la droite de Dieu le Père [9], dans

---

1. *Die Mystik des Apostels Paulus*, p. 3 sq.
2. *Col.*, III, 3.
3. *Col.*, III, 3. — Les suscriptions des épîtres aux Thessaloniciens (*I Thess.*, I, I ; *II Thess.*, I, I) portent : « A l'Église des Thessaloniciens qui est en Dieu notre Père et dans le Seigneur Jésus-Christ ». Il est difficile de définir exactement ce rapport « en Dieu ». Pour saint Jean Chrysostome, c'est en Dieu que l'Église a son existence et sa force ; c'est lui qui la soutient par sa puissance. En tout cas, il ne s'agit pas de la vie spirituelle des chrétiens pris individuellement.
4. *Eph.*, III, 12.
5. *Rom.*, VI, 10-11.
6. *I Cor.*, III, 22-23.
7. *Eph.*, II, 19, οἰκεῖοι τοῦ Θεοῦ (Vg. *domestici Dei*).
8. *Eph.*, II, 6.
9. *Col.*, III, I.

son intimité, dans sa présence. Comme le Christ avec lequel ils ne font qu'un, les chrétiens sont à Dieu et en Dieu. C'est le cas de rappeler le mot de saint Augustin : « En aimant le Christ, tu aimes le Fils de Dieu. En aimant le Fils de Dieu, tu aimes aussi le Père. Impossible de diviser l'amour [1] ».

Quant au texte de *I Cor.*, xv, 28, qui reporte la réalisation du « Dieu tout en tous » à la fin des temps, il faut le comprendre dans la perspective paulinienne. L'Apôtre envisage l'Église au terme de sa destinée historique, quand tous les élus seront rassemblés autour du Christ glorifié. C'est alors véritablement que l'union de Dieu avec le peuple de la nouvelle alliance atteindra son parfait accomplissement. Mais ici il faut faire la même remarque qu'au sujet de la soumission de toutes choses au Christ, elle aussi rejetée à la fin des temps (*I Cor.*, xv, 28). Cette soumission complète ne sera pas une sorte de commencement absolu, une victoire acquise en un instant, mais l'achèvement d'une œuvre qui se poursuit tout au long de l'histoire humaine. Dès maintenant le Christ se soumet chacun de ceux qu'il arrache à la puissance des ténèbres et transplante dans son Royaume [2]. En se soumettant ceux qu'il sauve au cours des siècles, le Christ les mène à Dieu, il les associe à la relation qui le rapporte au Père, pour que Dieu soit tout en chacun d'eux, comme

---

1. *In epist. I Joan.*, tr. X, n. 3 (*P.L.*, 35, 2055). — En partant de la présence de l'Esprit-Saint dans le chrétien, on pourrait faire des considérations analogues. Cet Esprit, qui est l'Esprit du Christ (*Rom.*, VIII, 9), est aussi l'Esprit de Dieu le Père (*Rom.*, VIII, 9, 11), uni à lui dans une intimité qui dépasse tout ce que nous pouvons concevoir : comme l'Esprit, parce qu'il est l'Esprit du Christ, ne peut être en nous que le Christ n'y soit aussi, on peut dire semblablement que l'Esprit, parce qu'il est l'Esprit du Père, ne peut habiter en nous sans y attirer le Père. Mais ce sont là des considérations que saint Paul n'a pas explicitées.

2. *Col.*, I, 13.

au dernier jour il fera hommage au Père de toute l'humanité prédestinée, pour que Dieu soit tout en tous. Saint Jean exprimera nettement cette réalisation progressive de la soumission de l'humanité au Père. Son évangile nous montrera le Fils conduisant au Père *chacun* de ceux qui croient en sa mission de Verbe incarné. Ce sera l'explicitation de ce qui est implicite ou simplement suggéré dans les épîtres pauliniennes.

Il semble donc permis d'attribuer à saint Paul non seulement une « mystique du Christ », mais aussi, dans un certain sens, une « mystique de Dieu [1] ». Il reste qu'il a mis au premier plan, en pleine lumière, non l'union au Père, mais l'union au Christ et le rôle capital de sa médiation [2].

Par là, sa mystique se distingue essentiellement des mystiques païennes hellénistiques telles que celles de Plotin et des écrits hermétiques [3], qui n'admettent aucun médiateur entre l'âme et Dieu [4]. Par là aussi,

---

1. Cf. L. MALEVEZ, *L'Église, corps du Christ,* dans *Science Religieuse. Travaux et Recherches,* Paris, 1944, p. 55-57.

2. « Ce qui donne à l'apôtre des gentils une importance capitale pour la prière chrétienne, c'est le fait qu'il mit tous les rapports avec Dieu en relation immédiate avec Jésus-Christ » : Fr. HEILER, *La Prière,* Paris, 1931, p. 271.

3. Les écrits hermétiques ou *Hermetica* sont dix-huit traités qui contiennent de prétendues révélations du dieu Hermès Trismégiste et d'autres divinités égyptiennes. Ils ont été composés en Égypte, mais en langue grecque ; leur date ne peut être déterminée avec précision ; leur dernier éditeur, W. SCOTT (*Hermetica,* 3 vol., Oxford, 1925-1926) place leur apparition au IIIe siècle de l'ère chrétienne, tout en admettant que certains morceaux peuvent remonter au IIe siècle. Le P. FESTUGIÈRE en échelonne l'apparition entre le Ier siècle avant et le IIIe siècle après J.-C. (*Histoire Générale des Religions, Hermétisme et Gnose païenne,* Paris, 1945, p. 62 et 443, note 14).

4. E. BRÉHIER, *La philosophie de Plotin,* Paris, 1928, p. 114 : « L'idée propre de salut, qui suppose un médiateur envoyé par Dieu à l'homme, lui est étrangère ». Et il fait la même remarque sur les *Hermetica* : « Bien qu'il n'y ait pas, comme le montre l'éditeur (W. Scott), une parfaite unité de doctrine dans tous ces traités, on est frappé d'y trouver le même caractère qui éloigne Plotin de toutes

il a mis sur la piété chrétienne son empreinte indestructible. Il a posé le fondement et donné le modèle des rapports intimes et personnels avec le Seigneur glorifié. Cette influence ne se fit toutefois sentir que progressivement dans la piété individuelle. On sait que les invocations adressées au Père ou au Père par le Christ tenaient dans la prière antique une place notablement plus grande que celles qui allaient directement au Seigneur Jésus[1]. « Dans la piété personnelle de l'Occident, constate Frédéric Heiler, ce n'est qu'au commencement du moyen âge que les rapports de prière avec le Christ occupent une place dominante[2] », telle qu'elle apparaît dans saint Anselme et surtout dans saint Bernard. En cela, ces deux Saints étaient les héritiers authentiques de la piété paulinienne. « Par Bernard, Paul a effectivement influencé les méthodes de prière de tout le moyen âge et du mysticisme moderne[3] ».

Mystique et apostolat

Au rappel constant de la médiation du Christ s'allie pour saint Paul l'intention de surnaturelle et universelle charité, *l'agapè*. C'est là un autre trait qui fait de la mystique paulinienne une réalité spirituelle spécifiquement distincte des mystiques païennes hellénistiques. Dans la doctrine des écrits hermétiques et plotiniens, la poursuite essentielle est celle de l'union à Dieu ou au divin par la contemplation *(théôria)* et une contemplation qui fait de l'homme un évadé du monde et un séparé de ses frères : l'âme, en effet,

les religions du salut, à savoir l'union à Dieu par la simple contemplation ou intuition, et l'absence de tout intermédiaire qui se chargerait de cette union ».

1. Cf. J. Lebreton, *Histoire du dogme de la Trinité*, t. II, Paris, 1928, p. 174-238.
2. *La Prière*, p. 272.
3. *Ibid.*

s'unit directement à Dieu « par la partie supérieure d'elle-même, celle qui échappe aux dégradations de l'agir *(prattein)* et du faire *(poiein)* [1] ». Saint Paul propose aux chrétiens une autre fin, la charité [2]. « Elle est la voie excellente entre toutes [3] », supérieure à tous les charismes, même à la science (gnose) qui n'est que science et ne se tourne pas à aimer. Charité qui est amour de Dieu et de sa volonté, du plan divin du salut sur le monde, donc coopération à la réalisation de ce plan divin, dévouement actif au prochain, vie engagée dans l'apostolat. Prendre à cœur les intérêts du Christ [4], le faire connaître et aimer, travailler à la diffusion de son Règne et par là construire dès ici-bas un monde meilleur en favorisant « tout ce qui est vrai, tout ce qui est digne de respect, tout ce qui est juste, tout ce qui est aimable, tout ce qui est de bon renom, ce qui se rencontre de vertu et ce qui mérite l'éloge [5] » partout où il se présente, voilà l'idéal que saint Paul propose aux chrétiens et d'après lequel il juge ses collaborateurs. « Faites comme moi qui cherche à plaire à tous et en tout et qui ne songe point à mon intérêt personnel, mais à celui de tous les autres afin qu'ils soient sauvés [6] ». Le plus bel éloge qu'il puisse faire de son disciple Timothée, est qu'il ne cherche pas son intérêt propre, mais celui du Christ [7]. S'il exalte la virginité par-dessus le mariage, ce n'est pas pour favoriser des fins égoïstes, évasion des tâches

---

1. C.-H. Puech, d'après un cours inédit, cité par M. de Gandillac, *Œuvres complètes du Pseudo-Denys l'Aréopagite*, Paris, 1943, p. 33.

2. Ce trait a été fortement marqué par le P. Festugière dans le chapitre *Mystique païenne et charité* de son ouvrage *L'Enfant d'Agrigente*, p. 112-129.

3. *I Cor.*, XII, 31.

4. *Phil.*, IV, 17.

5. *Phil.*, IV, 8.

6. *I Cor.*, X, 33; cf. *I Cor.*, IX, 20, 22.

7. *Phil.*, IV, 17.

familiales ou même concentration plus intense de
l'âme dans sa solitude avec Dieu, mais parce que
cette condition permet normalement de se consacrer
plus entièrement « aux affaires du Seigneur [1] », à la
rédemption du monde.

Formé à l'école de saint Paul, le chrétien spirituel
reproduira trait pour trait le tableau que le P. Maréchal
a tracé du mystique catholique. « Inséré dans le corps
mystique du Christ, vivant des sacrements, participant
à la prière commune, pénétré de cette mystérieuse
solidarité dans la grâce qu'enseigne le dogme de la
« communion des saints », associé par devoir et par
amour à l'œuvre rédemptrice dont il est lui-même le
bénéficiaire, mis ainsi dans l'heureuse impossibilité
d'aimer Dieu sans aimer du même coup le Christ et,
dans le Christ, les âmes, il jugerait monstrueux de se
présenter devant la face du Père céleste à l'écart de
ses frères d'humanité et de ne chercher dans l'oraison
que des délices égoïstes. Aussi bien peut-on constater
à toute époque que la mystique chrétienne la plus authentique pousse à l'exercice de la charité et de l'apostolat [2]. »
Cette charité, qui est tout ensemble promotrice de
sainteté personnelle et inspiratrice de zèle apostolique,
c'est l'essence de la spiritualité paulinienne.

---

1. *I Cor.*, VII, 32.
2. J. MARÉCHAL, *Études sur la psychologie des mystiques*, 2ᵉ éd.,
Louvain, 1938, t. II, p. 464.

CHAPITRE III

L'EXPÉRIENCE CHRÉTIENNE

La vie chrétienne pour saint Paul est présence en nous du Christ et, avec lui, de son Esprit qui nous conforme à l'image du Fils de Dieu, fait de nous les enfants du Père céleste. La question se pose : dans quelle mesure cette présence active du Christ et de son Esprit se traduit-elle par des effets qui tombent sous l'expérience ? Pour répondre à cette question, distinguons le point de vue collectif et le point de vue individuel, les manifestations qui s'adressent à la communauté en tant que telle, et les effets qui sont propres aux différentes âmes chrétiennes.

Les charismes

Les manifestations de l'Esprit dans la communauté, sous une forme sensible, sont constituées par l'ensemble de ces grâces dont nous avons déjà parlé et qu'avec saint Paul on appelle des *charismes*. L'Apôtre en a donné plusieurs listes plus ou moins longues [1]. Tantôt il désigne les dons eux-mêmes : discours de sagesse, de science (gnose), foi extraordinaire, capable de « transporter les montagnes », don de guérison, opération de miracles, prophétie, discernement des esprits, don d'assistance, de gouvernement, parler en langues

---

1. *I Cor.*, XII, 8-10 ; 28-30 ; *Rom.*, XII, 6-8 ; *Eph.*, IV, 11. — Cf. PRAT, t. I, p. 498, et notre commentaire de la Première Épître aux Corinthiens, c. XII et XIV.

ou glossolalie, interprétation de ce « parler en langues [1] ».
Tantôt il énumère les personnes « charismatiques » :
apôtres, prophètes, évangélistes, docteurs (didascales),
pasteurs, exhortateurs, aumôniers, pratiquants des
œuvres de miséricorde [2].

Ces charismes sont conférés pour le bien commun
des fidèles [3], en vue du ministère apostolique, du service
actif de l'Église, de l'édification du Corps du Christ [4],
mais il ne s'ensuit pas qu'ils soient sans profit pour
ceux qui les reçoivent [5] ; même leur efficacité croît
avec ce profit spirituel [6] : plus un prophète est saint,
plus sa prédication qui tend à « édifier, exhorter,
consoler [7] », portera de fruits.

Les charismes sont dans l'Église la manifestation
visible (φανέρωσις) de la présence en elle de l'Esprit-
Saint [8]. L'Église, en tant que société gouvernée par
les Apôtres et doctrinalement infaillible, en juge ainsi.
Tous les charismes, déclare saint Paul, c'est le même
et unique Esprit qui les départit, distribuant ses dons
à chacun comme il lui plaît [9]. Si l'Église comme corps
se sait assistée de l'Esprit-Saint et voit dans les charismes
les signes de la présence active de cet Esprit, cela ne
tranche pas la question de savoir si tout chrétien,
bénéficiaire d'un charisme, a la conscience expérimentale
de l'inspiration divine. Pour les charismes qui revêtent
un caractère extraordinaire, on peut répondre affir-
mativement : ainsi pour le don de guérison, les opérations

---

1. *I Cor.*, XII, 8-10 et 30.
2. *I Cor.*, XII, 30 ; *Rom.*, XII, 8 ; *Eph.*, IV, 11.
3. *I Cor.*, XII, 7.
4. *Eph.*, IV, 13.
5. PRAT, t. I, p. 152, n. 4.
6. J. LEBRETON, dans les *Recherches de Science religieuse*, 1940,
p. 103.
7. *I Cor.*, XIV, 3.
8. *I Cor.*, XII, 7.
9. *I Cor.*, XII, 11.

de miracles, la prophétie, la glossolalie. C'était sous l'inspiration *sentie* de l'Esprit-Saint que le thaumaturge guérissait, que le prophète tenait un « discours de sagesse », que le glossolale s'exprimait en langage extatique. En était-il de même pour des formes ordinaires de ministère, telles que enseigner la catéchèse commune (fonction des didascales), recueillir et distribuer des aumônes, pratiquer des œuvres de miséricorde ? Une réponse affirmative ne paraît pas s'imposer. L'Esprit-Saint poussait intérieurement des chrétiens à ces ministères, assistait ceux qui les accomplissaient ; mais ceux-ci ont pu mettre en œuvre ces dons de lumière et de force, sans avoir le sentiment direct, immédiat, que l'Esprit-Saint les inspirait [1]. La confiance dans le secours divin, fondée sur des vues de foi, a pu leur suffire.

Alors même qu'un chrétien affirme sentir en lui la motion de l'Esprit-Saint pour l'exercice des charismes même les plus hauts comme la prophétie, ou les plus spectaculaires comme la glossolalie, saint Paul n'accepte pas ce témoignage sans pratiquer « le discernement des esprits ». Car, — exception faite pour les Apôtres qui ont le privilège de l'infaillibilité et dont l'enseignement doctrinal n'a pas à être soumis au jugement de la communauté, — il peut y avoir des contrefaçons des opérations divines. Saint Paul indique quelques règles pour écarter l'erreur et la simulation. Ainsi toute parole qui va à nier ou à mettre en question la seigneurie du Christ est incompatible avec l'inspiration authentique de l'Esprit. Si dans un transport

---

1. Les théologiens admettent qu'il en a été de même dans certains cas d'inspiration scripturaire. Ce charisme, — hors le fait de révélation proprement dite comme chez les prophètes, — ne comportait pas nécessairement pour l'historien sacré la conscience expérimentale que l'Esprit-Saint donnait impulsion à sa volonté et lumière à son intelligence pour écrire le récit des événements qui formeraient la matière de son ouvrage.

imité de l'extase un prophète ou un glossolale dit :
« Maudit soit Jésus! », il n'a pas l'Esprit de Dieu [1].
L'Apôtre exerce encore son droit de contrôle en régle-
mentant l'ordre suivant lequel interviendront dans les
assemblées chrétiennes ceux qui, mus par l'Esprit,
auront à communiquer quelque message, un psaume,
une révélation, un discours en langues, l'interprétation
de ce discours [2]. Tout doit se passer en bon ordre et
dans la paix. Des manifestations qui produiraient
trouble et désordre, ne porteraient pas la signature authentique de l'Esprit, car « Dieu n'est pas un Dieu de
désordre, mais de paix [3] ».

L'activité intérieure de l'Esprit

A côté des charismes qui ont un caractère de « manifestation visible » nettement marqué, se développe
dans l'Église une vie intime et profonde, l'activité de
l'Esprit dans le secret des âmes chrétiennes. Alors
que l'exercice des charismes n'est pas continu, que le
thaumaturge n'est pas constamment occupé à faire des
miracles, le prophète à tenir des discours inspirés,
et le glossolale à s'exprimer en langage extatique,
l'habitation de l'Esprit-Saint dans les âmes justes est
une grâce permanente, « habituelle » : par elle nous
sommes constitués fils de Dieu, héritiers des biens
célestes, en union avec le Christ [4]. A mesure que l'Église
primitive a pris plus vivement conscience de cette habitation permanente, elle a eu moins besoin des charismes
de caractère intermittent, qui manifestaient de façon
plus spectaculaire la présence de l'Esprit et qui pouvaient plus facilement dévier : c'était le cas de la glosso-

1. *I Cor.*, XII, 3.
2. *I Cor.*, XIV, 26 sq.
3. *I Cor.*, XIV, 33.
4. *Rom.*, VIII, 17.

lalie. On voit saint Paul réagir contre la trop grande avidité qu'avaient les Corinthiens de ce « parler en langues », donner la préférence à la prophétie qui se prêtait mieux à l'édification de la communauté, et mettre au-dessus de tout la charité[1].

Au sujet de l'union du fidèle avec l'Esprit-Saint la même question peut se poser qu'à propos des charismes : cette union est-elle pour toute âme juste objet d'une connaissance expérimentale, de sorte que sans raisonnement, par intuition, contact direct, elle ait le sentiment de la présence en elle de l'Esprit-Saint ? Sous cette forme précise, c'est un problème que saint Paul ne paraît pas avoir envisagé. Il est vrai que dans l'épître aux Romains (VIII, 16) il nous dit que « l'Esprit lui-même se joint à notre esprit pour attester que nous sommes enfants de Dieu ». Mais on ne saurait prouver qu'il s'agit là d'un témoignage individuel, perçu immédiatement par chaque chrétien à l'intérieur de sa propre conscience. Dans ce chapitre, à partir du ῾ 14, la pensée de saint Paul se porte, non sur les fidèles considérés individuellement, mais sur la communauté des enfants de Dieu, sur l'Église. Au ῾. 16, le pluriel ἐσμέν, « nous sommes », note le P. Lagrange, « doit s'entendre du groupe des fidèles[2] ». Cette communauté sait que lorsqu'elle pousse vers Dieu le cri : « *Abba*, Père », l'Esprit-Saint inspire cette prière et le sentiment filial qui l'anime. Cette certitude de l'Église comme corps ne peut-elle se particulariser dans les individus ? Pas en ce sens que tous aient de la présence de l'Esprit dans leur âme une certitude de foi, fondée sur une révélation personnelle. Nous n'atteignons pas l'Esprit-Saint indépendamment de son action ; c'est dans les

---

1. Voir sur cette question notre commentaire de la Première Épître aux Corinthiens, ch. XIV.
2. *Épître aux Romains*, p. 202.

effets que nous saisissons la cause, et il y faut un sens spirituel exercé. Mais plus l'âme pratique avec fidélité le devoir chrétien, plus se manifestent dans sa vie ces fruits de l'Esprit qui sont « charité, joie, paix, longanimité, affabilité, bonté, fidélité, douceur, tempérance [1] ». A mainte reprise saint Paul amène ses correspondants, spécialement les païens convertis, à comparer leur misère morale d'autrefois avec la pureté et la beauté de la vie chrétienne [2] : l'on peut croire que plus d'un qui y avait réfléchi, se rendait, après plusieurs années de christianisme, le témoignage personnel et vécu que c'était à l'Esprit du Christ, présent et agissant en lui, qu'il était redevable du changement profond opéré dans ses manières de penser et d'agir [3]. Dans ces fruits de justice, de paix, de joie qu'apporte le Royaume de Dieu [4], le chrétien « fait l'expérience obscure de l'Esprit [5] ». Plus il avance en perfection, mieux il les goûte et en discerne la divine saveur.

L'un de ces effets sur lequel saint Paul se plaît à insister, est la joie, « ce secret gigantesque du chrétien »

---

1. *Gal.*, V, 22-23 ; cf. *Eph.*, V, 9 ; *Rom.*, XIV, 17.

2. *I Cor.*, VI, 9-11 ; *Col.*, I, 21-22 ; III, 5-8 sq. ; *Eph.*, II, 2-10.

3. On peut concevoir une expérience analogue à celle qu'a si bien décrite F. von Hügel : « A mesure qu'elle deviendra plus morale et plus profonde, l'âme comprendra mieux que ce qu'il y a de plus excellent dans ses actes et dans ses désirs, lui est en quelque sorte fourni du dehors. Elle sent bien que ce n'est pas en elle qu'il faut chercher la source de ses inquiétudes et de ses désirs. Elle sent bien qu'elle jouerait une misérable comédie si elle se laissait aller, ou par rapport à l'ensemble de sa vie, ou sur des succès de détail, à des sentiments de vanité. Au contraire, plus elle avance et plus distinctement elle reconnaît qu'elle a besoin de la grâce et que ce besoin lui-même serait inexplicable si la grâce n'était pas déjà là pour le provoquer. Il en est de cette faim spirituelle comme de l'autre. Sans la présence d'un certain sel dans la bouche, personne n'aurait envie de boire ».

4. *Rom.*, XIV, 17.

5. J. MOUROUX, *Remarques sur la foi dans saint Paul*, dans la *Revue apologétique*, octobre 1937, p. 293.

(CHESTERTON) : joie qu'apportent la libération du joug du péché et la paix retrouvée avec Dieu [1], joie d'avoir été arraché à l'empire des ténèbres et de vivre dans le Royaume de la lumière [2], joie de pouvoir s'approcher de Dieu avec confiance et de lui exposer ses demandes comme un enfant à son Père [3], joie de travailler pour le Christ qui le premier nous a aimés et s'est livré pour nous [4], joie de souffrir des tribulations [5] et, s'il le faut, de donner sa vie en holocauste pour la diffusion de son Règne et la croissance de son Église [6], joie dans l'espérance d'une prochaine et totale réunion avec le Christ [7]. « Soyez joyeux dans le Seigneur toujours ; je le répète, soyez joyeux... Le Seigneur est proche. Ne vous inquiétez de rien, mais en toute circonstance, par la prière et la supplication, accompagnées d'actions de grâces, faites connaître vos demandes à Dieu. Et la paix de Dieu qui surpasse toute intelligence, gardera vos cœurs et vos pensées dans le Christ Jésus [8]. » Cette joie se manifestera par des psaumes, des hymnes et des cantiques spirituels, qui rendront grâces à Dieu le Père par le Christ Jésus notre Seigneur [9]. De cette joie, à l'état paisible et durable, le chrétien pourra tirer une ferme confiance qu'il est dans l'amitié divine.

Il peut même arriver que dans un de ces effets, grâce intérieure de lumière et d'amour, effusion débordante,

---

1. *Rom.*, V, 1-2. — Joie et paix vont ensemble, *Gal.*, V, 22 ; *Rom.*, XIV, 17 ; *Phil.*, IV, 4, 7.

2. *Col.*, I, 13 ; *Eph.*, V, 8.

3. *Eph.*, III, 12 ; *Phil.*, IV, 6.

4. *II Cor.*, VI, 10 ; *Phil.*, I, 18.

5. *Col.*, I, 24.

6. *Phil.*, II, 17-18 : « Même si mon sang doit être répandu en libation sur l'offrande sacrificielle que je fais de votre foi, je m'en réjouis et je m'en conjouis avec vous tous. Pareillement vous aussi, réjouissez-vous et conjouissez-vous avec moi ».

7. *Rom.*, V, 2 ; XII, 12 ; *Phil.*, IV, 4, 5.

8. *Phil.*, IV, 4, 5-7.

9. *Col.*, III, 16 ; *Eph.*, V, 19-20.

torrentielle, de joie et de charité, l'âme saisisse d'un regard instantané, sans l'ombre d'une hésitation ou l'ébauche d'une inférence, la Cause divine dans son effet, l'irradiation du soleil dans le rayon, l'épanchement de la source dans le ruisseau. C'est là un des caractères de la connaissance mystique que ce « simple regard », qui n'est pourtant pas vision intuitive, car la contemplation la plus haute reste connaissance dans un signe, dans un effet divin, et non vision face à face.

En étudiant les visions et révélations de saint Paul, nous allons voir s'il y a lieu d'admettre une exception à ce principe, d'accorder à saint Paul, dans une circonstance au moins et pour un instant, une connaissance de Dieu qui n'était plus de l'ordre de la foi, mais de la vision béatifique.

MYSTIQUE PAULINIENNE

CHAPITRE IV

LES VISIONS ET RÉVÉLATIONS DE SAINT PAUL

La conversion sur le chemin de Damas

Saint Paul est un converti. On ne saurait trop insister sur ce fait qu'au point de départ de sa vie chrétienne il y a une expérience spirituelle non moins remarquable par sa richesse que par sa soudaineté. Cette expérience a été érigée par la pensée chrétienne en type exemplaire de ces conversions auxquelles on peut donner le nom de « miracles spirituels » : une transformation psychologique si subite et si totale qu'elle ne trouve son explication que dans une intervention extraordinaire de Dieu [1].

Ce fut aux approches de Damas, où Saul le pharisien se rendait pour mener la persécution contre les chrétiens, que l'événement se produisit. Il se résume en une phrase de la première épître aux Corinthiens (xv, 8) : après tous les autres, — apôtres et disciples du Christ, — le Christ ressuscité « m'est apparu à moi comme à l'avorton ». « La conversion a été pour Paul une révélation du Fils de Dieu : il a vu le Christ vivant, telle est son expérience essentielle. Le Christ lui est apparu dans des conditions qui établissaient à la fois qu'il était vivant et qu'il était glorifié [2]. » Alors que les récits des Actes, l'un de Luc [3], les deux autres placés sur les

---

1. Nous avons cité d'autres exemples de ces conversions foudroyantes dans notre étude *La Conversion*, Paris, 1919, ch. III, p. 40-55.
2. M. GOGUEL, *Introduction au Nouveau Testament*, t. IV, 1ᵉ Partie, Paris, 1925, p. 207.
3. *Act.*, IX, 1-9.

lèvres de Paul , mettent en relief l'aspect extérieur, objectif, de l'événement, l'Apôtre, dans l'épître aux Galates, marque son caractère de révélation intérieure : « Il a plu à Dieu qui m'a séparé dès le sein de ma mère et m'a appelé par sa grâce de me révéler intérieurement son Fils, pour que je l'annonce aux Gentils [2]. » La lumière extérieure qui enveloppait Paul et ses compagnons, la voix qui se fit entendre à leurs oreilles et que Paul fut seul à comprendre, l'apparition qui fixait son regard, s'accompagnaient d'une lumière intérieure qui éclairait son esprit. Illumination subjective et vision objective s'unirent pour lui faire prononcer cette affirmation : « J'ai vu Jésus notre Seigneur [3] ».

« Ce n'est pas vous qui m'avez choisi ; c'est moi qui vous ai choisis... pour que vous alliez et portiez du fruit », disait Jésus à ses disciples réunis dans le Cénacle, la veille de sa Passion [4]. La même loi d'élection se vérifie dans la conversion de Paul. C'est le Christ qui a pris l'initiative de se montrer à lui [5] et en lui apparaissant de l'appeler tout ensemble à la foi chrétienne et à l'apostolat : sa conversion fut une vocation. Cette révélation du Christ s'est imposée à lui avec une telle force que le persécuteur qui ne respirait que menaces et meurtres contre les disciples du Seigneur [6], fut dompté, subjugué, sans la moindre velléité de regimber contre l'aiguillon divin.

Ce caractère de soudaineté en quelque sorte irrésistible est inconciliable avec toutes les explications qui représentent la conversion de Paul comme l'aboutissant d'une longue préparation psychologique, le dénoue-

---

1. *Act.*, XXII, 5-16 ; XXVI, 11-20.
2. *Gal.*, I, 15-16.
3. *I Cor.*, IX, 1.
4. *Jn.*, XV, 16.
5. C'est ce qu'indique l'aoriste ὤρθη dans *I Cor.*, XV, 8 : Le Christ *s'est montré* à moi.
6. *Act.*, IX, 1.

ment d'une crise intérieure qui depuis des mois déchirait l'âme du pharisien persécuteur.

Plusieurs auteurs ont voulu voir un écho de cette crise prétendue dans le passage de l'épître aux Romains (VII, 7 sq.), où saint Paul décrit en termes dramatiques la lutte que se livrent au cœur de l'homme l'aspiration au bien et l'inclination au mal. Saul le pharisien aurait eu le sentiment poignant de la faillite du judaïsme, incapable de lui procurer la force d'observer la loi divine, afin de mériter d'être déclaré juste au tribunal de Dieu. Cette constatation, jointe à l'impression qu'auraient faite sur lui l'attitude des chrétiens persécutés, le courage, la sérénité du martyr saint Étienne, aurait amené, — dénouement facile à prévoir, — l'adhésion au christianisme.

C'est là une construction qui ne s'appuie sur aucun fondement solide. Ni les récits des Actes ni les allusions que saint Paul dans ses épîtres fait à sa conversion, ne supposent rien de pareil : aucune trace dans ces textes d'un cheminement intérieur ou d'influences extérieures qui l'auraient conduit graduellement à reconnaître en Jésus le Messie d'Israël, Seigneur et Fils de Dieu. Le Christ lui est apparu « comme à l'avorton [1] ». A la différence des autres témoins de la résurrection que la vie commune avec Jésus sur terre avait préparés à contempler sa gloire, Paul a été arraché brusquement au sein de la Synagogue, comme l'enfant né avant terme, pour être jeté sans transition dans la foi chrétienne. « Paul ne sait absolument rien et c'est là le point essentiel d'un acheminement progressif, d'une conversion graduelle à l'Évangile. Le souvenir qu'il a gardé toute sa vie de cette conversion est celui d'un événement foudroyant qui l'a surpris en plein judaïsme. Il a été conquis et dompté de haute lutte (*Phil.*, III, 12). C'est

---

1. *I Cor.*, XV, 8.

un rebelle vaincu que Dieu promène en triomphe à travers les peuples (*II Cor.*, II, 14)[1]. »

Le chapitre VII de l'épître aux Romains ne contredit pas cette affirmation. Il ne faut pas y voir un morceau d'autobiographie. C'est un tableau tracé à grands traits avec des éléments fournis graduellement par l'expérience et la réflexion. Paul n'a pas l'intention de se raconter lui-même et la mise en scène personnelle n'est qu'un procédé de style pour donner plus de vivacité au développement[2]. Dans l'épître aux Philippiens (III,6), l'Apôtre nous fait connaître le jugement qu'il portait sur sa vie dans le judaïsme : il s'estimait « irréprochable du point de vue de la justice de la Loi », pharisien accompli. Ce témoignage ne s'accorde guère avec la supposition d'une crise psychologique aiguë.

En se montrant au pharisien Saul sur le chemin de Damas, le Christ, hier maudit et pendu au bois[3], aujourd'hui ressuscité et élevé en gloire, s'est fait connaître comme « le Seigneur[4] ». C'est par ce titre divin que saint Paul se plaira à désigner le Christ glorifié. « Seigneur » (κύριος) est ce nom au-dessus de tout nom, devant lequel tout genou doit fléchir au ciel, sur la terre et dans les enfers et que toute langue doit proclamer à la gloire de Dieu le Père[5]. Dans ce nom saint Paul enfermera tout le mystère de la foi chrétienne[6], si

---

1. SABATIER, *L'Apôtre Paul*, Paris, 1893, p. 43. — GOGUEL, dans la *Revue d'Histoire et de Philosophie religieuses*, 1930, p. 509, parle de même du « caractère brusque et catastrophique » de la conversion de Paul.

2. Voir notre commentaire de l'Épître aux Romains (collection *Verbum Salutis*), p. 239, 255.

3. *Gal.*, III, 13.

4. *Act.*, IX, 4.

5. *Phil.*, II, 9-11.

6. *Rom.*, X, 9 : « Si tu confesses de bouche que Jésus est le Seigneur et si tu crois dans ton cœur que Dieu l'a ressuscité des morts, tu seras sauvé ».

bien que personne ne peut dire : « Jésus est le Seigneur »,
si ce n'est par l'Esprit-Saint[1].

Dans la conversion de saint Paul, l'appel au christianisme n'a pas été distinct de l'appel à l'apostolat. Du
même coup le Seigneur lui a révélé toute la conception
du salut, qui n'est pas un système de stricte justice
et de mérite naturel, mais une « économie », un régime
de grâce, la manifestation de la pleine bonté et de la
souveraine liberté de Dieu[2]. Quand plus tard, dans
ses discours et dans ses lettres, saint Paul évoquera
sa conversion, il insistera sur ce fait que le Christ a
saisi, pour en faire son disciple et son apôtre, un adversaire acharné, persécuteur de l'Église de Dieu[3]. « C'est,
pour Paul, une cause de perpétuel émerveillement.
Comment a-t-il pu être appelé à devenir apôtre, lui
qui avait essayé d'anéantir la communauté chrétienne ?
S'il avait été question de mérite, c'est bien lui qui
aurait le moins mérité de devenir un apôtre du Christ.
« Je ne suis pas digne d'être appelé apôtre, parce que
j'ai persécuté l'Église de Dieu » (*I Cor.*, XV, 9). Et c'est
pourtant ce qui arriva. Le Christ se révéla à lui (*Gal.*,
I, 12, 16) « comme à un avorton » (*I Cor.*, XV, 8) et
lui donna « la grâce et l'apostolat » (*Rom.*, I, 5). Qu'est-ce
que cela signifie ? Cela lui révéla les voies de Dieu.
Cela lui fit voir l'*agapè* de Dieu et l'*agapè* du Christ.
Cela lui montra ce qu'il y a d'absolument gratuit dans
l'amour de Dieu. Comment, en effet, ce qui échappe
à tout calcul humain, ce qu'il y a de non motivé dans
l'amour de Dieu et dans son appel, peut-il apparaître
plus clairement que dans cette réalité : le persécuteur
devient l'apôtre ? [4] »

---

1. *I Cor.*, XII, 3.
2. Cf. BONNETAIN, art. *Grâce*, dans le *Supplément au Dict. de
la Bible*, t. III, col. 1001-1005.
3. *Act.*, XXII, 4-5 ; XXVI, 9-11 ; *Gal.*, I, 13-14 ; *I Cor.*, XV, 9 ;
I Tim., I, 12-16.
4. NYGREN, *op. cit.*, p. 114.

Pour répondre à cet amour du Christ, saint Paul a sacrifié tous les avantages qu'il tenait de sa race, de sa famille, de sa situation sociale au sein du judaïsme. Plus que beaucoup d'autres, il aurait pu en tirer gloire. « Si quelqu'un croit avoir des raisons de mettre sa confiance dans la chair (c'est-à-dire dans des avantages naturels et terrestres), moi encore plus : circoncis à huit jours, de la race d'Israël, de la tribu de Benjamin, Hébreu fils d'Hébreux ; pour ce qui est de la Loi, pharisien ; pour le zèle, persécuteur de l'Église ; au regard de la justice selon la Loi, de conduite irréprochable. Mais ces choses qui étaient pour moi avantages, je les ai, à cause du Christ, estimées préjudices. Bien plus, je regarde tout comme préjudice, eu égard à la valeur suréminente de la connaissance du Christ Jésus mon Seigneur. Pour lui, j'ai tout sacrifié et je regarde tout comme immondices quand il s'agit de gagner le Christ et d'être trouvé en lui comme possédant non une justice mienne, celle qui vient de la Loi, mais la justice qui s'obtient au moyen de la foi au Christ, la justice qui vient de Dieu, fondée sur la foi [1]. »

« Être trouvé dans le Christ [2] » et par la foi en lui obtenir la sainteté qui rend ami de Dieu, passer en l'appartenance personnelle du Christ qui sauve par grâce, indépendamment de tout mérite naturel, sans distinction de race, de caste, de nationalité, telles sont les réalités spirituelles que saint Paul a saisies dans l'acte même de sa conversion et qui ont illuminé toute son activité apostolique. Ces réalités, bien qu'elles lui aient été révélées par l'intervention personnelle de Jésus-Christ, sans aucun intermédiaire humain [3], il a vu, dans ce même instant de sa conversion, qu'elles étaient

---

1. *Phil.*, III, 4-9.
2. *Phil.*, III, 9.
3. *Gal.*, I, 12.

liées à l'Église, qu'on ne pouvait appartenir au Christ sans appartenir à l'Église. « Saul, Saul, pourquoi me persécutes-tu ? » avait dit le Seigneur du sein de la lumière qui enveloppait son adversaire terrassé [1]. Poursuivre l'Église de Dieu, c'était poursuivre le Christ : l'Église lui est donc de quelque manière identique. Cette identité pourra dans la suite se préciser aux yeux de Paul éclairé de nouvelles lumières. Mais déjà sur le chemin de Damas Paul a perçu ce fait essentiel que l'Église est le Christ continué et que par elle sont dispensés aux hommes les biens du salut acquis par la Passion et la Résurrection de Jésus. Pour marquer sa propre dépendance à l'égard de l'Église, Paul, aussitôt après avoir vu le Seigneur ressuscité, se rend à Damas et se fait baptiser par Ananie [2].

Les visions et révélations du Seigneur

Outre l'apparition du Christ ressuscité qui est à l'origine de sa conversion, saint Paul, au cours de sa carrière apostolique, a connu d'autres expériences extraordinaires, « ces visions et révélations du Seigneur » auxquelles il fait allusion dans la seconde épître aux Corinthiens (XII, 1). Le Seigneur était à leur origine, il en était la cause [3], sans qu'il en fût nécessairement l'objet exclusif.

Les Actes des Apôtres et les Épîtres nous donnent quelques exemples de ces faveurs. Dans le discours qu'il adresse aux Juifs de Jérusalem, après avoir été arraché à leur fureur par le tribun Lysias et avant d'être introduit dans la forteresse Antonia (*Act.*, XXII, 1 sq.), l'Apôtre raconte, en plus de l'apparition sur le chemin

---

1. *Act.*, IX, 4-5.
2. *Act.*, IX, 18.
3. PÉLAGE (éd. Souter): « Sibi (Paulus) infirmitates reputat, domino visiones ascribit ».

de Damas, une vision qu'il eut dans le Temple, lors de sa première visite à la Ville Sainte, trois ans après sa conversion [1]. Alors qu'il priait dans le sanctuaire, non loin du Saint des Saints, il entra en extase et il vit Jésus qui lui disait : « Hâte-toi de sortir de Jérusalem, parce qu'ils n'accepteront pas le témoignage que tu me rends ». Et Paul de répondre : « Seigneur, ils savent que j'allais de synagogue en synagogue faire emprisonner et battre ceux qui croyaient en toi ; et quand fut répandu le sang d'Étienne ton témoin, j'étais là qui donnais mon assentiment au meurtre et je gardais les vêtements de ceux qui le tuaient ». Le Seigneur reprit : « Va, car c'est aux nations lointaines que moi je t'enverrai [2] ».

De la part du Christ il y a communication d'un message clair, annonce explicite d'une mission, comme dans l'Ancien Testament, quand Yahweh envoyait ses prophètes, Isaïe, Jérémie, Ezéchiel : « Va, tu diras à ce peuple [3]... » Du côté de saint Paul, cette vision dans le Temple présente une différence avec la série des apparitions du Christ qui sont énumérées dans *I Cor.*, XV, 5-8, comme argument de la résurrection. Dans celles-ci, y compris l'apparition sur le chemin de Damas, les témoins n'étaient pas ravis à leur comportement normal ; même, à l'occasion, ils ont mangé et bu avec Jésus ressuscité [4]. Choisis d'avance par Dieu pour attester officiellement la résurrection du Christ, l'objectivité de leur témoignage était mieux garantie que s'ils avaient été dans un état extatique. Au contraire, dans la vision de saint Paul au temple de Jérusalem, comme dans la célèbre vision d'Isaïe (VI, 1 sq.), qui eut peut-être

1. Cf. *Gal.*, I, 18.
2. *Act.*, XXII, 17-21.
3. *Is.*, VI, 1 sq.; *Jér.*, I, 4 sq.; *Ez.*, I, 1 sq.
4. *Act.*, X, 41; cf. *Lc.*, XXIV, 41-43; *Jn.*, XXI, 9-13.

lieu, elle aussi, un jour que le prophète était en prière dans le sanctuaire [1], il y a eu *extase* [2]. Le mot n'est pas à prendre au sens qu'il avait dans le monde païen, d'un transport hors de soi, accompagné d'une vive agitation, d'un grand désordre physique, comme chez les Bacchantes dans les cérémonies orgiastiques du culte de Dionysos. Ici, comme dans la vision de saint Jean au commencement de l'Apocalypse (I, 10), l'âme, sous l'influence de l'action divine, est enlevée à la perception consciente de ce qui l'entoure, pour une concentration paisible de ses facultés sur le Seigneur qui lui communique ses desseins, sans qu'il soit d'ailleurs nécessaire de supposer qu'il y ait eu un bruit extérieur de paroles divines, sons frappant l'air.

Paul ravi au troisième ciel

Cette soustraction de l'esprit à toute perception des réalités extérieures et à toute sensation intérieure *consciente* est encore plus marquée dans la description que saint Paul nous fait de son ravissement au troisième ciel. « Je sais un homme dans le Christ... », nous dirions « un chrétien » ; c'est la seule fois où l'Apôtre se désigne ainsi à la troisième personne. L'introduction est empreinte tout à la fois de solennité et de discrétion : Paul tend à effacer son « moi » pour mettre au premier plan le don de Dieu. « Je sais un homme dans le Christ, qui, il y a quatorze ans, — était-ce dans son corps ? je ne sais ; était-ce hors du corps ? je ne sais, Dieu le sait, — fut ravi jusqu'au troisième ciel. Et je sais que cet homme, — avec son corps ou sans son corps, je ne sais, Dieu le sait, — fut ravi au para-

1. Condamin, *Le Livre d'Isaïe*, Paris, 1905, p. 45.
2. En grec, le même mot *ekstasis*.

dis et entendit des choses ineffables [1] qu'il n'est pas possible à l'homme d'exprimer » (*II Cor.*, XII, 2-4). Sagement, saint Paul évite de se prononcer sur la question de savoir si dans ce ravissement son esprit fut ou non séparé de son corps [2]. De ses paroles on peut seulement conclure que la révélation de mystères ineffables lui a été communiquée sans l'intermédiaire de ces sensations qui donnent normalement à l'homme conscience de son corps : vision, audition, contact, déplacement local.

Le transport au troisième ciel ou au paradis, c'est tout un [3] : les deux phrases symétriques : « Je sais... Je sais... » sont l'affirmation d'un seul et même fait [4].

_____

1. En grec ἄρρητα ῥήματα (Vg. *arcana verba*). Le mot ῥῆμα peut signifier « chose » en général, comme l'hébreu *dabhar* (par ex. *Lc.*, I, 37 : aucune chose ne sera impossible à Dieu ; *Lc.*, I, 65 ; II, 15, 19, 51 ; *Act.*, V, 32 ; X, 37 où ῥῆμα se traduit par « événement ») ; il peut aussi signifier « parole », d'où enseignement, doctrine. Qu'on le traduise ici par « chose » ou « parole », il faut y voir un enseignement de mystères ineffables, vus dans la lumière divine, sans qu'il y ait eu de paroles articulées.

2. L'absence de conscience psychologique n'empêche pas que ne se produisent des impressions articulaires et musculaires. « Tous les états groupés sous le nom de cénesthésie sont normalement ignorés de la conscience » : H. WALLON, *Le problème biologique de la conscience*, dans le *Nouveau Traité de Psychologie* de G. DUMAS, t. I, Paris, 1930, p. 326.

3. Le paradis est de même situé au troisième ciel dans *Hénoch sl.*, VIII, 1 sq., dans l'*Apocalypse de Moïse*, XX, dans l'*Apocalypse de Baruch*, 3, texte grec (passage peut-être interpolé), mais à la différence de saint Paul, les auteurs de ces ouvrages comptent sept cieux : cf. GRY, *Séjours et habitats divins d'après les apocryphes de l'Ancien Testament*, dans la *Revue des Sciences philosophiques et théologiques*, 1907, p. 711 ; BONSIRVEN, *Le Judaïsme palestinien*, t. I, Paris, 1935, p. 333 ; M. R. JAMES, *Apocrypha Anecdota*, 2ᵉ Série, dans les *Texts and Studies* (Cambridge) V, nᵒ I, p. LIX sq. ; STRACK-BILLERBECK, *Kommentar zum N. T. aus Talmud und Midrasch*, t. IV, p. 1137.

4. Signalons que quelques auteurs ont voulu distinguer deux visions successives ou dans un seul ravissement deux degrés, avec passage du troisième ciel au Paradis. Ces opinions sont généralement abandonnées. LIETZMANN, dans son commentaire de *II Cor.*, n'en fait même pas mention.

D'accord avec saint Augustin[1], nous n'interprétons
pas ce rapt comme un déplacement physique, translation d'un lieu à un autre[2]. Empruntant cette représentation imagée à des conceptions qui avaient cours
dans le monde qui l'entourait[3], l'Apôtre veut signifier
que par une grâce merveilleuse, et non par un effort
de sa volonté propre, il a été ravi[4] jusqu'aux plus hautes

---

1. *De Genesi ad litteram*, l. XII, 2 - 5 (*P. L.*, 34, 454-455). —
De même J. LEBRETON, *La Contemplation dans la vie de saint Paul*,
dans *Recherches de Science religieuse*, 1940, p. 87.

2. Contre Dom A. STOLZ, pour qui l'extase de saint Paul a comporté
un déplacement local (*Théologie de la Mystique*, trad. fr., Chevetogne,
1939, p. 28). Remarquons qu'il n'y a que les corps à se déplacer
localement; si l'extase de saint Paul avait comporté translation
physique d'un lieu à un autre, aurait-il dit qu'il ignorait s'il avait
été enlevé sans son corps? — Traitant de l'extase dans le monde
hellénistique, le P. FESTUGIÈRE note « l'association de l'extase et
de la montée au ciel » : ainsi Hénoch (12, 1); saint Jean (*Apoc.*, IV, 1).
Il ajoute : « Il est bon d'observer, avec Boll, que les auteurs qui parlent d'extase et d'ascension céleste se rendent bien compte qu'il
ne s'agit pas là d'un fait réel, mais d'un phénomène psychologique.
Pour le mieux marquer, ces auteurs indiquent volontiers la double
condition du sujet en extase : par une partie de lui-même, celui-ci
a traversé le ciel et il communique avec les dieux; par une autre
partie, il se trouve encore sur la terre qu'il n'a, au vrai, jamais quittée » :
La Révélation d'Hermès Trismégiste, t. I, Paris, 1944, p. 314, 315.
— Pour ce qui est du Paradis, J. DANIÉLOU signale que dans Grégoire
de Nysse il n'y a « rien qui ressemble à cette localisation du Paradis
que Dom Stolz prétend retrouver chez les Pères Grecs » : *Platonisme
et Théologie mystique*, Paris, 1944, p. 167.

3. La tradition plus commune parmi les Juifs énumérait sept
cieux (autant que de planètes), mais une autre, à laquelle saint Paul
fait écho, n'en comptait que trois. « Les diverses recensions de
Testament Levi II sq. montrent que l'on a réuni en ce passage deux
traditions différentes, l'une qui mentionnait sept cieux, l'autre qui
en mentionnait trois seulement » : GRY, *art. cit.*, p. 714.

4. Remarquons la sobriété de saint Paul qui se contente d'un mot:
« il fut ravi » (ἡρπάγη). Elle contraste avec les descriptions souvent
fantastiques d'autres ascensions célestes : par ex. Hénoch, soulevé
par la tempête (*Hén.*, XXXIX, 3), enlevé sur l'aile des anges et transporté avec les nuages (*Hén. sl.*, III, 2). Autres comparaisons avec
les mystiques païens, les Juifs ou Mahomet, dans WINDISCH, *Der
zweite Korintherbrief* (Krit.-exeget. Kommentar über das N. T.,
VI, 9e éd.), Göttingen, 1924, p. 374-376.

cimes de la contemplation divine, qu'il a eu des « profondeurs de Dieu[1] », de « sa richesse, de sa sagesse
et de sa science[2] », une connaissance telle qu'il ne trouve
pas de mots qui puissent l'exprimer : sans commerce
avec les facultés sensibles, elle ne saurait se traduire
en un langage tiré de ce monde sensible[3]. Cette connaissance a dû être accompagnée d'une joie également
ineffable, comme le suggère l'emploi du mot paradis,
« jardin de délices[4] ». Si l'on cherche une nuance
entre les deux expressions « troisième ciel » et « paradis »,
on peut dire avec saint Thomas que « ravi au troisième

---

1. *I Cor.*, II, 10.

2. *Rom.*, XI, 32.

3. Sur ce ravissement et son caractère « indicible », on peut comparer cette page où saint Alphonse Rodriguez a raconté à l'un de
ses amis « qu'une fois il fut ravi ; jusqu'à quel ciel, il ne le sait pas ;
mais il se souvient, sans qu'il puisse jamais l'oublier, qu'il vit l'essence
divine. Cette vision eut lieu avec une certaine limite qu'il ne peut
expliquer, si ce n'est par une comparaison comme celle-ci : l'essence
divine serait, pour ainsi dire, cachée par deux voiles qui doivent
être enlevés pour qu'elle puisse être vue. Il ne la vit qu'imparfaitement, parce qu'un seul voile était ôté, mais ceux qui sont dans
la gloire et sont bienheureux, la voient sans ces deux voiles et dès
lors parfaitement. Quoiqu'il ne pût la voir aussi parfaitement et
clairement, cependant il n'y a pas de langue ni d'intelligence qui
puisse expliquer ce qu'il vit, ni non plus la manière dont il eut cette
vision et la félicité extrême qu'elle procure » : *Vie de saint Alphonse
Rodriguez d'après les mémoires*, édition Retaux, 1890. Appendice après
le numéro 275. — La Vénérable Marie de l'Incarnation, fondatrice
des Ursulines du Canada, notait de même son impuissance à traduire
en langage humain ce qu'elle avait contemplé dans une vision intellectuelle de la Trinité : « Mon âme était informée d'une façon ineffable
qui me fait perdre tout mot... Je n'ai point de termes pour le dire
et l'exprimer » (*Écrits spirituels et historiques*, édition de Dom JAMET,
t. II, Paris, 1930, p. 234). — L'explication d'Origène (*In Josue*
hom. 23, 4. *P. G.*, 12, 938-939) que dans le ravissement de saint
Paul il s'agissait non de mystères proprement ineffables, mais d'un
enseignement ésotérique, à ne communiquer qu'à quelques disciples
choisis, fait violence au texte ; « il y a là un contresens manifeste » :
J. LEBRETON, *art. cit.*, *R. S. R.*, 1940, p. 88 et *R. S. R.*, 1922, p. 287-
288.

4. Cf. *Odes de Salomon*, XI, 4 : « Il m'a transporté dans son Paradis,
où est la richesse de la suavité du Seigneur » (éd. LABOURT-BATIFFOL).

ciel » marque plus spécialement l'altitude de la contemplation et « ravi au paradis », sa joie indicible [1].

Ce ravissement a-t-il élevé saint Paul jusqu'à une
jouissance passagère de la vision intuitive ? On sait
que saint Augustin et après lui saint Thomas lui ont
attribué ce privilège [2], qui d'après ces mêmes Docteurs
avait été auparavant accordé à Moïse [3]. Malgré ces

---

1. Partant de ce mot « paradis » qu'il identifie au Paradis terrestre,
Dom Stolz interprète le ravissement de Paul comme « un rétablissement passager de cette union avec Dieu, qui était propre à Adam,
et, au surplus, une communication à la présence de Dieu telle que
les âmes des défunts en jouissent, une fois leur purification achevée »
(*op. cit.*, p. 28). Avec le P. Lebreton nous pensons que si l'auteur
a développé sa thèse « avec une grande ingéniosité », il ne l'a pas
« rendue vraiment probable » : *art. cit.*, *R. S. R.*, 1940, p. 87.

2. Saint Augustin, *Epist.* 147, *De videndo Deo*, XIII, 31 (*P. L.*, 33,
610) ; *De Genesi ad litteram*, XII, 28-34 (*P. L.*, 34, 478-483). — Saint
Thomas, *De Verit.*, XIII, 2 ; *Summa Theol.*, Iª, q. 12, art. 11, ad 2 ;
IIª, IIᵃᵉ, q. 175, art. 3-6 ; q. 180, art. 5. — Sur ces textes voir J. Maréchal, *Études sur la psychologie des mystiques*, t. II, Bruxelles, 1937,
p. 168-189 et p. 204-215.

3. L'opinion de saint Augustin est discutée dans Dom Butler,
Western Mysticism, 2ᵉ éd., London, 1927, Afterthoughts, p. LXXVI-
LXXVIII, reprenant et modifiant ce qui est dit dans la 1ʳᵉ édition,
p. 78 sq. Pour saint Augustin le cas majeur est celui de Moïse ;
le rapt de saint Paul ne vient que secondairement pour répondre
à la difficulté que fait la parole de Dieu à Moïse, *Ex.*, XXXIII, 20 :
« Tu ne peux voir ma face, car personne ne peut me voir sans mourir ».
Le cas de l'Apôtre est invoqué pour montrer qu'un homme peut
être tellement transporté en Dieu que pour un temps son âme est
aliénée de son corps. Ainsi on peut dire que Moïse n'a pu voir Dieu
sans mourir, c'est-à-dire sans que son âme ne fût aliénée de son
corps, mais cette mort était seulement transitoire. Pour affirmer
la vision de l'essence divine par Moïse, saint Augustin s'appuie
sur une ancienne traduction latine de *Nombr.*, XII, 8 : « Os ad os
loquar ad illum in specie et non per aenigmata ; et claritatem Dei
vidit ». Dans ce texte, *in specie* traduit ἐν εἴδει des Septante, que
saint Augustin entend au sens philosophique d'« essence », « forme
propre » : Moïse a vu Dieu *in specie*, c'est-à-dire *in ea substantia
qua Deus est* (*P. L.*, 34, 447), sans l'intermédiaire d'aucune image
sensible ou d'aucun symbole spirituel. Mais tel n'est pas le sens de
l'hébreu, qui signifie « manifestement », « en se faisant voir » (Vulgate
palam), et *claritas* (δόξα) qui suit, indique non l'essence divine,
mais une manifestation de la divinité sous une forme visible, une

autorités, nous croyons bien plutôt que la contemplation de l'Apôtre, si haute qu'elle ait été, est restée de l'ordre de la foi et non de la vision bienheureuse [1], qu'en accord avec l'ensemble de la doctrine paulinienne elle a été, comme toute connaissance de Dieu ici-bas, partielle et médiate [2], « *per fidem et non per speciem*, par mode de foi et non de vision [3] ». On ne voit aucune raison qui incline à admettre une exception à ce principe général. Même on peut remarquer que pour désigner la manière dont la révélation des mystères divins lui a été communiquée, saint Paul emploie non le mot « voir », mais le mot « entendre » [4] ; ce qui convient mieux à une connaissance de foi qu'à la vision intuitive : *fides ex auditu* [5].

---

théophanie. « Ainsi, conclut Dom BUTLER (p. LXXVIII), il semble que toute la conception qui attribue à Moïse ou à saint Paul la vision de l'essence divine, est bâtie sur une interprétation augustinienne erronée d'une traduction défectueuse d'un texte biblique ». — Ajoutons que *Ex.*, XXXIII, 20-23, ne se comprend que s'il s'agit d'une vision enveloppée d'images.

1. L'interprétation de saint Augustin « est abandonnée aujourd'hui par la plupart des théologiens et des exégètes, et nous pensons que c'est à bon droit » : J. LEBRETON, *art. cit.*, R. S. R., 1940, p. 88.

2. *I Cor.*, XIII, 8-13. Dans le cas du ravissement de saint Paul, la connaissance, bien qu'excluant toute inférence, est dite médiate, parce qu'elle est intuition, saisie de Dieu *dans un signe :* elle reste ainsi connaissance par témoignage.

3. *II Cor.*, V, 7. — Sur la doctrine générale que la contemplation, en dehors de la vision béatifique, est de l'ordre de la foi, nous renvoyons à notre article, *Foi et contemplation d'après saint Thomas*, dans les *Recherches de Science religieuse*, 1919, p. 137-161 ; voir aussi M. DE LA TAILLE, *L'Oraison contemplative*, même revue (1919), p. 276, note 1 (en brochure, Paris, 1921, p. 11, note 1), et *Lettre* dans la 10e éd. des *Grâces d'oraison* du P. Poulain avec Introduction du P. Bainvel, Paris, 1922, p. LXXXV.

4. Même remarque dans Dom BUTLER, *op. cit.*, p. LXXVII : « Saint Paul ne prétend pas avoir vu quelque chose, mais avoir entendu « des paroles ineffables ». Il n'y a rien qui suggère de quelque manière qu'il ait eu une vision de l'essence de Dieu ».

5. Sur la distinction entre *vision* et *audition*, on peut voir une page du P. ROUSSELOT, dans les *Recherches de Science religieuse*, 1919, p. 150. — Notez la différence avec la mystique païenne hellénistique, où il s'agit de « voir » (θεωρεῖν) Dieu, d'une vue immédiate.

Saint Paul n'a mentionné ce ravissement au troisième ciel que forcé et à contre-cœur pour se défendre contre des adversaires qui attaquaient son autorité apostolique. « Me voilà donc devenu insensé! C'est vous qui m'y avez contraint », dit-il aux Corinthiens, comme pour s'excuser d'être sorti de sa réserve [1]. Loin d'insister sur la faveur reçue, de s'y attarder complaisamment, vite il se rabat sur ses faiblesses, ses infirmités, les épreuves de sa vie apostolique. C'est d'elles qu'il entend se glorifier, parce qu'en elles éclate visiblement la force de Dieu : d'un homme dénué de tout appui humain, prestance extérieure [2], prestige du beau langage [3], éclat d'un grand nom, puissance de la richesse, elle fait un instrument de choix [4] pour l'expansion du Royaume de Dieu. « En ce qui me concerne (abstraction faite de l'action du Christ), je ne me glorifierai que de mes faiblesses. Assurément si je voulais me glorifier (de mes révélations), je n'agirais pas en insensé, car je n'exprimerais que la vérité; mais je m'en abstiens pour que nul n'ait de moi une idée supérieure à ce qu'il voit en moi ou entend de moi. Et de peur que par l'excellence de ces révélations je ne m'enorgueillisse [5],

---

1. *II Cor.*, XII, 11. — Justes remarques de Dom STOLZ, *op. cit.*, p. 84-85 sur cette réserve de saint Paul : « C'est seulement pour l'apologie et la défense de son apostolat qu'il affirme son ravissement miraculeux dans le paradis. Il n'insinue en aucune manière que chaque chrétien devrait avoir part à ces grâces extraordinaires; nulle part il ne dit qu'on ne devient vraiment chrétien sans cette expérience ou une autre semblable. Aucune indication non plus pour nous dire comment on peut atteindre cette union extatique avec Dieu. Tout cela montre clairement combien peu, pour saint Paul, l'extase appartient à la substance de la vie chrétienne et combien il est loin de la conception des mystères selon laquelle l'union désirée ne s'atteint précisément que dans l'opulence de l'extase ».

2. *II Cor.*, X, 10.

3. *I Cor.*, II, 2; *II Cor.*, X, 10.

4. *Act.*, IX, 15.

5. La tradition du texte est troublée en ce passage; les éditeurs sont partagés, les uns rapportant « par l'excellence des révélations »

il m'a été mis une écharde [1] dans la chair, un ange de Satan chargé de me souffleter, — de peur que je ne m'enorgueillisse. A son sujet, par trois fois j'ai supplié le Seigneur de l'éloigner de moi. Et il m'a répondu : « Ma grâce te suffit ; car la force (de Dieu) se montre à plein dans la faiblesse (de l'homme). C'est donc de tout cœur que je me glorifierai de mes faiblesses, afin que la force du Christ habite en moi. C'est pourquoi je me complais dans mes faiblesses, dans les outrages, les détresses, les persécutions, les angoisses endurées pour le Christ : quand je suis faible, c'est alors que je suis fort [2] ».

La leçon que nous donne ici saint Paul ne sera pas perdue. Quand l'Église aura à se prononcer sur la sainteté d'un de ses membres, elle fondera son jugement sur l'héroïcité des vertus et non sur les faveurs extraordinaires, visions et révélations. Celles-ci pourront être appelées en confirmation de la réputation de sainteté, mais ce qui déterminera le jugement de l'Église, ce seront les signes d'un amour de Dieu et du prochain porté à un degré suréminent, les travaux et les épreuves endurés pour le Christ avec un courage héroïque. C'est en cela premièrement que Dieu manifeste la puissance de sa grâce [3].

à la phrase précédente (ẙ. 6) ; les autres, comme nous avons fait, au commencement du ẙ. 7 : ainsi la Vulgate, qui omet διό, « c'est pourquoi ».

1. Les commentateurs modernes s'accordent à voir dans cette écharde (σκόλοψ) la désignation d'une maladie, mais quand il s'agit d'en préciser la nature, les avis sont très divers : l'épilepsie et l'hystérie étant écartées, deux opinions ont été plus sérieusement soutenues : ophthalmie chronique ou paludisme. Sur cette question, voir l'*excursus* du P. ALLO dans son Commentaire de la IIe Épître aux Corinthiens, Paris, 1935, p. 313-323.

2. *II Cor.*, XII, 5-10.

3. Comme le faisait observer le P. DE LA TAILLE, *op. cit.*, p. 20-21, « des contemplatifs à ceux qui ne le sont pas, la différence quant à la charité n'est pas nécessairement une différence de degré. Il serait

Visions et songes

En plus des visions et révélations que nous venons de rappeler, les Actes des Apôtres mentionnent une apparition du Christ à saint Paul pendant son premier séjour à Corinthe (51-52). En butte à une opposition violente de la part des Juifs, l'Apôtre a cessé de prêcher à la synagogue, les jours de sabbat, et il s'est tourné vers les païens. Alors que les conversions se multiplient, « une nuit, le Seigneur dit à Paul en vision : N'aie pas peur, mais parle sans te donner de cesse, car je suis avec toi et personne ne mettra la main sur toi pour te faire du mal, car j'ai un peuple nombreux dans cette ville [1] ». Le texte ne parle ici ni d'extase comme dans *Actes*, XXII, 17, ni de ravissement comme en *II Corinthiens*, XII, 2-4. Le fait que la vision a eu lieu pendant la nuit, pose la question : Est-ce un songe de Paul pendant son sommeil ou une vision de Paul en prière ? Le texte des Actes ne donne pas d'indication précise. On ne peut donc exclure l'hypothèse que l'apparition s'est montrée en songe, comme dans l'Ancien Testament plusieurs apparitions de Dieu ou d'un ange de Dieu [2] et dans l'évangile de saint Matthieu

---

grandement dans l'erreur, le contemplatif qui se croirait supérieur en charité à tel de ses frères qui n'est pas contemplatif. Il peut y avoir une beaucoup plus grande charité dans le bon Samaritain sans lumière contemplative que dans le mystique prévenu des dons de Dieu. Ce qui est vrai, c'est que, *dans un même sujet*, la charité grandit à mesure que s'élève la contemplation et réciproquement ». Visions et révélations ne sauraient donc être, comme l'humilité, le renoncement, l'abnégation, une pierre de touche universelle pour apprécier la charité à son degré éminent, héroïque.

1. A Abraham, *Gen.*, XV, 12 sq. ; à Abimélech, *Gen.*, XX, 3, 6 ; à Laban, *Gen.*, XXXI, 24 ; à Jacob, *Gen.*, XXVIII, 10 sq. ; XLVI, 2 ; à Samuel, *I Sam.*, III, 5 sq. ; à Salomon, *I Rois*, III, 3 sq. ; IX, 2 sq. — Isaïe (XXIX, 7) et Job (VII, 14 ; XX, 8 ; XXXIII, 15) assimilent songe et vision nocturne (cf. *Nombr.*, XII, 6, où songe et vision « pourraient être synonymes » : TOBAC, *Les prophètes d'Israël*, t. I, p. 41).

2. A Jacob, *Gen.*, XXXI, 11.

les apparitions d'un ange du Seigneur à saint Joseph[1]. On sait que l'antiquité, juive et chrétienne, attachait aux songes et à leur interprétation une très grande importance et qu'elle les regardait comme un des moyens dont se servait la divinité pour communiquer ses secrets[2].

Même problème et aussi même possibilité d'assimiler vision et songe dans les autres apparitions qui sont mentionnées comme ayant eu lieu pendant la nuit. Apparition du Christ à saint Paul, quand, après son arrestation à Jérusalem, il a comparu devant le Sanhédrin. « La nuit suivante le Seigneur s'étant présenté à Paul, lui dit : Courage ; comme tu as témoigné à Jérusalem de ce qui me concerne, ainsi faut-il que tu rendes témoignage aussi à Rome[3]. » Apparition d'un ange à saint Paul pendant la tempête qui menace d'engloutir le bateau chargé de le transporter à Rome ; l'Apôtre reçoit l'assurance que tous les passagers seront saufs, bien que le navire doive périr. « Je vous exhorte à prendre courage, dit-il à ses compagnons, car il n'y aura perte d'aucune vie, mais seulement celle du navire.

---

1. *Matth.*, I, 20; II, 13, 19.

2. Outre les exemples cités ci-dessus, qu'on se rappelle dans la Bible les songes des deux dignitaires égyptiens et du Pharaon expliqués par Joseph *(Gen.*, XL, XLI), le songe du Madianite, présage de la victoire de Gédéon *(Juges*, VII, 13-14), le songe du roi Nabuchodonosor interprété par Daniel *(Dan.*, II), le songe de la femme de Pilate *(Matth.*, XXVII, 19). — Dans le monde païen hellénistique, la révélation au cours d'un songe rentre parmi « les types de la révélation directe » : A.-J. FESTUGIÈRE, *La Révélation d'Hermès Trismégiste*, I, p. 312. Dans l'antiquité chrétienne citons, entre autres exemples, le songe de saint Polycarpe, qui lui présageait son martyre *(Martyr. Polycarpi*, V, 2), et les visions nocturnes de sainte Perpétue dans sa prison. — Il n'est pas sans intérêt de noter qu'à l'époque moderne « Newman attachait une importance sérieuse aux songes. Certaines lumières lui furent communiquées par ce moyen » : H. BREMOND, *Newman. Essai de biographie psychologique*, 8ᵉ éd., Paris, 1932, p. 285.

3. *Act.*, XXIII, 11.

Cette nuit même m'est apparu un ange du Dieu à qui j'appartiens et que je sers, et il m'a dit : « Paul, ne crains point ; il faut que tu comparaisses devant César et voici que Dieu t'a accordé la vie de tous ceux qui naviguent avec toi ». Courage donc, mes amis : j'ai confiance en Dieu qu'il en sera comme il a été dit. Mais nous devons échouer sur une île [1] ». De fait le navire fit naufrage sur la côte de l'île de Malte, mais sans perte de vies humaines.

Il est encore permis d'interpréter comme une apparition en forme de songe la vision que pendant son second voyage apostolique, vers l'an 50, saint Paul eut de nuit à Troas et qui le détermina à passer d'Asie Mineure en Macédoine. A Troas, rapporte saint Luc qui apparaît pour la première fois aux côtés de l'Apôtre dans le récit des Actes, « une vision se montra à Paul pendant la nuit : un Macédonien se tenait là, qui lui adressait cette prière : Passe en Macédoine et viens à notre secours. Sitôt après cette vision, *nous* [2] cherchâmes à passer en Macédoine, convaincus que Dieu nous avait appelés à les évangéliser [3]. »

---

1. *Act.*, XXVII, 22-26.

2. C'est la première fois (*Act.*, XVI, 10) qu'apparaît ce *nous* qui caractérise les passages (les *Wir-Stücke*, « Morceaux-nous » des critiques allemands) où saint Luc entre en scène comme collaborateur de saint Paul et témoin oculaire des faits qu'il raconte.

3. *Act.*, XVI, 9-10. — Dans son commentaire des Actes (collection *Verbum Salutis*) p. 354, le P. BOUDOU a rapproché de cette apparition un fait analogue rapporté de saint François Xavier par Ribadeneira : « Voici, écrit celui-ci, ce que le Père Maître Lainez m'a raconté : au temps où les Pères allaient, en Italie, par les hôpitaux, le Père François et le Père Maître Lainez dormaient près l'un de l'autre. Plusieurs fois, en se réveillant, le Père François lui disait : « Jésus ! que je suis moulu ! Savez-vous ce que je rêvais ? Je portais sur le dos un Indien, et il était si lourd que je ne pouvais le soulever ». Cela se produisit plusieurs fois ». On peut encore citer un trait de la vie de la Vénérable Marie de l'Incarnation : sa vocation apostolique fut inaugurée par un songe où alors qu'elle était dans son couvent de Tours, durant l'octave de Noël 1634, la Sainte Vierge lui montra

Les interventions de l'Esprit-Saint

Les Actes signalent dans la carrière apostolique de saint Paul d'autres interventions qu'ils attribuent à l'Esprit-Saint ou, ce qui revient au même, à l'Esprit de Jésus. C'est ainsi qu'au cours du second voyage missionnaire, quand saint Paul, après avoir traversé la Phrygie et le pays galate, songeait à pénétrer dans la riche et populeuse province d'Asie et à gagner Éphèse, sa capitale, l'Esprit-Saint l'en empêcha [1]. Un peu plus tard, nouvelle intervention de « l'Esprit de Jésus », quand, au cours du même voyage, l'Apôtre veut se rendre en Bithynie [2]. Comment comprendre cette intervention de l'Esprit ? Certainement il y a eu une inspiration intérieure qui a amené saint Paul à modifier son itinéraire. Cette inspiration intérieure était-elle conjointe à quelque événement extérieur qui à sa lumière apparaissait comme un signe de la volonté de Dieu s'opposant pour l'instant au projet de mission en Asie et en Bithynie ? Faute de précisions dans le texte des Actes, nous ne pouvons que le conjecturer.

L'Esprit, qui avait détourné saint Paul une première fois d'aller prêcher l'Évangile en Asie et en Bithynie, le poussait plus tard, vers la fin de son troisième voyage missionnaire (58), à se rendre à Jérusalem, malgré les périls qu'il pressentait. Le bateau qui le ramenait le long des côtes d'Asie Mineure ayant fait escale à Milet, l'Apôtre disait aux presbytres d'Éphèse qui étaient venus le saluer : « Et maintenant voici que poussé irrésistiblement par l'Esprit je me rends à

---

un pays étranger à évangéliser (*Écrits spirituels et historiques*, t. II, p. 303-306) ; dans un ravissement de 1636 elle apprit que ce pays était le Canada (*ibid.*, p. 315-316). — Déjà à l'âge de sept ans elle avait eu un songe où Notre-Seigneur lui était apparu pour lui demander son cœur (*ibid.*, p. 160-161, 175).

1. *Act.*, XVI, 6.
2. *Act.*, XVI, 7.

Jérusalem, sans savoir ce qui m'y adviendra. Je sais seulement que de ville en ville l'Esprit-Saint m'avertit que des chaînes et des tribulations m'attendent [1] ».

Aux témoignages des Actes montrant l'intervention de l'Esprit-Saint dans les démarches de saint Paul, nous pouvons ajouter celui de l'Apôtre lui-même dans son épître aux Galates (II, 2). Quand dix-sept ans après sa conversion il monta à Jérusalem pour conférer de son Évangile avec ceux qui étaient regardés comme « les colonnes » de l'Église, Pierre, Jacques et Jean, il dit avoir agi d'après une révélation [2], c'est-à-dire « une manifestation surnaturelle de la volonté de Dieu, quel qu'en ait été le mode [3] ». Saint Paul a pu être conduit par ses réflexions personnelles à juger opportune une conférence avec les Apôtres, « mais au moment de prendre sa décision, il eut l'avantage d'être assuré, comme à sa conversion, de la volonté divine [4] ».

L'action de l'Esprit-Saint dans la vie de saint Paul ne se limite pas à quelques interventions sporadiques. C'est dans la puissance de l'Esprit que l'Apôtre remplit son ministère. C'est l'Esprit qui lui a donné la force de prêcher l'Évangile aux Thessaloniciens avec une parfaite assurance [5]. Sa proclamation aux Corinthiens de Jésus crucifié n'a pas consisté dans une persuasion de sagesse, mais dans une manifestation visible d'Esprit et de puissance [6]. L'Esprit rend cette prédication efficace par les grâces intérieures et les prodiges extérieurs dont il l'accompagne, par les miracles qu'il

---

1. *Act.*, XX, 22-23.

2. *Gal.*, II, 2, κατὰ ἀ·οκάλυψιν (Vg. *secundum revelationem*).

3. LAGRANGE, *Épître aux Galates*, p. 25. LIETZMANN rapproche de *Act.*, XVI, 9 (vision nocturne de Troas).

4. LAGRANGE, *ibid.*

5. *I Thess.*, I, 5 : « Notre prédication de l'Évangile ne vous a pas atteints en paroles seulement, mais accompagnée de force, d'Esprit-Saint et d'une parfaite assurance ».

6. *I Cor.*, II, 4.

donne à saint Paul d'opérer. Cette activité miraculeuse et ces manifestations de l'Esprit, telles que les charismes de prophétie ou de glossolalie, les églises de Galatie[1] et la communauté corinthienne[2] n'en ont pas été les seuls témoins et bénéficiaires. Quand à Corinthe en l'an 58, saint Paul dicte à son secrétaire Tertius l'épître aux Romains et jette un coup d'œil rétrospectif sur ses missions passées, c'est toute sa prédication de l'Évangile, depuis Jérusalem jusqu'aux confins de l'Illyrie, qu'il nous montre confirmée « par la puissance des miracles et des prodiges, par la puissance de l'Esprit[3] ».

L'Évangile révélé à Paul

A ce charisme des miracles, à cette force qui inspirait la prédication de saint Paul et en faisait un discours prophétique[4], il faut joindre les lumières de l'Esprit qui éclairaient l'Apôtre sur les mystères de la religion chrétienne et sur les préceptes à promulguer pour le gouvernement des Églises. Cette révélation de l'Esprit

---

1. *Gal.*, III, 5.

2. *II Cor.*, XII, 12 : « Les marques distinctives du véritable apôtre ont été produites [par moi] parmi vou_ _ous forme d'une patience à tout endurer, de signes, de prodiges, de miracles ».

3. *Rom.*, XV, 19. — A ces témoignages des épîtres ajoutons les mentions que les Actes font de miracles opérés par saint Paul : *Act.*, XIII, 8-11, à Paphos, dans l'île de Chypre, le mage Elymas frappé pour un temps de cécité ; *Act.*, XIV, 7-9, à Lystres un boiteux de naissance subitement guéri ; *Act.*, XVI, 16-18, à Philippes exorcisme d'une possédée, diseuse de bonne aventure ; *Act.*, XIX, 11-12, à Éphèse nombreux miracles, dont certains obtenus par l'attouchement des mouchoirs et tabliers de saint Paul ; *Act.*, XX, 9-11, à Troas résurrection d'un jeune homme, Eutyche, tombé d'un troisième étage ; *Act.*, XXVIII, 1-10, à Malte, saint Paul, mordu par une vipère, n'en ressent aucun mal ; il guérit d'accès de fièvre et de dysenterie le père de Publius, le premier de l'île.

4. En prenant « prophétie » au sens que lui donne saint Paul dans la description des charismes, de prédication inspirée par l'Esprit-Saint « pour édifier, exhorter, encourager » (*I Cor.*, XIV, 2).

pouvait prendre deux formes : ou bien, sans proposer
à saint Paul des objets nouveaux à connaître, le conduire
plus avant dans l'intelligence des vérités qu'il avait
reçues de la première tradition chrétienne, lors de sa
conversion, lui faire prendre une conscience plus vive
de leur richesse inépuisable et de leurs conséquences
illimitées ; ou bien lui faire connaître certaines vérités
particulières que la tradition ne lui avait pas transmises.
C'est le premier mode d'illumination qui apparaît le
plus habituel dans la vie de l'Apôtre. Dans l'épître aux
Galates, saint Paul définit le caractère propre de l'Évangile qu'il leur a annoncé : ce n'est pas une doctrine
humaine, qu'il a reçue par simple tradition ou qu'il a
apprise d'un maître humain, mais une révélation qu'il
tient immédiatement de Jésus-Christ [1]. Est-ce à dire
que saint Paul a appris directement par révélation
divine les faits principaux de la vie du Christ, sa passion
et sa résurrection ? Cela n'a aucune vraisemblance.
Avant même sa conversion Paul n'a pu ignorer les
grandes lignes de la prédication apostolique. Il n'a pas
persécuté « l'Église de Dieu » sans savoir quels étaient
les points essentiels de sa croyance et quelle place y
tenait le Christ. Et après sa conversion, avant d'être
baptisé, il a reçu de la communauté chrétienne de Damas,
par le ministère d'Ananie, les principaux articles de
la foi commune [2]. Même avec certains auteurs, il n'y
a pas de raison valable d'excepter de cette connaissance
par tradition les apparitions du Christ ressuscité aux
apôtres et aux disciples judéens (*I Cor.*, xv, 3-7) et
l'institution de l'Eucharistie (*I Cor.*, xi, 23-25). Dans
le premier cas, saint Paul dit simplement : « Je vous
ai enseigné en premier lieu ce que j'ai aussi reçu »,

---

1. *Gal.*, I, 11-12 : « L'évangile annoncé par moi n'est pas selon
l'homme ; car ce n'est pas d'un homme que je l'ai reçu ou appris,
mais par une révélation de Jésus-Christ ».
2. Cf. PRAT, *La Théologie de saint Paul*, 8e éd., Paris, p. 38-39.

ce qui m'a été transmis, sans que rien insinue une révélation immédiate du Christ. L'Apôtre reproduit là un fragment de catéchèse sur la résurrection du Seigneur pour mettre en évidence que sur ce point fondamental l'enseignement de tous les prédicateurs de l'Évangile et la foi des fidèles sont identiques. « Que ce soit moi ou eux, — les autres apôtres, — voilà ce que nous prêchons et voilà ce que vous avez cru [1]. »

Reste l'autre passage où saint Paul rappelle aux Corinthiens l'institution de l'Eucharistie : « J'ai reçu du Seigneur ce qu'à mon tour je vous ai transmis, que le Seigneur Jésus, la nuit où il fut livré, prit du pain... » Beaucoup d'interprètes, surtout dans le passé, ont expliqué les mots : « J'ai reçu du Seigneur » au sens de : « J'ai appris de lui directement, sans intermédiaires humains, donc par révélation [2] ». Mais c'est une exégèse qui, loin de s'imposer, a contre elle de fortes raisons. On a noté que dans ce chapitre et les suivants (XI-XV) saint Paul fait appel plusieurs fois aux « traditions » qui doivent régler la foi et l'ordonnance du culte dans les églises [3]. La célébration de la Cène eucharistique rentre dans ces traditions dont elle constitue un des éléments les plus importants. En disant aux Corinthiens qu'il a reçu du Seigneur ce qu'il leur a transmis à ce sujet,

---

1. *I Cor.*, XV, 11.
2. Cf. CORNELY qui défend cette interprétation, *Prior Epistula ad Corinthios*, Paris, 1890, p. 335-337, et après lui, PRAT, *op. cit.*, I, p. 146-147.
3. L. CERFAUX, *La Théologie de l'Église suivant saint Paul*, Paris, 1942, p. 206. Le même auteur remarque (p. 208, n. 1) qu'ici « nous sommes en plein dans le vocabulaire de la « tradition » humaine. Lorsqu'il veut parler d'une révélation, Paul emploie un autre vocabulaire technique : ἀποκάλυψις, μυστήριον (cf. dans le contexte de *I Cor.*, XV, 51), φανερόω. L'objet propre de notre tradition fournit une indication parallèle : les « révélations » de Paul regardent l'avenir eschatologique, ou sa propre mission personnelle ; ce qui regarde la vie du Christ entre naturellement dans les « traditions » des apôtres galiléens ».

l'Apôtre entend signifier qu'à l'origine de l'Eucharistie il y a le Christ célébrant la Cène à la veille de sa mort et ordonnant de renouveler ce rite en mémoire de lui : saint Paul a reçu cette institution comme venant du Seigneur, comme remontant à lui, quoi qu'il en soit des intermédiaires humains. « Tout indique qu'il s'agit d'une tradition apostolique et non d'une révélation que Paul aurait reçue [1]. »

Il n'apparaît donc pas que les grâces dont saint Paul fut favorisé, lui aient appris les faits historiques de la vie du Christ qui formaient un chapitre essentiel de la catéchèse commune [2]. Mais ce qu'il faut attribuer certainement à une révélation, c'est l'intelligence spirituelle de ces faits. Dans la résurrection du Christ l'Apôtre a vu le principe de la vie nouvelle qui est inaugurée en nous par le baptême et s'épanouira dans la gloire de notre propre résurrection. Dans l'Eucharistie il a perçu l'unité qu'elle établit entre les chrétiens qui participent à un même corps du Christ ; il a vu le lien qui la rattache à la dernière Cène et à la croix, en même temps que, tourné vers l'avenir, il montre en elle le gage et la préparation du retour glorieux du Christ. « Toutes les fois que vous mangez ce pain et que vous buvez cette coupe, vous proclamez la mort du Seigneur jusqu'à ce qu'il revienne » (*I Cor.*, XI, 27). D'un regard qui embrassait toute la révélation nouvelle, il a saisi sous la lumière divine la signification du plan de la rédemption par le Christ et dans le Christ. C'est là l'Évangile qu'il n'a pas reçu ou appris des hommes,

---

1. CERFAUX, *op. cit.*, p. 208. — Dans le même sens, E. B. ALLO, *Première Épître aux Corinthiens*, Paris, 1935, p. 310 ; GOOSSENS, *Les origines de l'Eucharistie, sacrement et sacrifice*, Paris, 1931, p. 339 et notre commentaire de la Première Épître aux Corinthiens (collection *Verbum Salutis*), p. 261-262.
2. Sur cette catéchèse voir PRAT, *op. cit.*, II, p. 38.

mais qu'il tient d'une révélation de Jésus-Christ [1].
Cet Évangile, en tant qu'annoncé par Paul ou, comme
il dit encore, « son Évangile », contient avant tout
l'affirmation que le salut vient de Jésus-Christ et de
Jésus-Christ seul, sans les œuvres de la Loi mosaïque :
d'où l'égalité des hommes dans le plan rédempteur,
sans distinction de race, de caste, de nationalité, *l'admission des païens* dans l'Église sur le même pied que les
Juifs, l'affranchissement pour tous des observances
mosaïques, la justification par la foi indépendamment
des œuvres de la Loi, l'incorporation des fidèles au
Christ par le baptême, leur union en lui de manière à
former un seul corps, l'Église, dont le Christ est la
tête [2]. L'Apôtre a compris que la réalisation de ce
plan divin accomplissait les promesses de salut faites
à Abraham, indépendamment de la circoncision et de
la Loi mosaïque. Dieu n'avait demandé au patriarche

---

1. *Gal.*, I, 12. « Son évangile, explique le P. LAGRANGE, *in loc.*,
est... l'intelligence spirituelle des faits historiques qui lui a montré
le salut en Jésus, et en Jésus seul. » Et CERFAUX, *op. cit.*, p. 204 : « Il
s'agit évidemment de ce que Paul enseigne en propre et qui concerne le salut des Gentils », *ibid.*, p. 135.

2. Se séparant sur ce point du P. ALLO, CERFAUX, *op. cit.*, p. 283,
admet un progrès de la pensée paulinienne dans la conception de
l'Église, corps du Christ. « Saint Paul traite toujours une église locale
suivant des principes œcuméniques. Les chrétiens de Corinthe
sont donc « corps du Christ » parce que chrétiens, et la formule
est déjà dynamiquement et virtuellement universelle ; de ce point
de vue, le glissement du thème des grandes épîtres à celui de *Eph.*
et *Col.* est insensible. Il y a cependant, dans la perspective des épîtres
de la captivité, des changements assez importants. Dans la première
épître aux Corinthiens, la théorie visait principalement l'unité de
l'Église ; ce n'est qu'incidemment qu'intervenait le principe profond
de l'unité des chrétiens entre eux, la vie communiquée par le Christ.
Et ainsi, la tendance à « réaliser » un organisme identifié mystiquement
au corps du Christ était à peine perceptible. Au contraire, dans les
épîtres de la captivité, parce qu'il faut établir le Christ à sa vraie place,
c'est la communication de sa vie à l'ensemble des chrétiens qui devient
le thème essentiel et primordial. Du coup, l'expression « le corps
du Christ » éveillera avant tout l'imagination d'un organisme dans
lequel circule la vie du Christ. »

que la foi. Abraham apparaissait dès lors comme le père de tous les croyants [1], l'Ancien Testament se présentait comme la préparation et la préfiguration du Nouveau. La Loi mosaïque, dont les promesses faites à Abraham étaient indépendantes [2], n'avait été qu'un régime provisoire, qui avait pris fin avec le Christ [3].

Le Mystère

L'Évangile que saint Paul a reçu par révélation de Jésus-Christ, la Bonne Nouvelle qu'il annonce, est concrètement identique à ce qu'il appelle « le Mystère », le secret divin révélé aux hommes [4]. Le contenu est le même : c'est le plan divin du salut [5], auquel les Gentils sont appelés à participer par la foi [6], les richesses insondables du Christ annoncées à tous, et nommément aux païens : « Dieu a voulu manifester quelle est la richesse de la gloire de ce mystère présent parmi les païens [7] », mystère qui tient en cette formule : « le Christ en vous, l'espérance de la gloire [8] ». Saint Paul a été

---

1. *Rom.*, IV, 10 sq.
2. *Rom.*, IV, 13-18.
3. *Rom.*, X, 4.
4. Sur le Mystère, voir l'étude de DEDEN, *Le « Mystère » paulinien*, dans les *Ephemerides theologicae Lovanienses*, XIII (1936) p. 4.
5. Selon la formule la plus compréhensive, c'est « la réunion de toutes choses dans le Christ, celles qui sont dans le ciel et celles qui sont sur la terre » : *Eph.*, I, 10. Comme dans la conception de l'Église, les épîtres de la captivité *(Colossiens, Éphésiens)* marquent dans la conception du rôle du Christ un changement ou plutôt un élargissement des perspectives par rapport aux épîtres antérieures. Le Christ n'apparaît plus seulement comme Sauveur et Rédempteur du genre humain : c'est la création tout entière qu'intéressent les mystères de l'Incarnation et de la Rédemption. Voir notre commentaire des Épîtres de la captivité *(Verbum Salutis)* p. 18 sq.
6. *Rom.*, XVI, 25.
7. *Col.*, I, 27.
8. *Col.*, I, 27. — Le P. ALLO voit, contracté dans ces trois mots : « Le Christ en vous, Χριστὸς ἐν ὑμῖν », tout le contenu du Mystère, objet intégral de l'Évangile de Paul : *L'« évolution » de « l'Évangile de Paul »*, dans *Vivre et Penser*, Paris, 1941, p. 48, 49, 50.

choisi par Dieu comme le ministre chargé d'annoncer le Mystère, spécialement en tant qu'il contient l'appel des Gentils à la foi, leur égalité avec les Juifs dans la participation aux biens messianiques dans le Christ Jésus [1], et pour cette mission l'Apôtre a reçu *par révélation* une connaissance particulière de ce Mystère [2].

De l'Évangile et du Mystère on peut encore rapprocher « cette sagesse en mystère » que saint Paul oppose à la sagesse du monde dans la première épître aux Corinthiens et qu'il fait connaître aux « parfaits », c'est-à-dire aux chrétiens ayant atteint la maturité de leur christianisme, vivant en conformité avec leur foi. « Rendue présente dans et par le Christ, la sagesse devient l'objet de l'évangile paulinien, le mystère [3]. » Son contenu est le même : les biens du salut, grâce et gloire, que Dieu a préparés pour ceux qui l'aiment, « ce que l'œil de l'homme n'a pas vu ni l'oreille entendu, ce que l'esprit de l'homme n'a pu imaginer [4] ». Saint Paul communique aux parfaits une connaissance plus approfondie du Mystère qu'aux fidèles moins avancés dans la vie spirituelle. Cette lumière, il la doit à la révélation de l'Esprit, qui scrute tout, jusqu'aux profondeurs de Dieu, et qui seul peut les faire connaître, comme seul l'esprit d'un homme connaît et peut révéler les secrets de sa conscience [5].

Saint Paul applique encore le nom de « mystère »

---

1. *Eph.*, III, 2 ; 7-8 ; *Col.*, I, 25-26.
2. *Eph.*, III, 3 : « Par révélation (κατὰ ἀποκάλυψιν) m'a été notifié le Mystère », comme il avait aussi reçu son Évangile par révélation (δι'ἀποκαλύψεως).
3. DEDEN, *art. cit.*, p. 413.
4. *I Cor.*, II, 9. Ici, l'attention de l'Apôtre se concentre sur les biens du salut, sans mention explicite de la vocation des Gentils. Mais celle-ci était incluse dans le rappel qu'il venait de faire (I, 26-30) de la vocation des Corinthiens dont beaucoup étaient des païens convertis.
5. *I Cor.*, II, 10-11.

à des révélations divines qui, tout en s'insérant dans le plan général du salut, se limitent à un point particulier. Ainsi dans la Iʳᵉ aux Corinthiens, xv, 51, à propos de la résurrection des morts : « Voici que je vais vous dire un mystère », une vérité dont je dois la connaissance à une révélation divine : « Nous ne mourrons pas tous, mais tous nous serons changés ». Mystère encore cette révélation que l'Apôtre communique aux Romains : que l'aveuglement des Juifs n'aura qu'un temps, jusqu'à l'achèvement de la conversion des Gentils, et qu'ainsi Israël sera sauvé [1].

Révélations et ministère apostolique

Saint Paul est si fermement convaincu que l'Esprit de Jésus dirige son apostolat [2], lui dispense lumière pour gouverner sans erreur les communautés qu'il a fondées, que donnant aux Corinthiens des règles pour la célébration du culte, en conformité avec les coutumes des premières églises de Palestine, il les promulgue comme « le commandement du Seigneur » (*I Cor.*, xiv, 37) [3]. En qualité d'apôtre, il a le droit de parler au nom du Christ avec une autorité qui n'a pas à être discutée. « Alors que les charismes, par leur nature, sont soumis à des normes supérieures, saint Paul considère ses propres révélations comme souveraines et soustraites à toute critique. Même s'il a l'air de vouloir se soumettre dans un cas particulier au jugement d'autres charismatiques (*I Cor.*, xiv, 37), il proteste

---

1. *Rom.*, xi, 25.
2. Cf. *I Cor.*, vii, 40 : « Je pense avoir, moi aussi, l'Esprit de Dieu ».
3. DEDEN, *art. cit.*, p. 417, donne ces « décisions du Seigneur », et de même *I Cor.*, ix, 14, comme des préceptes reçus par « révélation ». Nous ne voyons pas dans les textes, surtout dans *I Cor.*, ix, 14, qui rappelle une parole du Christ dans l'évangile (*Luc*, x, 7) d'indices signifiant une révélation *immédiate*, une « apocalypse » reçue par l'Apôtre.

immédiatement (℣. 38) que ce jugement ne peut lui être défavorable. La raison est à chercher dans sa qualité d'apôtre, qui donne à ses « apocalypses » la sécurité absolue. Son évangile est l'objet fondamental de la foi des fidèles, et il reçoit ses propres charismes pour diriger, avec autorité apostolique, les communautés qu'il a fondées [1] ».

Cela est vrai non seulement des révélations, des « apocalypses », mais encore des autres charismes dont saint Paul fut favorisé, prophétie ou prédication inspirée, glossolalie ou louange de Dieu en un langage extatique qui demeure incompris des auditeurs, à moins qu'il ne soit interprété : l'Apôtre se rendait le témoignage qu'il parlait en langues plus que tous les Corinthiens [2], mais il mettait bien au-dessus de ce charisme la prophétie dont le langage intelligible pouvait atteindre tous les assistants. Chez les autres fidèles ces charismes sont soumis à un certain contrôle de la communauté et de ses chefs [3]. Saint Paul est au-dessus de ce contrôle : le Seigneur est son seul Juge, qui lui a confié la charge de l'apostolat [4].

Il appert que dans saint Paul apocalypses et charismes sont ordonnés à son ministère apostolique. Ses visions et révélations regardent sa mission personnelle et « l'économie » du plan du salut, eschatologie comprise ; dans son appréciation des charismes il établit leur hiérarchie, la supériorité de la prophétie sur la glossolalie, d'après leur degré d'utilité pour l'édification de la communauté chrétienne [5]. Même une faveur extraordinaire telle que le ravissement au troisième ciel, qui à première vue pourrait paraître purement indivi-

---

1. DEDEN, art. cit., p. 417.
2. I Cor., XIV, 18.
3. I Cor., XII, 3.
4. I Cor., IV, 4.
5. I Cor., XIV, 1-25.

duelle, n'est pas sans quelque lien avec l'action apostolique. Il est à noter que ce ravissement se place peu avant les grands voyages missionnaires de saint Paul ; et l'on peut penser que l'activité de l'Apôtre a été comme baignée de la lumière que lui avait apportée cette contemplation ineffable [1].

Dans sa prière ordinaire, la pensée du plan divin du salut lui est habituelle ; sans cesse il a devant les yeux les églises déjà fondées pour remercier Dieu des grâces qu'il leur a accordées et lui demander pour elles de nouveaux dons spirituels, afin que la prédication de l'Évangile parvienne au monde entier et y porte ses fruits [2]. Par son exemple « Paul a entraîné la prière d'intercession au centre de la vie chrétienne [3] ».

---

1. Dom STOLZ, *op. cit.*, p. 87-88 oppose ici les modernes auxquels « il plaît davantage d'insister sur la vision du chemin de Damas et la relation qui s'établit là entre le Christ et la conscience apostolique de l'apôtre » et « la tradition plus ancienne qui au contraire considérait son enlèvement au paradis et au troisième ciel comme le trait caractéristique de sa dignité apostolique ». Il ne cite à l'appui de cette assertion que deux auteurs : saint Jean Chrysostome, *Hom. in II Cor.*, 26, 1 (*P. G.*, 61, 576) et Pseudo-Basile (Evagre du Pont), *ep.* 8, 11 (*P. G.*, 32, 264 D). Ces textes ne nous paraissent pas probants. Saint Jean Chrysostome qui voit dans le ravissement un argument en faveur non pas tant de la vocation apostolique de saint Paul que de son égalité avec les autres apôtres, a précédemment expliqué la vision sur le chemin de Damas (*I Cor.*, IX, 1 ; XV, 8) comme une preuve de cette même égalité (*Hom. in I Cor.*, 21, 1. *P. G.* 61, 170-171). Rien n'indique qu'il attribue au ravissement une plus grande importance qu'à la vision du chemin de Damas comme « trait caractéristique de la dignité apostolique » dans saint Paul. Quant à Evagre, son témoignage se borne à introduire deux citations de l'apôtre, l'une par « Paul, le saint » *(hagios)*, l'autre par « l'homme élevé au troisième ciel », sans aucun commentaire sur cette dernière désignation.

2. Après la salutation du début, la plupart des épîtres adressées aux églises font mention de cette prière qui unit l'action de grâces et la demande *(I et II Thess., I Cor., Rom., Eph., Col., Phil.)*.

3. F. HEILER, *La Prière*, p. 271.

Le primat de la charité

Le point de vue de l'apostolat est tellement prédominant dans l'âme de saint Paul qu'il se dira prêt à tout sacrifier, même son propre salut, pour la conversion de la nation israélite : « Je souhaiterais d'être moi-même anathème, séparé du Christ, pour mes frères de race » (*Rom.*, IX, 3). « Langage de sentiment qu'on ne doit point juger d'après la pure logique[1] », comme des paroles semblables d'autres saints[2]. Le souhait est irréalisable, Dieu ne pouvant dans aucun cas accepter le sacrifice du salut personnel. Saint Paul ne l'ignore pas ; s'il emploie cette formule, c'est qu'aucune expression ne lui paraît trop forte pour signifier son amour pour son peuple et le désir qu'il a de sa conversion.

Combien caractéristique est aussi le passage de *Phil.*, I, 21-25 ? Pressé, « coincé » entre deux aspirations, « quitter ce monde et être réuni au Christ, ce qui est de beaucoup le meilleur », ce à quoi tend d'instinct l'âme profondément chrétienne, ou demeurer ici-bas pour continuer son apostolat, saint Paul accepte, pour

---

1. LAGRANGE, *Épître aux Romains*, p. 225.
2. Tel ce mot de saint Ignace de Loyola se disant prêt à rester en enfer jusqu'à la fin du monde pour le salut d'une seule âme. — J. MOUROUX, *Sens chrétien de l'homme*, Paris, 1935, rappelle encore, p. 235, note 1, Moïse, *Exode*, XXXII, 32 : « Pardonnez maintenant le péché (de ce peuple) ; sinon, effacez-moi de votre livre que vous avez écrit » ; sainte Marguerite-Marie, devant les châtiments que Dieu veut exercer : « O mon Sauveur, déchargez plutôt sur moi toute votre colère, et m'effacez du livre de vie plutôt que de perdre ces âmes qui vous ont coûté si cher (*Œuvres*, éd. GAUTHEY, II, 108) ; sainte Thérèse de l'Enfant-Jésus : « Un soir, ne sachant comment dire à Jésus que je l'aimais et combien je désirais qu'il fût partout glorifié, je pensai avec douleur qu'il ne monterait jamais des abîmes de l'enfer un seul acte d'amour. Alors je m'écriai que de bon cœur je consentirais à me voir plongée dans ce lieu de tourments et de blasphèmes pour qu'il y fût aimé éternellement... » (*Histoire d'une âme*, V, 104, de la pet. édit.).

l'avantage spirituel de ses néophytes, de différer la réunion tant désirée. L'absence, loin d'être un signe de tiédeur, purifie et accroît la charité dans la mesure même où, totalement oublieuse de toute préoccupation personnelle, elle fait aimer sans réserve la volonté de Dieu et ses desseins salvifiques [1].

Les visions et révélations sont de leur nature des

---

1. On lira dans J. MOUROUX, *op. cit.*, p. 235-236, une excellente analyse de cette psychologie qui oppose, sur le plan des concepts distincts, le désir et le don. Cette opposition « est rendue possible par les conditions de l'agir surnaturel. D'une part, l'âme en état d'épreuve se sait imparfaite, liée à des impuretés spirituelles subtiles et difficiles à discerner, capable encore d'un égoïsme persistant au sein même de l'amour. D'autre part, elle se sent de plus en plus faite pour travailler avec le Christ, pour continuer son sacrifice, racheter les âmes, et bâtir le Royaume avec lui. Pour exclure l'ombre même de l'égoïsme et se livrer pleinement au travail rédempteur, l'amour ne sera jamais trop purifié. Supposons maintenant une âme pleinement consciente que son amour est un désir en même temps qu'un don, et qu'il vise son bonheur en même temps que la gloire de Dieu ; supposons-la soulevée et embrasée par la violence dévorante de l'amour, par la passion de servir, par l'angoisse de la Rédemption ; et voici que l'élan même de sa générosité va lui faire désirer un nouveau sacrifice, et regarder au fond d'elle-même ce qu'elle pourrait encore offrir en holocauste. Or, au plus secret de son élan, elle se trouve en face du désir et du don ; elle les *éprouve* comme liés, elle les *connaît* comme distincts, elle les *conçoit* comme opposables. Dès lors, s'il faut choisir entre le désir et le don, entre la possession et la communion, entre le bien propre et le bien divin, elle n'hésite pas, elle choisit le bien divin, et *sacrifie sa joie personnelle à l'honneur de son Dieu et au salut de ses frères*. Ce sacrifice est l'élan d'un amour embrasé que la seule pensée de l'offense à Dieu, de la perte des âmes, du sang du Christ rendu vain jette dans une angoisse inexprimable, et appelle à l'offrande la plus dépouillée, la plus consumante, la plus folle, par l'immolation la plus absolue. L'élément positif et admirable est ici cette *volonté de don sans réserve*, et totalement oublieuse de soi au plan des pensées explicites, des choix particuliers, des libres sacrifices. Et certes, la séparation entre le désir et le don, entre la possession et la communion, est une impossibilité ; l'idée même en est conceptuelle, et non réelle et *quand elle réfléchit*, l'âme le sait. Mais précisément, quand elle formule cette « hypothèse impossible », il ne s'agit pas pour elle de réfléchir, il s'agit d'aimer, de servir, de se sacrifier... Le cri de renoncement ne fait que traduire, *par le choix même de l'impossible*, l'ardeur dévorante du plus pur, du plus absolu et du plus réaliste des amours ».

phénomènes transitoires ; si fréquentes qu'on les suppose, elles ne constituent pas un état permanent.
Elles rentrent dans la catégorie des grâces « actuelles »,
au sens large de bienfaits divins passagers. Comme les
charismes, l'Esprit-Saint les distribue à qui il veut
et tous ne les reçoivent pas. Mais il est un don de Dieu,
don permanent, source perpétuellement jaillissante, que
saint Paul a en commun avec tous les baptisés qui sont
fidèles aux principes chrétiens : la vie dans le Christ
se manifestant par la charité ou, suivant une formule
synonyme, « la foi qui agit par la charité [1] ». C'est la
voie par excellence [2], la seule qui conduise certainement
au salut. Sans elle, charismes, visions et révélations
ne portent pas de fruits méritoires.

« Quand je parlerais les langues des hommes, et
même des anges, si je n'ai pas la charité, je ne suis
qu'un airain sonnant ou une cymbale retentissante.
Quand j'aurais le don de prophétie, que je connaîtrais
tous les mystères et toute la gnose, et que j'aurais la plénitude de la foi au point de transporter des montagnes,
si je n'ai pas la charité, je ne suis rien. Quand je
distribuerais tous mes biens en aumônes et que je
livrerais mon corps au feu, si je n'ai pas la charité, cela
ne me sert de rien [3]. »

La charité prime tout, charismes, visions, révélations.
Elle est la substance de la vie chrétienne. Saint Paul
a enseigné cette primauté aux Corinthiens, trop friands
des manifestations sensibles de l'Esprit ; sa vie a confirmé sa doctrine. Pour la mystique hellénistique, telle
qu'elle s'exprime chez Plotin, « l'action est un affai-
blissement de la contemplation » [4]. Pour saint Paul,

---

1. *Gal.*, v, 6.

2. *I Cor.*, XII, 31.

3. *I Cor.*, XIII, 1-3.

4. BERGSON, *Les deux Sources de la Morale et de la Religion*, p. 236,
citant Plotin, *Ennéades*, III, 8, 4.

l'action qu'anime la charité apostolique, loin de dégrader ou d'exténuer la contemplation, l'achève en lui faisant porter tous ses fruits. Si la contemplation est extase, c'est-à-dire sortie de soi pour s'unir à Dieu, l'action apostolique ne l'est pas moins : elle aussi est sortie de soi pour atteindre dans le prochain Dieu lui-même. Et chez saint Paul, aux dernières années de sa vie, quand il approchait du terme de sa course, y avait-il encore lieu de distinguer contemplation et action? Le Christ n'avait-il pas tout unifié en lui? « *Mihi vivere, Christus,* pour moi vivre, c'est le Christ [1]. »

---

1. Le P. MARÉCHAL, dans son article *Vraie et fausse Mystique* (paru après sa mort dans la *Nouvelle Revue Théologique,* juillet-août 1945) écrivait : « Dans la phase suprême (de la vie mystique), que les théologiens appellent « union transformante » ou « mariage spirituel » (et certains psychologues, « état théopathique »), l'unité de la contemplation et de l'action est devenue totale et permanente : l'activité de l'homme a désormais son centre de rayonnement en Dieu ; le don divin envahit et transfigure l'âme entière. De cette transfiguration mystique est-il plus bel exemple que saint François d'Assise? » (p. 290). A côté de saint François d'Assise serait-ce téméraire de placer saint Paul?

LIVRE II

LA MYSTIQUE JOHANNIQUE

CHAPITRE PREMIER

DIEU EST AMOUR

On a dit de saint Jean qu'il considérait toutes choses et particulièrement l'histoire du Christ *sub specie aeternitatis,* sous l'angle de l'éternité. Si nous voulons parler de la vie chrétienne d'une façon conforme à cet esprit johannique, il nous faut remonter d'emblée jusqu'à sa source éternelle, jusqu'à Dieu. On pourrait objecter à cette méthode que c'est vouloir chercher la lumière dans le mystère. Mais c'est le propre des dogmes du christianisme de projeter d'un fond qui reste mystérieux, des clartés sur notre condition et notre destinée.

Dieu identifié à l'agapè

Pour saint Jean, Dieu ne se définira pas comme pour Aristote une Pensée qui se pense elle-même, un Moteur immobile, tellement transcendant au monde qu'il n'y a place en lui pour aucune Providence : un Être ainsi construit peut intéresser les philosophes, aucun homme religieux ne songera à l'invoquer. « Dieu est amour (ἀγάπη) », nous dit saint Jean (*I Jean*, IV, 8, 16) ; il est l'amour infini, toujours en acte de jaillissement. Pour saint Augustin cette définition de Dieu est bien celle qui exprime le mieux sa nature. « Qu'est-ce que Jean pouvait dire de plus, frères ? Si rien d'autre à la louange de l'amour n'était dit dans le reste de cette épître, ni rien d'autre dans tout le reste des Écritures, et que nous n'ayons entendu que cela seul de la bouche de l'Esprit de Dieu : « Dieu est amour », nous n'aurions pas à chercher autre chose [1]. »

Cette formule johannique est aussi celle qui pour Bergson exprime le plus pleinement l'apport du mysticisme dans ce qu'il appelle la religion « dynamique », la religion qui dans son élan vise à traverser l'humanité tout entière. Touchant les lumières que le philosophe demandera au mystique, il écrit : « C'est... sur la nature de Dieu, immédiatement saisie dans ce qu'elle a de positif, je veux dire de perceptible aux yeux de l'âme, que le philosophe devra l'interroger. Cette nature, le philosophe aurait vite fait de la définir, s'il voulait mettre le mysticisme en formule. Dieu est amour, et il est objet d'amour : tout l'apport du mysticisme est là. De ce double amour le mystique n'aura jamais fini de parler. Sa description est interminable parce que la chose à décrire est inexprimable. Mais ce qu'elle dit clairement, c'est que l'amour divin n'est pas quelque chose de Dieu : c'est Dieu même [2] ».

Cette identification de Dieu et de l'amour (agapè) avait été préparée par les évangiles synoptiques et par saint Paul. « On peut dire que les évangiles synoptiques déjà et Paul plus encore ont rapproché Dieu et l'agapè au point de les identifier en fait. Paul a souvent effleuré cette idée et, dans ses expressions, il semble parfois la côtoyer. Dieu est pour lui le « Dieu d'agapè ». L'identification est toute proche ; en fait, elle est déjà accomplie. Un pas de plus, et elle le serait aussi formellement.

---

1 Saint AUGUSTIN, In ep. Joan., tr. VII, 4 (P. L., 35, 2031). — Si de saint Augustin nous passons à saint Bernard, nous constatons avec GILSON, La Théologie Mystique de saint Bernard, Paris, 1934, p. 35 et sq., qu'« il faut placer à l'origine de sa pensée un premier bloc », formé de I Jean, IV, 9 et des autres textes de ce même chapitre IV, qui se rapportent à l'union de l'âme à Dieu par l'amour.
2. Les Deux Sources de la Morale et de la Religion, p. 270.

Mais, ce pas, Paul ne l'a jamais franchi. Il n'a jamais prononcé le mot qui devait proclamer l'unité déjà existante. Dans la première épître de Jean, ce dernier pas est franchi : *L'identité de Dieu et de l'agapè* s'y trouve ouvertement proclamée. Nous y rencontrons deux fois la formule : « *Dieu est agapè* (*I Jean*, IV, 8 et 16). Si, chez Paul, l'*agapè* du christianisme primitif, présentée comme « l'*agapè* de la croix », parvient, en fait, à son apogée, chez Jean elle y parvient formellement. *L'agapè trouve son expression la plus haute : Dieu est amour, et l'amour, l'agapè, est Dieu* [1] ».

L'agapè au sein de la Trinité

Cet amour n'est pas un égoïsme solitaire. Dans son ouvrage sur *l'Être et les êtres*, Maurice Blondel cite le témoignage d'un des livres sacrés de l'Inde, faisant proférer à l'Absolu ce cri émouvant : « Si j'étais plusieurs [2] ! » Pour nous, si l'Être divin est *un*, il n'est pas *seul*. « *In principio erat Verbum.* Au commencement était le Verbe et le Verbe était auprès de Dieu et le Verbe était Dieu. Il était au commencement auprès de Dieu » (I, 1-2) [3] et comme tourné vers Lui (πρός).

---

1. A. NYGREN, *Erôs et Agapè*, trad. fr. du suédois, Paris, 1944, p. 158-159.

2. M. BLONDEL, *L'Être et les êtres*, Paris, 1935, p. 184. Dans ses considérations sur l'Inde (revue *Dieu Vivant*, 1945, n° 3) J. MONCHANIN insiste sur cette idée que seul le Mystère Trinitaire peut apporter une solution aux antinomies où se heurte la pensée hindoue et qui la font osciller perpétuellement entre le monisme et le pluralisme, entre un Dieu personnel et un Dieu impersonnel, entre un Absolu un, sans second et simple (Çankara), et un Absolu dont « elle pressent que sa simplicité voile une vie, que son unité est riche, qu'elle est non d'exclusion mais d'inclusion (Râmanuja) ». L'Inde « attend, sans le savoir, la Révélation, inaccessible au génie métaphysique comme à la sainteté, du Mystère Trinitaire » (p. 23 ; cf. p. 26).

3. Ces références sans autre indication que le chapitre et le verset renvoient au quatrième évangile.

Ce Verbe ou Parole *(Logos)* est appelé aussi le Fils, le Fils unique, le Monogène (seul engendré) qui est dans le giron du Père (I, 18). Par ces expressions, saint Jean nous apprend que le Verbe de Dieu, sa propre et substantielle image, est le terme d'une génération pleinement féconde et, — ce que les premiers versets du Prologue insinuaient déjà, — que cette union du Père et du Fils est une union, un contact, un embrassement de la plus étroite intimité [1].

En dehors du prologue, l'évangile nous enseigne à mainte reprise cet amour mutuel du Père et du Fils, leur don total et réciproque. « Le Père aime le Fils et il a tout remis dans sa main » (III, 35). Cet amour du Père pour le Fils est la raison de lui montrer tous ses secrets, de lui communiquer toute sa puissance. « Dieu, personne ne le vit jamais ; un Dieu fils unique qui est dans le giron du Père, c'est lui qui en a parlé » (I, 18) en connaissance de cause, comme étant « né dans ce secret et dans cette gloire » (BOSSUET). « En vérité, en vérité, je vous le dis, le Fils ne peut rien faire de lui-même s'il ne le voit faire au Père ; mais ce que fait celui-ci, le Fils le fait pareillement. Car le Père aime le Fils et il lui montre tout ce qu'il fait... De même que le Père ressuscite les morts et les fait vivre, ainsi le Fils fait vivre qui il veut » (V, 19-21). Dans la prière qui suit le Discours après la Cène, le Christ demande que les disciples soient admis à contempler sa gloire, celle que le Père lui a donnée en signe de son éternel amour : « parce que tu m'as aimé dès avant la fondation du monde » (XVII, 24).

Cet amour du Père et la réponse du Fils ne sont pas

---

1. De la formule johannique, « qui est dans le giron du Père » (Vg. *qui est in sinu Patris*), le P. LAGRANGE, *Évangile selon saint Jean*, p. 28, rapproche la phrase où Cicéron exprime sa tendresse pour son fils : « *iste vero sit in sinu semper et complexu meo*, qu'il soit toujours dans mon giron et serré dans mes bras » (*Ep. ad fam.*, XIV, 4, 3).

l'échange de deux froides Abstractions, mais de deux
Vivants. Et le Verbe n'est pas non plus un simple
miroir intelligent qui renverrait au Père un reflet pas-
sivement subi, comme une glace renvoie l'image de
l'homme qui se contemple en elle. Partis du Père, la
connaissance et l'amour lui sont rendus par la générosité personnelle et agissante du Fils. « Comme mon
Père me connaît, moi aussi je connais mon Père » (x, 15).
Mon Père et moi, nous ne sommes qu'un (x, 30). Celui
qui m'a vu, a vu le Père... Croyez-m'en, je suis dans le
Père et le Père est en moi (xiv, 9, 11 ; cf. x, 38). Père...,
tout ce qui est à moi est à toi, et tout ce qui est à toi
est à moi (xvii, 10 ; cf. xvi, 15). Que tous soient un,
comme toi-même, ô Père, tu es en moi et moi en toi
(xvii, 21). » Tous ces textes affirment l'immanence
mutuelle du Père et du Fils, avec ses deux aspects
de distinction et d'unité.

En sa langue d'une densité peu commune, Maurice
Blondel exprime ainsi cette sublime théologie : « Du
fond de sa substance et comme de son sein maternel,
ex utero, l'Être se donne tout à un autre Lui-même,
toujours contemporain et bénéficiaire intégral et comme
héritier de son règne, de sa puissance, de sa fécondité.
Mais cet autre Lui-même n'est ce qu'il est qu'en se
donnant à son tour, qu'en se restituant par une oblation
permanente et intégrale de vérité et d'amour ; et cet
acte sacrificiel qui lui est propre, est cela même par
quoi il exprime la plénitude de l'Être dont il a tout
reçu [1] ».

Mais ce don total d'un amour réciproque, cette res-
piration commune du Père et du Fils, ce *pneuma*,
comme dit le Nouveau Testament, n'est pas « un sur-
croît, venu après coup, une qualité accidentelle [2] ».

---

1. M. BLONDEL, *op. cit.*, p. 188.
2. *Ibid.*

C'est un lien vivant et substantiel, l'Esprit-Saint, qui procède du Père et du Fils. Nous ne pouvons que balbutier devant ces mystères, « ces profondeurs de Dieu » (*I Cor.*, II, 10); du moins, à la lumière de la révélation, pouvons-nous entrevoir que la vie de Dieu dans sa bienheureuse éternité, sa triple et unique vie, est absolue libéralité, parfait échange d'amour, un triple don de soi subsistant. *Dieu est amour.* Les trois personnes divines ne subsistent que par le don que chacune fait d'elle-même aux autres : le Père donne au Fils tout ce qu'il a, sa puissance, sa sagesse, sa bonté, toutes les richesses de sa vie infinie, et le Fils rend au Père tout ce qu'il reçoit, et l'Esprit-Saint qui procède du Père et du Fils, est le lien vivant de leur amour, ce fleuve d'eau vive dont parle l'Apocalypse, qui jaillit du trône de Dieu et de l'Agneau (*Apoc.*, XXII, 1) [1].

L'agapè de Dieu pour les hommes : Incarnation et Rédemption

Cette divine *agapè* ne reste pas enfermée dans la Trinité; elle s'épanche sur les hommes. En continuité avec sa libre générosité créatrice, Dieu a manifesté son amour à notre égard par le don de son Fils unique.

---

1. NYGREN, qui décrit l'*agapè* divine comme un amour spontané, non motivé, se demande si « cette métaphysique de l'*agapè* », « cet amour de Dieu dans sa relation avec le Fils », ne compromet pas le caractère de l'*agapè*. « Si l'amour éternel du Père pour le Fils est le type de tout ce qui porte le nom d'*agapè*, l'*agapè* conserve-t-elle ici son caractère non motivé? Le Fils n'est-il pas, au contraire, aimé de Dieu pour sa propre valeur? » (*op. cit.*, p. 165). Cette question part, nous semble-t-il, d'un faux supposé, comme si le Fils existait *indépendamment* de l'amour du Père et possédait une valeur *avant que* cet amour du Père se portât sur lui, alors que la raison d'être du Fils est cet amour même, que la génération du Fils par le Père est une infinie libéralité, jaillie spontanément du sein même du Père. — Sur cet ouvrage de Nygren, voir la mise au point de J. MOUROUX dans la *Vie Intellectuelle*, Paris, 1946, p. 23-38.

« Dieu a tant aimé le monde qu'il a donné son Fils unique, afin que quiconque croit en lui ne périsse pas, mais qu'il ait la vie éternelle » (III, 16). La première épître de saint Jean fait écho à cette parole de l'évangile : « En ceci s'est manifesté l'amour de Dieu parmi nous, que Dieu a envoyé son Fils unique dans le monde, afin que par lui nous vivions » (*I Jean*, IV, 9) La même épître fait ressortir le caractère spontané de cet amour : ce n'est pas une réponse à un appel, mais une initiative gracieuse et libre, dont il n'y a pas à chercher d'autre raison que l'infinie bonté et libéralité de Dieu. « Voici en quoi consiste l'*agapè* : ce n'est pas que nous ayons aimé Dieu, mais que lui nous ait aimés et ait envoyé son Fils comme victime de propitiation pour nos péchés... C'est Dieu qui le premier nous a aimés » (*I Jean*, IV, 10, 19). Comme dans saint Paul, l'*agapè* divine descend vers l'homme alors qu'il est hostile à Dieu, enlisé dans le péché, incapable par lui-même d'en sortir. Loin de supposer au préalable des valeurs de sainteté dans l'homme, l'*agapè* sera créatrice de ces valeurs [1] : créatrice d'abord de cet appel fondamental à la justification et à la vie éternelle qui se confond avec le don de l'existence, et créatrice de la justification, quand l'homme, toujours enveloppé de l'*agapè* divine, répond à cet appel qui le constitue dans sa réalité profonde [2].

Comme au sein de la Trinité, la vie du Fils sur terre, du Verbe incarné, du Christ Jésus notre Seigneur, sera une vie d'amour : amour pleinement filial pour son Père, parfaite dépendance, soumission totale d'esprit et de cœur à ses volontés. Faire la volonté de son Père, ce sera ici-bas sa nourriture (IV, 34), sa joie (XV, 10-11).

---

1. Pour les différences entre l'*agapè* et l'*érôs* nous renvoyons à ce qui a été dit dans l'étude de la mystique paulinienne.
2. Cf. J. MOUROUX, *art. cit.*, p. 29 : « *l'agapè est créatrice d'existence afin d'être créatrice de justification* ».

Cet amour débordera sur les hommes ; pour eux le Christ se dévouera totalement. Le plus significatif de ces gestes de l'amour, la preuve la plus éclatante de dévouement, c'est de donner sa vie. « Il n'est pas de plus grande preuve d'amour que de donner sa vie pour ceux qu'on aime » (xv, 13). Cette preuve, le Christ l'a donnée. « A ce signe nous reconnaissons l'amour, c'est que lui (le Christ) a donné sa vie pour nous » (I Jean, III, 16). Pour saint Jean comme pour saint Paul, la mort sur la croix est la manifestation suprême de l'*agapè*.

Au sein de la vie divine, le Fils de Dieu est tout entier tourné vers le Père, se rapporte totalement à Lui. Quand il s'incarne pour sauver le genre humain, sa mission de Sauveur participe à cette même relation : le terme ultime du salut qu'il apporte aux hommes, c'est, en les arrachant au péché, de les transférer à Dieu, de les entraîner dans ce mouvement par lequel éternellement le Fils se rapporte au Père. Saint Paul avait en vue ce même terme quand dans la I^e aux Corinthiens (xv, 23-28) il nous montrait le Fils faisant sa soumission au Dieu et Père avec tout le royaume des prédestinés, « afin que Dieu soit tout en tous ». L'Apôtre, se plaçant à un point de vue collectif, considérait l'humanité élue, rassemblée tout entière par la résurrection générale autour du Christ qui la remettait finalement à son Père. Saint Jean détaille cette soumission ultime et globale. C'est dès maintenant qu'il nous montre le Christ conduisant à son Père chacun de ceux qui croient en lui. « Je suis la Voie, la Vérité et la Vie. Personne ne vient au Père si ce n'est par moi » (xiv, 6). Chacune de ces soumissions individuelles tout au long du temps est la réalisation progressive de la soumission totale qui consommera et couronnera l'histoire du salut.

Nous venons de considérer la charité du côté de Dieu, de celui que saint Bonaventure appelle la *bonitas fontalis*, la bonté à l'état de source éternellement jaillis-

sante ; nous l'avons vue s'épancher à travers le Christ
sur tous les hommes. Il nous faut maintenant montrer
l'autre face du diptyque, voir comment nous avons à
collaborer avec Dieu et à mener notre jeu dans ce drame
de l'amour qui emplit l'histoire du monde et notre histoire à chacun de nous.

Notre salut et notre perfection seront de participer
à cette charité qui est Dieu même, d'en reproduire
les traits dans notre vie. Cette charité en nous sera à
l'image de celle du Christ : elle sera, comme la sienne,
filiale envers Dieu, fraternelle envers les hommes.

CHAPITRE II

LA NOUVELLE NAISSANCE

Cette disposition filiale envers Dieu que nous devons reproduire en nous à l'image de celle du Christ, ce n'est pas de notre naissance naturelle, de notre venue en ce monde, que nous pouvons la tenir. Elle est le don du Verbe fait homme. « A tous ceux qui l'ont reçu, il a donné pouvoir de devenir enfants de Dieu : à ceux qui croient en son nom, qui ne sont nés ni du sang, ni du vouloir de la chair, ni du vouloir de l'homme, mais de Dieu » (I, 12-13).

Devenir enfant de Dieu, c'est entrer dans son Royaume, participer à tous les biens que le Christ nous a apportés et qu'embrasse l'expression « vie éternelle ». Nul ne peut entrer dans ce Royaume que par une nouvelle naissance, une naissance d'en haut (III, 3) [1], une régénération spirituelle. Ainsi l'enseigne Jésus au pharisien Nicodème. « En vérité, en vérité, je te l'affirme, si l'on ne renaît de l'eau et de l'Esprit, on ne peut pas entrer dans le Royaume de Dieu. Ce qui est né de la

---

1. En grec ἄνωθεν, qui peut signifier « de nouveau » (Vulgate *denuo*) ou « d'en haut ». La réplique de Nicodème montre qu'il a compris le mot dans le premier sens : « Est-ce que quelqu'un peut entrer une seconde fois dans le sein de sa mère pour renaître ? » Mais, comme en d'autres expressions johanniques (par ex. XIII, 1, εἰς τέλος il les aima *jusqu'au bout* de son existence terrestre et *au plus haut degré*), nous inclinons à croire que saint Jean avait les deux sens présents à sa pensée : la *nouvelle* naissance est une naissance *d'en haut*.

chair est chair ; ce qui est né de l'esprit est esprit ».
(III, 5-6).

Le baptême chrétien

Renaître de l'eau et de l'Esprit, c'est recevoir ce
baptême que Jean le Baptiste avait annoncé comme
une institution propre du Christ (I, 33). Saint Jean,
comme saint Paul, met le baptême au principe de l'initiation chrétienne, et le rite doit s'accompagner de la
foi chez l'adulte qui le reçoit : la foi est une disposition
nécessaire pour naître d'en haut. « Quiconque croit
que Jésus est le Christ, celui-là est né de Dieu » (*I Jean*,
V, 1). C'est à ceux qui croient en lui, que le Verbe
incarné « a donné pouvoir de devenir enfants de Dieu »
(I, 12).

Le langage johannique dans la théologie du baptême
est autre que le langage paulinien. L'apôtre Paul
nous représente le baptême qui nous incorpore au Christ
sous le double aspect d'une union à la mort du Christ
qui efface nos péchés, et d'une union à sa résurrection
qui nous introduit à une vie nouvelle (*Rom.*, VI, 3 sq.),
à une vie « selon l'esprit » (*Rom.*, VIII, 5). Dans saint
Jean, les termes de « nouvelle naissance » expriment ce
second aspect, l'entrée dans une vie nouvelle, « spirituelle » : « ce qui est né de l'esprit, est esprit » (III, 6).
Saint Paul n'emploie pas l'expression de « naissance
d'en haut » ou de « nouvelle naissance ». Toutefois, il
caractérise le chrétien comme « une créature nouvelle »
(*II Cor.*, V, 17 ; *Gal.*, VI, 15). Il parle des Corinthiens
(*I Cor.*, IV, 15), des Galates (*Gal.*, IV, 19), de l'esclave
Onésime (*Philém.*, 10) comme de ses enfants qu'il a
engendrés dans le Christ : mais être engendré dans
le Christ n'est-ce pas équivalemment naître en lui à
une vie nouvelle ? « Tout ce qui est ancien est passé,
c'est maintenant un monde nouveau » (*II Cor.*, V, 17).

Même dans l'épître à Tite, III, 5, il décrit le baptême comme un bain de régénération et de rénovation dans l'Esprit-Saint [1]. Si donc, — les Pastorales mises à part [2], — l'expression « naître d'en haut » ou « de nouveau » ne se rencontre pas telle quelle dans le vocabulaire paulinien, l'idée qu'elle exprime de l'entrée par le baptême dans une vie nouvelle est une pièce essentielle de la doctrine paulinienne, et cela dans les épîtres dont l'authenticité n'est pas contestée [3].

Le baptême et la rémission des péchés

L'aspect « rémission des péchés » n'est pas envisagé directement dans la première partie de l'entretien de Jésus avec Nicodème (III, 4-12). Mais que cette rémission soit liée à l'entrée dans la vie chrétienne, à elle seule l'expression « naissance nouvelle » le suggère déjà :

---

1. L'entrée dans la vie chrétienne est de même présentée comme une naissance nouvelle ou une régénération dans *I Pierre*, I, 3, 23 ; II, 2.

2. On sait que l'authenticité de ces épîtres est contestée, en tout ou en partie, par un certain nombre de critiques non catholiques.

3. Contre SCHWEITZER qui oppose mystique paulinienne de la résurrection et mystique johannique de la nouvelle naissance, GOGUEL fait ces justes remarques : « Il est vrai qu'on ne trouve pas chez Paul comme chez Jean le terme de nouvelle naissance, mais il nous est impossible d'attribuer à ce fait autant d'importance que Schweitzer. Nous y voyons seulement une différence de terminologie ». Après avoir rappelé les textes de *II Cor.*, V, 17 ; *Gal.*, III, 28, VI, 15 ; *Rom.*, VI, 4 sq., il constate que, s'ils n'ont pas le terme de « nouvelle naissance », ils contiennent « l'idée de la création d'une vie nouvelle, c'est-à-dire une idée très proche de celle de nouvelle naissance et pratiquement identique à elle. Tout au plus s'en distinguerait-elle par une légère nuance, l'idée de création nouvelle excluant plus complètement que celle de nouvelle naissance, l'idée qu'il pourrait s'agir d'un processus naturel. Mais la différence est beaucoup plus théorique que pratique, puisque le quatrième évangile met, de la manière la plus nette, la nouvelle naissance en relation avec l'action du Christ, c'est-à-dire n'exclut pas moins que Paul l'idée d'un développement naturel » : *La Mystique paulinienne d'après Albert Schweitzer*, dans la *Revue d'Hist. et de Phil. religieuses*, année 1931, p. 192.

elle suppose un état antécédent auquel on meurt, et que peut être cet état sinon celui de pécheur ? La même conclusion ressort de la fin du dialogue (III, 12-15) où Jésus se présente non seulement comme le Révélateur suprême, mais aussi comme le Rédempteur qui doit être élevé en croix pour apporter le salut à ceux qui croiront en lui. C'est encore l'enseignement que l'on peut tirer des passages où Jésus est désigné comme l'Agneau de Dieu qui ôte les péchés du monde (I, 29), comme le Sauveur du monde (III, 17 ; IV, 42 ; *I Jean*, IV, 14), comme la Victime de propitiation pour les péchés du monde (*I Jean*, II, 2), comme Celui qui, étant lui-même sans péché (VIII, 46 ; *I Jean*, III, 5), s'est manifesté par son incarnation pour enlever les péchés (*I Jean*, III, 5). Le premier bienfait qu'apporte le Christ, c'est de libérer de leurs péchés ceux qui sont appelés à participer à sa filiation divine, à devenir les enfants de Dieu. D'où la nécessité du baptême, pour que l'homme s'unisse à la mort du Christ qui efface le péché.

Inversement, refuser de croire au Christ, comme firent les Juifs, et par conséquent ne pas se soumettre au baptême d'où l'on renaît par l'eau et l'Esprit, c'est demeurer dans son péché, dans la voie qui mène à la perdition. Comme Jésus le disait aux Juifs incrédules : « Je vous ai dit que vous mourrez dans vos péchés ; car si vous ne croyez pas que je suis [1], vous mourrez dans vos péchés » (VIII, 24).

Comme dans saint Paul, la libération du péché va de pair avec l'affranchissement de la domination de Satan. « Celui qui commet le péché est du diable » (*I Jean*, III, 8) : il agit sous l'inspiration de celui qui « pèche dès le commencement » *(ibid.)*, qui à la suite

---

[1]. Expression très elliptique (cf. VIII, 28 ; XIII, 19) pour signifier « celui qu'on attendait (*Mc.*, XIII, 6), qui est en situation, ici de préserver de la mort, de sauver » (LAGRANGE, *Évangile selon saint Jean*, p. 236).

de sa rébellion a été constitué pécheur comme par une seconde nature [1]. « Quand le diable profère le mensonge, il parle de son propre fond, parce qu'il est menteur et le père du mensonge » (VII, 44). « Fils du diable », c'est ainsi que Jésus désignait les Juifs qui voulaient le tuer et, ce faisant, réaliser les désirs de leur père, Satan (VIII, 44). Aussi, pour libérer l'homme du péché, le Christ a-t-il dû vaincre la puissance de l'enfer. « Le Fils de Dieu a été manifesté pour détruire les œuvres de Satan » (I Jean, III, 8). Par sa passion et sa mort le Christ « a condamné » (XVI, 11), « jeté dehors le Prince de ce monde » et c'est la Croix qui exerce maintenant sur les hommes l'attraction qui doit les sauver (XII, 31-32 ; III, 14-15). Celui qui adhère au Christ par la foi et le baptême, en lui la Parole de Dieu demeure et il a vaincu le Malin (I Jean, II, 13, 14) ; celui-ci ne le touche pas (I Jean, V, 18).

Le baptême et la résurrection du Christ

Saint Paul mettait explicitement l'entrée des chrétiens dans la vie nouvelle en relation avec la résurrection du Christ. « Nous avons été ensevelis avec lui par le baptême pour être unis à sa mort, afin que, comme le Christ est ressuscité d'entre les morts par la puissance glorieuse du Père, nous aussi nous marchions dans une vie nouvelle » (Rom., VI, 4). Dans saint Jean, le rapport du baptême avec la résurrection du Christ n'apparaît pas aussi expressément formulé, mais le lien existe réellement. C'est à la doctrine générale de l'évangile et à des rapprochements de textes qu'il faut demander lumière sur ce point.

On peut d'abord considérer que la naissance d'en

---

1. Cf. XIII, 2 : Judas suivait les suggestions de Satan pour être finalement comme possédé par lui (XIII, 27).

haut est due à l'action du Saint-Esprit. Le baptême institué par le Christ est un baptême « dans le Saint-Esprit » (I, 33). « Si l'on ne renaît de l'eau et de l'Esprit, on ne peut entrer dans le Royaume de Dieu » (III, 5). Mais l'Esprit ne pourra accomplir cette œuvre de régénération qu'après la mort du Christ, suivie de sa glorification par la résurrection et l'ascension. Tant que Jésus était sur terre, il pouvait promettre l'Esprit-Saint à ceux qui croiraient en lui ; « il n'y avait pas encore d'Esprit, nous dit saint Jean, parce que Jésus n'avait pas encore été glorifié » (VII, 39). L'évangéliste n'entend pas affirmer qu'avant le départ du Christ l'Esprit-Saint n'existait pas. « Ce qui est opposé, ce sont deux grandes économies. Dans l'ancien ordre, la grâce de l'Esprit-Saint était pour ainsi dire sporadique, comme un secours fourni par Dieu dans les grandes circonstances. Après que Jésus aura été glorifié, c'est-à-dire après sa Résurrection et son Ascension, il y aura Esprit ; les croyants en seront animés, il sera répandu partout et avec abondance ; ce sera un état normal de grâces, que l'Église reconnaît dans l'action des sacrements [1]. » Dans le Discours après la Cène, c'est Jésus lui-même qui fait dépendre directement de son départ l'activité de l'Esprit-Saint dans son Église. L'effusion de l'Esprit, dont la première manifestation dans la vie chrétienne sera la grâce du baptême, sera le fruit de la Passion et de la Résurrection de Jésus, le fruit du sacrifice accompli sur le Calvaire, consommé et perpétué par la glorification du Christ. « Je vous dis la vérité : il est bon pour vous que je m'en aille. Car, si je ne m'en vais pas, le Paraclet ne viendra pas à vous ; mais si je m'en vais, je vous l'enverrai » (XVI, 7).

Ce n'est pas seulement parce que la glorification du Christ est condition de la venue de l'Esprit et de son

---

1. L<small>AGRANGE</small>, *Évangile selon saint Jean*, p. 217.

opération dans le baptême que ce sacrement est lié au mystère de la Résurrection. La vie nouvelle reçue au baptême est communication de la vie du Christ glorifié. En effet, l'homme qui se présente au baptême, ne peut le recevoir efficacement sans croire en Jésus. Par le sacrement reçu dans cette disposition, l'homme devient enfant de Dieu (I, 12). Mais que signifie devenir « enfant de Dieu » sinon participer à la vie du Fils unique qui s'étant fait notre Sauveur, est maintenant ressuscité et glorifié près du Père ? Dans cette vie de fils où il est introduit, le baptisé possède déjà, par son union au Christ, les arrhes, la semence, de la résurrection glorieuse : c'est pourquoi l'évangile ne craint pas d'appeler « vie éternelle » la vie du chrétien ici-bas. A ceux qui croient en lui, le Christ communique dès maintenant « sa gloire », la participation à sa filiation divine avec tous les biens qu'elle comporte, la promesse et le germe d'une vie qui s'épanouira dans la résurrection pour être conforme à sa vie de Fils glorifié auprès du Père. « La gloire que tu m'as donnée, je la leur ai donnée, afin qu'ils soient un comme nous sommes un » (XVII, 22). « Je suis la Résurrection et la Vie », la Résurrection parce que je suis la Vie ; « celui qui croit en moi, même s'il meurt (à une vie physique et naturelle), celui-là vivra » d'une vie qui triomphera de la mort (XI, 25), et non seulement dans son âme immortelle, mais dans son corps. « Car c'est la volonté de mon Père que quiconque voit le Fils et croit en lui, possède la vie éternelle et moi je le ressusciterai au dernier jour » (VI, 40). « En vérité, en vérité je vous le dis, si quelqu'un garde ma parole, il ne verra jamais la mort » (VIII, 51).

Comparaison entre saint Jean et saint Paul

Cet accord foncier entre saint Jean et saint Paul ne doit pas nous faire oublier les nuances qui distinguent

leurs conceptions du baptême. Saint Jean met surtout
en relief l'aspect « nouvelle naissance » ou « naissance
d'en haut », communication de la vie divine qui nous fait
enfants de Dieu, et appuie beaucoup moins sur l'aspect
« rémission des péchés ». Saint Paul, au contraire,
n'insiste pas moins sur ce second aspect que sur l'entrée
dans la vie nouvelle et même à certains moments le
côté « rémission des péchés » semble prédominer dans
sa pensée. Ces nuances, déjà perceptibles dans leur doctrine du baptême, marqueront la suite de leurs enseignements sur la grâce. Comme le notait le P. Rousselot
dans une étude fort suggestive, « saint Jean est absorbé
dans la contemplation de la vie divine communiquée
aux hommes par Jésus-Christ ; il présente la grâce
comme une *nouvelle nature* qui *demeure* en nous, et,
nous élevant au-dessus de notre condition terrestre,
nous constitue *fils de Dieu*. Saint Paul, au moins le saint
Paul de l'épître aux Romains, insiste sur la rédemption
et la conversion de l'homme pécheur ; il paraît surtout
concevoir la grâce comme un secours divin, donné du
ciel par *pure miséricorde*, qui *guérit* la volonté blessée,
la *change*, la ramène du mal au bien avec une douceur
et surtout une *force* merveilleuse [1] ». Dans saint Jean,
c'est l'*élévation* de notre nature, sa transfiguration par
la communication de la vie divine qui est principalement
envisagée [2] ; dans saint Paul, c'est tout autant la *guérison*.
Exception faite pour le péché qui est « pour la mort [3] »,
incrédulité ou apostasie, saint Jean n'a pas eu du péché
en général ce « sentiment vif et angoissant [4] » qu'exprime

---

1. *La Grâce d'après saint Jean et saint Paul*, dans les *Mélanges
Grandmaison* (*Recherches de Science religieuse*, année 1927), p. 91.

2. Et de même chez les Pères Grecs qui ont surtout suivi saint
Jean : cf. ROUSSELOT, *art. cit.*, p. 94 sq.

3. *I Jean*, v, 16. — Sur ce péché, voir *infra*, p. 209-210.

4. GOGUEL, *Paulinisme et Johannisme*, dans la *Revue d'Histoire
et de Philosophie religieuses*, 1931, p. 151.

si fortement saint Paul : chez lui, pas de ces cris pathé-
tiques de l'homme « vendu comme esclave au péché »,
que nous fait entendre le chapitre VII de l'épître aux
Romains.

Semblablement la notion johannique de la « chair »
n'éveille pas les mêmes résonances tragiques que la
notion paulinienne [1]. Pour saint Jean la chair, en tant
qu'elle est opposée à l'esprit, c'est la nature par elle-
même impuissante à participer aux biens spirituels
du Royaume de Dieu ou à les produire : « Ce qui est
né de la chair est chair [2]... La chair (sans l'esprit)
ne sert de rien [3] ». Elle ne nous est pas représentée à
la manière paulinienne comme un joug, un poids de
tendances mauvaises qui nous entraînent au péché et
à la mort et contre lesquelles l'homme se débat impuissant sans la grâce du Christ. Aussi la rédemption qui
nous libère du péché, de l'empire du démon, de la mort,
ne revêt-elle pas chez saint Jean cet aspect d'affranchissement de la chair si remarquable dans la doctrine de
saint Paul.

L'histoire de saint Augustin peut illustrer en quelque
façon certaines des nuances qui distinguent théologie
paulinienne et théologie johannique. Les épîtres de saint
Paul ont donné à Augustin pécheur le choc décisif qui a
amené sa conversion ; plus tard, quand, évêque d'Hip-
pone, il a eu à entretenir et à développer la vie chrétienne
de ses ouailles, il a commenté dans ses homélies le
quatrième évangile et la première épître de saint Jean.

Doctrine johannique du baptême et mystique païenne

On a prétendu que la doctrine johannique, parce

---

1. Cf. GOGUEL, loc. cit.
2. III, 6.
3. VI, 63.

qu'elle conçoit l'entrée du baptisé dans la vie nouvelle comme une *renaissance*, est d'origine hellénistique[1]. Pour appuyer cette assertion, on a fait appel à des rapprochements avec les initiations des cultes païens à mystères et au témoignage de la mystique hellénistique dans quelques traités hermétiques[2]. Vers le milieu du IIe siècle après Jésus-Christ, Apulée, au XIe livre de ses *Métamorphoses*, a décrit l'initiation de son héros Lucius aux mystères de la déesse égyptienne Isis. L'admission commence par une cérémonie de purification : le prêtre d'Isis conduit le candidat à une vasque voisine du temple et l'asperge en invoquant les dieux. A la différence du baptême chrétien, ce bain ne constitue pas l'initiation proprement dite, mais seulement, comme dans les mystères d'Éleusis, un prélude à cette initiation. Après s'être abstenu de viande et de vin pendant dix jours, le myste était emmené dans la partie la plus reculée du sanctuaire : là se déroulait une cérémonie dramatique où il était représenté descendant aux enfers, au royaume de la mort, puis en ressortant après s'être approché des dieux et les avoir contemplés. Le spectacle terminé, le myste, en vêtements magnifiques, une torche à la main et la tête couronnée de palmes, était présenté à la foule des fidèles. Il était, *en quelque façon*, un homme né de nouveau, *quodammodo renatus*. En joignant *quodammodo*, « en quelque façon », à *renatus*, Apulée insinue déjà que cette « renaissance » est à prendre en un sens atténué. Ce n'est qu'une comparaison. Rien n'indique une

---

1. Ainsi, entre autres auteurs, LOISY, dans la deuxième édition de son Commentaire du Quatrième Évangile, Paris, 1921, p. 158 et SCHWEITZER, *Die Mystik des Apostels Paulus*, p. 13-14, avec cette différence que LOISY admet cette influence hellénistique pour saint Paul comme pour saint Jean, tandis que SCHWEITZER ne l'admet que pour saint Jean qu'il oppose sur ce point à saint Paul.

2. Sur ces traités voir *supra*, p. 95, note 3.

rénovation par un principe intérieur et divin. L'initié en descendant aux enfers est mort symboliquement, puis la déesse lui a rendu la vie, une vie qui est de même nature que celle qu'il avait auparavant. Seulement la déesse le prend sous sa protection et par les rites qu'il a accomplis, lui-même s'assure qu'après sa mort il sera reçu dans le séjour des bienheureux [1].

L'expression analogue de « *renatus in aeternum*, né de nouveau pour l'éternité », appliquée aux initiés du culte de Cybèle qui avaient passé par le rite du taurobole ou du criobole [2], « ne se trouve qu'au IVe siècle [3] », beaucoup trop tard pour qu'on puisse en faire dépendre le langage johannique. On peut au contraire se demander si ce n'est pas le christianisme qui a influé ici sur les rites des cultes à mystères. « Dès que le christianisme devint une puissance morale dans le monde, il s'imposa même à ses ennemis. Les prêtres phrygiens de la Grande Mère opposèrent ouvertement leurs fêtes de l'équinoxe du printemps à la Pâque chrétienne et attribuèrent au sang répandu dans le taurobole le pouvoir rédempteur de celui de l'Agneau divin [4]. »

---

1. Même constatation pour les mystères d'Éleusis. Ils suscitaient chez les initiés l'espérance d'une immortalité bienheureuse, mais là non plus il n'est pas question de vie nouvelle, de transformation intérieure ici-bas par l'infusion d'un principe divin. « Par l'initiation on créait assurément un lien entre le myste et les déesses (Déméter, Perséphone), ce lien était le fondement d'une espérance qui devait se réaliser à la mort. Elle ne déposait pas en lui le principe divin d'une nouvelle vie. Ceux qui la trouvent dans les mystères d'Éleusis l'ont empruntée au christianisme » : LAGRANGE, *La régénération et la filiation divine dans les mystères d'Éleusis*, Revue Biblique, 1929, p. 213.

2. Ainsi *Corp. inscript. Lat.*, VI, 510 : « *taurobolio criobolioque in aeternum renatus* ». Le candidat, couché dans une fosse recouverte de planches disjointes ou percées de trous, recevait le sang d'un taureau (taurobole) ou d'un bélier (criobole) égorgé au-dessus de lui.

3. LAGRANGE, *Évangile selon saint Jean*, p. 85.

4. CUMONT, *Les religions orientales dans le paganisme romain*, 4e éd., Paris, 1929, Préface p. IX.

Le Traité XIII des *Hermetica* [1] a bien pris pour thème la régénération de l'homme par la divinité, régénération (παλινγενεσία) qui implique l'expulsion de douze vices, autant que de signes du zodiaque, à l'influence desquels il faut attribuer leur présence dans l'homme ; à leur place pénètrent dix vertus. L'homme est ainsi élevé au-dessus de l'*Heirmaméné*, de la Fatalité, libéré de l'influence qu'exercent les astres sur les destinées humaines. Cette rénovation se produit dans le *noûs* ou intelligence, sans qu'il soit aucunement question de sacrement : la connaissance, dans une sorte de vision extatique, de la doctrine révélée par Hermès Trismégiste et le renoncement au monde sensible y suffisent. Il n'y a rien là qui rappelle le sacramentalisme johannique. « On ne voit nulle trace, dans la littérature hermétique, de cérémonies particulières aux prétendus fidèles d'Hermès. Rien qui ressemble aux sacrements des sectes gnostiques : ni baptême, ni communion, ni confession des péchés. ni imposition des mains pour consacrer des ministres du culte. Il n'y a pas de clergé : aucune apparence d'organisation hiérarchique, de degrés d'initiation. On ne distingue que deux classes d'individus : ceux qui écoutent la parole et ceux qui la refusent [2]. » Pour cette mystique hellénistique, la matière étant mauvaise et le salut consistant à en être délivré, il eût été illogique d'attribuer à un élément matériel

---

1. Le P. LAGRANGE dans ses articles sur *L'hermétisme*, dans la *Revue Biblique*, 1926, p. 252, met ce Traité XIII après le *Poimandrès I*, qu'il place « au plus tôt à la fin du IIIe siècle ». — Pour le P. FESTUGIÈRE, ce Traité XIII comme le Traité I pourrait être déjà de la fin du Ier siècle de notre ère.

2. A.-J. FESTUGIÈRE, *La Révélation d'Hermès Trismégiste*, t. I, Paris, 1944, p. 83. Le même auteur note, *ibid.*, que « l'hermétisme répugne explicitement aux actes matériels du culte » et il cite comme preuve cette réplique d'Hermès à Asclépius : « C'est une sorte de sacrilège, quand tu invoques Dieu, de brûler de l'encens ou quoi que ce soit d'autre. Car Dieu ne manque de rien, puisqu'il est tout lui-même ou que toutes choses sont en lui » (*Asclep.* 44).

comme l'eau une part quelconque dans une œuvre de
sanctification. Cette mystique est toute pénétrée de la
croyance dans le pouvoir des astres. L'âme humaine
étant tombée du ciel, son lieu d'origine, « ce sont les planètes qui la revêtent, dans sa descente, des vices qui
l'attachent à la matière et le salut hermétique consiste à
se débarrasser, ici-bas, de ces vices par une vie pure
et par la gnose avant de s'en dépouiller entièrement
au cours de la remontée (*Corpus hermeticum*, I, XIII) [1] ».
De cette astrologie les écrits johanniques ne nous
renvoient pas le moindre écho [2].

Le baptême et l'Esprit-Saint

Dans le baptême chrétien, baptême d'eau et d'Esprit,
l'Esprit-Saint n'est pas seulement l'agent d'une régénération surnaturelle : agent mystérieux qui ne révèle
sa présence que par ses effets, comme le vent dont on
entend la voix, mais dont on ne sait d'où il vient ni
où il va (III, 8). Il entre en communion intime avec
l'esprit de l'homme ; il vient y habiter comme un hôte
permanent, aussi longtemps du moins que le péché
ne le chassera pas. Par le baptême le chrétien reçoit
« l'onction *(chrisma)* qui vient de Celui qui est le Saint »
(*I Jean*, II, 20) : l'onction désigne le don du Saint-

---

1. A.-J. FESTUGIÈRE, *op. cit.*, p. 87.
2. Pour le P. LAGRANGE, *Revue Biblique*, 1926, p. 252 sqq., p. 259
sqq., la doctrine de la régénération, loin d'être primitive dans l'hermétisme et d'avoir pu influer sur le christianisme naissant, apparaît
au contraire comme une adaptation fort tardive de la doctrine johannique de la renaissance. Cette influence est contestée par d'autres
critiques : cf. WIKENHAUSER, *Die Christusmystik des heiligen Paulus*,
p. 96. Le P. FESTUGIÈRE a touché ce point, à propos du *Manuel
d'Histoire des Religions* du P. Prümm (*Revue des Études Grecques*,
1944, p. 259) : il n'admet de rapports entre l'hermétisme et le Nouveau
Testament ni dans un sens ni dans l'autre. C'est à quoi nous inclinions
déjà et nous sommes heureux d'être affermi dans ce jugement par
son autorité.

Esprit, envoyé par Dieu qui est la Sainteté même [1]. « L'onction éveille l'idée d'une consécration qui députe au service de Dieu et assure des dons divins : c'est pour cela que le Messie est dit oint par le Seigneur (*Is.*, LXI, I). D'autre part l'onction, pratiquée avec une huile au parfum pénétrant et indélébile, symbolise l'infusion d'une propriété durable et profonde, la possession d'une force divine que Dieu accorde aux siens pour les rendre capables d'activités nouvelles et surnaturelles... Cette onction, les chrétiens la possèdent ; elle est aussi dite *demeurer en eux*, du même mot qui désigne l'inhabitation divine, et qui accuse le caractère permanent de la communion avec Dieu [2] ». Pour saint Jean donc, comme pour saint Paul, les chrétiens sont des êtres consacrés à Dieu par leur baptême. Saint Paul les assimile à des temples où habite l'Esprit-Saint. Saint Jean, en employant le terme d'*onction (chrisma)*, suggère plus directement la ressemblance avec l'*Oint* par excellence *(Christ)*, dont saint Pierre disait dans un de ses discours (*Act.*, X, 38) que « Dieu l'avait oint d'Esprit-Saint et de puissance ».

---

1. Dieu le Père ou Dieu le Fils ? Au ℣. 27, dans un second développement sur l'onction, c'est le Fils qui est indiqué : d'où les commentateurs inclinent généralement à conclure qu'il en est de même au ℣. 20. Le P. Bonsirven, *Épîtres de saint Jean* (collection *Verbum Salutis*), Paris, 1936, se demande pourtant si le vague des expressions n'est pas intentionnel pour laisser entendre qu'« en cette opération de divinité le Père et le Fils ont tous deux part » (p. 142).

2. J. Bonsirven, *Épîtres de saint Jean*, p. 142-143. — « L'apôtre fait allusion à un rite sacramentel. On pourrait penser à la confirmation, mais celle-ci aux origines ne comportait peut-être que l'imposition des mains (*Act.*, VIII, 14-17 ; XIX, 1-6) ; il s'agit plutôt du baptême auquel on avait dû joindre des onctions. (Sur l'usage des onctions dans les anciennes liturgies, cf. Duchesne, *Les origines du culte chrétien*, ch. IX, *L'initiation chrétienne*). D'ailleurs la confirmation était habituellement donnée tout de suite après le baptême comme son complément, de sorte que Jean peut désigner tout l'ensemble du rite » : J. Chaine, *Les Épîtres catholiques*, Paris, 1939, p. 170.

Le baptême et la Sainte Trinité

Avec l'Esprit qui procède du Père [1] et du Fils [2], ce sont les deux autres personnes de la Trinité qui viennent habiter dans l'âme du baptisé. Être baptisé, c'est commencer la vie chrétienne, et la vie chrétienne, comme nous le développerons plus loin, c'est demeurer en Dieu et avoir Dieu en soi (*I Jean*, IV, 15), le Dieu en trois personnes ; c'est, avec le don de l'Esprit, demeurer dans le Christ et par le Christ dans le Père (XVII, 21, 23), de telle sorte que ce lien personnel de chaque chrétien avec la Trinité est en même temps principe d'unité entre tous les fidèles (XVII, 23).

Le baptême et l'incorporation à l'Église

Pour saint Jean, en effet, comme pour saint Paul, le baptême n'est pas un acte purement individuel. Il insère le baptisé dans une société qui le dépasse et qui est pour lui la pourvoyeuse de tout bien surnaturel. Pour saint Paul, les chrétiens sont les membres d'un organisme spirituel, d'un corps, l'Église, dont le Christ est la tête. Saint Jean n'emploie pas ces images de la tête et du corps. Les rapports du Christ et de ses disciples et l'union des disciples entre eux sont symbolisés par l'image de la Vigne. Le Christ est la vraie Vigne et nous sommes ses rameaux. Par le Christ la grâce divine nous atteint comme la sève qui partant de la racine et du cep s'infiltre dans tous les rameaux : rameaux non pas

---

1. XIV, 16, 26 ; XV, 26.
2. XVI, 14. — Synthétisant ces textes, les Orientaux diront que le Saint-Esprit procède du Père *par* le Fils et marqueront ainsi la priorité d'origine du Père dans la vie de la Trinité ; les Occidentaux emploieront cette autre formule, que le Saint-Esprit procède du Père *et* du Fils comme d'un principe unique, sans oublier que le Fils tient du Père tout ce qu'il a, donc sa propriété de produire ou, comme disent les théologiens, de « spirer » l'Esprit-Saint.

isolés, dispersés, mais tous branchés sur un même cep, le Christ ; vivant de sa vie, ne constituant avec lui qu'une seule Vigne (XV, 1-6). Cette Vigne n'est pas que l'union invisible des âmes rattachées au Christ par un lien spirituel. Elle est une société visible, douée d'une unité qui se manifeste au dehors (XVII, 21), avec ses sacrements, le Baptême, l'Eucharistie, la Pénitence, ses chefs qui ont pouvoir de lier et de délier, de remettre les péchés et de les retenir (XX, 23), un Pasteur suprême, le Vicaire du Christ sur terre, qui régit les agneaux et les brebis (XXI, 16-18), rassemblés dans un unique bercail (X, 16).

CHAPITRE III

LA CONDITION CHRÉTIENNE
SUR TERRE

Le Royaume de Dieu et la Vie

« En vérité, en vérité, je te l'affirme, si l'on ne renaît d'en haut, on ne peut voir le Royaume de Dieu... En vérité, en vérité, je te le dis, si l'on ne renaît de l'eau et de l'Esprit, on ne peut entrer dans le Royaume de Dieu. » Ces deux textes de l'entretien de Jésus avec Nicodème (III, 3, 5) sont les seuls du quatrième évangile où se rencontre l'expression de « Royaume de Dieu » (ou « des cieux » [1]), alors que dans les Synoptiques elle revient constamment comme thème de la prédication de Jésus. Le Royaume dans saint Jean a fait place à la Vie [2]. Le Royaume évoquait l'image d'un pays dont Dieu serait le Roi, en contact étroit, en intime familiarité avec ses sujets ; la Vie, c'est une source intarissable, c'est un fleuve qui ne cesse de couler sous nos yeux et où nous sommes invités à nous plonger. Les discours de Jésus ou les réflexions de saint Jean dans son évangile et sa première épître ne cessent de nous ramener à cette réalité : la Vie. Les évangiles synoptiques avaient eux aussi parlé de

---

1. En *Jean*, III, 5, deux leçons se partagent les manuscrits et les éditeurs : Royaume « de Dieu » ou « des cieux ». — En XVIII, 36, Jésus parle de *son* Royaume, qui n'est pas de ce monde.
2. Cf. TOBAC, art. *Grâce* du *Dict. apol. de la Foi catholique*, col. 340 : « Le royaume est devenu la vie ».

la Vie[1] et de la Vie éternelle[2]; associée étroitement au Royaume de Dieu, cette Vie était celle de l'au-delà, la Vie bienheureuse où devait conduire le Royaume instauré ici-bas. Dans saint Jean l'assimilation de la Vie au Royaume est poussée plus à fond; comme le Royaume, la Vie, la Vie éternelle, bien qu'elle ne doive sortir tout son effet que par la résurrection, est déjà une réalité présente; la Vie éternelle commence ici-bas.

Entrer par le baptême dans le Royaume de Dieu, c'est donc pour saint Jean entrer dans la Vie et l'on ne peut mieux exprimer en langage johannique la condition chrétienne qu'en disant qu'elle est non pas *une* Vie, mais *la* Vie, la seule qui mérite pleinement et véritablement ce nom. « Qui a le Fils, a la Vie; qui n'a pas le Fils, n'a pas la Vie » (*I Jean*, VI, 12). Pour saint Jean il n'y a pas moins de différence entre celui qui possède le Fils et avec lui la Vie, et celui qui ne les a pas, qu'il n'y en avait pour un Grec entre un athlète déployant la splendeur de sa force aux Jeux Olympiques et les ombres exsangues qui erraient aux enfers dans les champs d'asphodèles.

La Vie éternelle

Une seule épithète détermine cette Vie : elle est la Vie *éternelle*, dès maintenant[3]. Par la foi et le baptême l'homme a été transféré de la mort à la Vie (V, 24), si bien qu'une mort qui soit fin de la vie spirituelle et extinction définitive de la vie corporelle, cette mort

---

1. *Matth.*, VII, 14; XVIII, 18; XIX, 17; *Marc*, IX, 43.
2. *Matth.*, XIX, 16; *Marc*, X, 17; *Luc*, X, 25; XVIII, 18, 30.
3. Il est dans saint Jean des textes où l'expression « vie éternelle », comme dans les Synoptiques, signifie la vie bienheureuse dans l'au-delà (IV, 36; V, 39; VI, 27; XII, 25). Mais d'autres textes désignent clairement une vie commencée ici-bas dans celui qui croit (V, 24; VI, 54; *I Jean*, V, 13).

à vrai dire n'existe pas. Pour le chrétien comme pour le Christ, la mort est un *passage* de ce monde au Père céleste (XIII, 1), et un passage qui finalement entraîne tout l'homme, âme et corps, car la résurrection est au terme (V, 29 ; VI, 39, 40, 44, 54 ; XI, 25, 26).

Cette Vie a sa source ultime dans le Père ; il la communique au Fils dans sa plénitude infinie ; c'est de cette plénitude du Fils qu'à notre tour tous nous avons reçu (I, 16), afin que notre vie soit participation à la sienne et, comme telle, une vie de fils (I, 12 ; *I Jean*, III, 1-2). En lui était la Vie (I, 4), dans son jaillissement éternel. Cette Vie s'est manifestée aux hommes (*I Jean*, I, 2) ; le Verbe de Vie, la Parole Vivante « en qui vraiment Dieu s'est dit tout entier et nous a tout dit de ce qu'il avait à nous dire [1] », a pris chair et sang (I, 14) ; le Fils unique du Père s'est montré parmi nous, plein de grâce et de vérité (I, 14), afin de se laisser voir, toucher, palper (*I Jean*, I, 1, 3) et de se communiquer au plus intime des âmes, s'offrant ainsi à la prise de notre être tout entier, des sens extérieurs, les yeux, les oreilles, les mains, et des antennes les plus secrètes du cœur. Comme le Père a la Vie en soi, ainsi a-t-il donné au Fils, envoyé par Lui dans le monde, d'avoir la Vie en soi (V, 26) pour en disposer et la donner, afin que les hommes aient la vie et qu'ils l'aient en abondance (X, 10).

Le symbolisme de l'eau

Cette vie du chrétien, le quatrième évangile se plaît à nous la représenter sous le symbolisme de l'eau, pas n'importe quelle eau, inerte et stagnante, mais vive et agile, jaillissante et bondissante. Au dernier jour, le plus solennel, de la fête des Tabernacles, Jésus

---

1. L. DE GRANDMAISON, *Jésus Christ*, t. I, p. 166.

se tenait dans le Temple et il clama : « Si quelqu'un a soif, qu'il vienne à moi et qu'il s'abreuve celui qui croit en moi » (VII, 37). Car c'est du Christ que « l'Écriture a dit que des fleuves d'eau vive couleront de son sein » (VII, 38), comme du Rocher du désert, frappé par le bâton de Moïse, jaillissait l'eau miraculeuse [1].

Le Christ est la fontaine de Vie ; dans l'âme qui s'ouvre à lui par la foi, cette Vie descend comme un flot qui y rebondit en une source nouvelle : telles ces eaux du Liban qui s'épanchent merveilleusement claires de quelque grotte rocheuse dans une vasque naturelle pour en rejaillir et poursuivre leur course entre des rives ombragées de platanes. De l'eau vive, cette source jaillie au cœur du chrétien a la fraîcheur, l'élan, la fécondité. Imitant par son incessante résurgence la Plénitude infinie éternellement présente à elle-même, elle ne se perd pas dans les sables de ce monde périssable, mais pousse ses flots jusqu'à la vie éternelle. Comme le disait Jésus à cette femme de Samarie rencontrée près de la margelle du puits de Jacob : « Quiconque boira de cette eau-ci, aura soif de nouveau, mais celui qui boira de l'eau que je lui donnerai, n'aura plus soif à jamais, mais l'eau que je lui donnerai sera en lui une source d'eau, jaillissant en vie éternelle » (IV, 13-14) : elle est cette eau vive dont saint Ignace d'Antioche, allant au martyre, entendait dans son cœur le bruissement et qui lui disait : « Viens vers le Père [2] ».

---

1. Avec le P. Lagrange, contre l'opinion d'Origène qu'ont acceptée beaucoup d'anciens et la plupart des modernes, nous rapportons le ⍩. 38 au Christ et non à celui qui croit. L'exégèse que nous adoptons est la plus ancienne, antérieure à Origène ; clairement attestée par saint Hippolyte, elle s'enracine dans la doctrine de saint Irénée et de saint Justin ; seule, elle justifie la référence à l'Écriture sans accommodations forcées. Pour l'étude de la tradition patristique, voir les deux articles du P. Hugo RAHNER, *Flumina de ventre Christi*, dans *Biblica* (Rome), vol. XXII, 1941, fasc. 3, p. 269-302 et fasc. 4, p. 367-403.
2. Saint IGNACE D'ANTIOCHE, *Lettre aux Romains*, VII, 2.

Vie et charité

Cette vie que le chrétien reçoit du Christ, est une vie de charité; l'union qu'elle opère est une union d'amitié. Être attaché au Christ plus intimement encore que le sarment ne l'est au cep, c'est demeurer avec lui en communion permanente : « Demeurez en moi, et moi en vous » (xv, 4). « Ils habitent l'un dans l'autre, et celui qui contient et celui qui est contenu » (saint Bède). Comme le Fils et le Père sont inséparables, que voir le Fils c'est voir le Père, parce que le Fils est dans le Père et le Père dans le Fils (xiv, 9, 10), l'inhabitation du Fils ne va pas sans celle du Père : ensemble et avec l'Esprit qui, procédant de l'un et de l'autre est le lien qui les unit, ils feront leur demeure dans le disciple du Christ. « Si quelqu'un m'aime, dit Jésus, il gardera ma parole et mon Père l'aimera et nous viendrons à lui et nous ferons chez lui notre demeure » (xiv, 23). L'amour obéissant est la condition de cette présence divine dont il est en même temps l'effet. « Dieu est amour, et quiconque demeure dans l'amour, demeure en Dieu et Dieu en lui » (I Jean, iv, 16).

Quant aux conditions de cette permanence dans l'amour divin, le quatrième évangile comme la première épître de saint Jean les définissent avec une parfaite netteté. Il ne s'agit pas de verser dans l'illuminisme, de se donner l'illusion d'une saisie immédiate de la divinité, de se concentrer dans l'attente d'extases, de visions et de révélations. Demeurer dans l'amour du Christ ou de Dieu, c'est garder sa parole (xiv, 23; I Jean, ii, 5), observer ses commandements. « Si vous m'aimez, gardez mes commandements » (xiv, 15). « Celui qui a mes commandements et qui les garde, c'est celui-là qui m'aime » (xiv, 21). « Celui qui ne m'aime pas, ne garde pas mes paroles » (xiv, 24). « Celui qui garde ses commandements, demeure en Dieu et Dieu en lui » (*I Jean*, III, 24). « En cela consiste l'amour de Dieu que nous gardions ses commandements » (*I Jean*, V, 4).

Nous sommes là sur un terrain solide, le terrain de l'action fidèle, ouvert à toute âme de bonne volonté. Il n'y a rien dans cette exigence qui favorise les rêveries imaginaires ou les prétentions de l'orgueil intellectuel. Il s'agit avant tout d'être sincère avec soi-même et avec Dieu, de témoigner par sa vie de sa pureté d'intention, de sa soumission en esprit et en vérité, du don de son cœur à Dieu. La pratique des commandements est la pierre de touche de ces dispositions : si elles sont sincères, elles passeront à l'acte, et inversement, si elles viennent à faiblir et à disparaître, l'observation des préceptes déclinera et tombera. L'obéissance est le signe de l'amour, comme l'amour est la condition de l'obéissance : les deux vertus s'appellent et se soutiennent réciproquement.

Traitant de la vie chrétienne, Newman écrivait : « L'état d'esprit parfait auquel nous devons prétendre et dans lequel l'Esprit-Saint nous place, c'est la préférence donnée sur toute autre chose au service de Dieu, la résolution déterminée de tout quitter pour lui ; c'est un amour non point bruyant et passionné, mais tel que l'ont les enfants pour leurs parents, c'est-à-dire calme, profond, respectueux, admiratif, obéissant... Un acte secret de renoncement, le sacrifice au devoir d'une inclination, valent mieux que toutes les simples bonnes pensées, que les sentiments chauds, que les prières passionnées... Nous aurons plus de consolation sur notre lit de mort à penser à un acte de renoncement, de miséricorde, de pureté ou d'humilité qu'à nous rappeler une abondante effusion de larmes, le retour de fréquents transports et une grande exultation spirituelle. Tous ces sentiments-là vont et viennent : ils peuvent ou ne peuvent pas accompagner l'obéissance du cœur. Jamais ils n'en peuvent être les signes. Les bonnes actions, par contre, sont les fruits de la foi et nous assurent que nous sommes du Christ. Elles nous réconfortent en nous donnant l'assurance que l'Esprit opère en nous. C'est sur elles que nous serons jugés au dernier jour [1] ». Ce sont bien les résonances que rend l'évangile de saint Jean : celles d'un christianisme non pas violemment exalté, mais calme, profond, judicieux.

Amour de Dieu et amour du prochain

A première vue l'objet de cet amour spirituel et des commandements qui le font passer dans la pratique de la vie, apparaît double, Dieu et les hommes, amour divin, amour fraternel. Mais si l'on y réfléchit un peu, on s'aperçoit que ce double amour en réalité n'en fait qu'un, que l'amour de Dieu ne va pas sans l'amour du prochain ni l'amour du prochain sans l'amour de Dieu. La charité surnaturelle, « la charité qui vient de Dieu » (*I Jean*, IV, 7) [2], ne peut être en nous qu'une participation de l'amour dont Dieu s'aime Lui-même et les créatures humaines. Dieu ne peut s'aimer en nous et avec nous, sans que cet amour, par sa nature même, ne cherche à se répandre sur tous ceux que Dieu appelle à être ses enfants, c'est-à-dire sur tous les hommes. Pour autant que nous accueillons l'amour de Dieu en nous, la tendance essentielle de cette charité devenue nôtre, son mouvement vital, sera de répondre à la condescendance divine par un don qui se rapproche le plus possible du don même de Dieu. Dieu donne à l'homme son Christ, non seulement Verbe incarné, mais Sauveur crucifié ; c'est l'expression

---

1. Dans Denys GORCE, *Introduction à Newman*, p. 81, 89.
2. Ἡ ἀγάπη ἐκ τοῦ θεοῦ, *charitas ex Deo*.

parfaite de son amour. L'homme ne pourra mieux faire
que de lui parler le même langage, que de lui exprimer
un amour qui reproduise d'aussi près que possible
l'amour du Christ pour son Père et pour les hommes.
Le Christ sera donc l'exemplaire parfait de notre charité, comme il est l'exemplaire parfait de notre prière
et de notre adoration. « Celui qui dit demeurer en Lui,
doit vivre lui-même comme le Christ a vécu » (*I Jean*,
II, 6).

Le Christ, notre modèle

Aussi bien Lui-même s'est-il présenté à ses disciples
comme le modèle qu'ils doivent suivre dans leur amour
de Dieu et de leurs frères.

En gardant les commandements que Jésus leur a
révélés, en prouvant leur amour par l'obéissance, les
disciples imiteront la conduite du Christ à l'égard de
son Père. « Si vous gardez mes commandements,
vous demeurerez dans mon amour, comme moi j'ai
gardé les commandements de mon Père et je demeure
dans son amour » (XV, 10). De même que l'amour du
Père pour le Fils est le prototype de l'amour dont le
Christ aime ses disciples, de même la soumission du
Fils à la volonté du Père est le modèle auquel les disciples doivent se conformer dans la garde des commandements.

Dans le Christ l'amour obéissant était créateur de
joie. Faire la volonté du Père était pour le Christ une
nourriture (IV, 20) pleine de saveur et qui dilatait son
âme. Les souffrances les plus cruelles et les plus dures
épreuves ne pouvaient tarir cete joie en ses profondeurs.
Ainsi en sera-t-il des disciples. A ceux qui se donnent
à lui par l'obéissance, le Christ communiquera la joie
qui est sienne, la paix que le monde ne peut donner
et qui est comme un avant-goût du ciel. « Je vous laisse

la paix, je vous donne ma paix ; ce n'est pas comme le monde la donne que je vous la donne (XIV, 27). Je vous ai dit ces choses, afin que ma propre joie soit en vous et que votre joie soit comble (XV, 11). Dans le monde vous aurez à souffrir ; mais ayez confiance, j'ai vaincu le monde » (XVI, 33).

Par cette paix qui a sa source dans le Christ, par cette joie qui n'est pas de ce monde, le chrétien qui réfléchit sur son expérience, peut avoir la confiance fondée qu'il est en communion avec Dieu ; et même, étant donné l'inhabitation de la Trinité dans l'âme fidèle, on peut concevoir que dans certains cas cette présence divine se manifeste par des effets tels que l'âme, sans réflexion ni inférence, les saisisse immédiatement comme divins. Ni le quatrième évangile ni les épîtres johanniques n'examinent ces cas privilégiés. Quand saint Jean dans sa première épître traite du discernement des esprits, il a en vue les manifestations charismatiques qui se produisaient au sein des communautés chrétiennes, et nommément les prophéties. La règle qu'il énonce doit servir à distinguer les vrais prophètes des docteurs hérétiques qui de son temps ruinaient la foi à l'incarnation du Christ. « Mes bien-aimés, ne croyez pas à tout esprit, mais éprouvez les esprits pour voir s'ils sont de Dieu ; car beaucoup de faux prophètes se sont introduits dans le monde. A ceci vous reconnaîtrez l'esprit de Dieu : tout esprit qui professe Jésus-Christ venu en chair, est de Dieu ; et tout esprit qui ne confesse pas ce Jésus [1], n'est pas de Dieu ; mais cet esprit est celui de l'Antéchrist dont vous avez entendu dire qu'il vient ; même c'est dès maintenant qu'il est dans le monde » (*I Jean*, IV, 1-4).

---

1. Ou, suivant une autre leçon, « tout esprit qui dissout (Vulgate, *solvit*) Jésus », qui dissocie de Jésus le Verbe Christ (J. CHAINE).

Modèle et inspirateur de notre amour pour Dieu, le Christ l'est aussi de notre charité fraternelle. En promulguant le précepte, il se donne lui-même en exemple. « Je vous donne un commandement nouveau, c'est de vous aimer les uns les autres ; comme je vous ai aimés, vous aussi aimez-vous les uns les autres. A ce signe tous reconnaîtront que vous êtes mes disciples, si vous vous aimez les uns les autres (XIII, 34-35). C'est là mon commandement, que vous vous aimiez les uns les autres comme je vous ai aimés » (XV, 12). C'est l'incise « comme je vous ai aimés », qui fait du commandement d'aimer son prochain un commandement nouveau. Par l'amour qu'il nous a révélé dans sa vie et dans sa mort, le Christ a transfiguré le précepte déjà inscrit dans le Pentateuque (*Lév.*, XIX, 18). Il l'a incarné en lui-même et par son enseignement comme par son exemple il lui a donné une extension universelle. Dans sa première épître (II, 7) saint Jean parle de ce commandement nouveau comme d'un commandement « ancien », parce que, comme il l'explique, les fidèles l'ont reçu « dès le principe » de leur vie chrétienne. En entrant dans le christianisme, ils sont devenus les rameaux de la vraie Vigne (XV, 1) ; comme l'union des rameaux au Christ est une union de charité, de même aussi l'union des rameaux entre eux, puisque c'est la même vie divine, la même *agapè* qui circule en tous.

La charité fraternelle

La première épître de saint Jean a particulièrement insisté sur l'impossibilité d'aimer Dieu si on n'aime pas le prochain. « Si quelqu'un dit : J'aime Dieu, et qu'il haïsse son frère, c'est un menteur. Car celui qui n'aime pas son frère qu'il voit, ne peut pas aimer Dieu qu'il

ne voit pas » (*I Jean*, IV, 20) [1]. « Celui qui dit être dans
la lumière et qui hait son frère, est jusqu'à présent dans
les ténèbres. Celui qui aime son frère demeure dans
la lumière... Mais celui qui hait son frère est dans les
ténèbres et c'est dans les ténèbres qu'il marche et il
ne sait où il va, parce que les ténèbres ont aveuglé ses
yeux (II, 9-11). « Nous, nous savons que nous sommes
passés de la mort à la vie, en ce que nous aimons nos
frères : qui n'aime pas, demeure dans la mort » (III, 14).
La charité fraternelle est le signe décisif qui discerne
les fils du diable et les enfants de Dieu. « Qui n'aime
pas son frère n'est pas de Dieu » (II, 10). « Qui aime son
frère est de Dieu » (IV, 7) [2]. Saint Augustin s'est plu à
commenter ces textes johanniques : « C'est donc la
charité seule qui discerne les fils de Dieu des fils du
diable. Ils peuvent bien tous se signer du signe de la

1. On peut rapprocher cette sentence attribuée à l'Écriture par
CLÉMENT D'ALEXANDRIE et qui est peut-être une parole du Christ
transmise par la tradition orale *(agraphon)* : « Voir ton frère c'est
voir Dieu » (*Stromates*, I, 19 et II, 15. *P. G.* 8, 812 et 1009). — Sur
l'amour du prochain, pierre de touche de l'amour de Dieu, voir de
belles pages de sainte THÉRÈSE dans *Le Chemin de la Perfection*,
ch. VII, et dans *Le Château intérieur*, Vᵉ Demeure, ch. III : «Le moyen
le plus assuré, selon moi, de savoir si nous observons ces deux
préceptes (de l'amour de Dieu et de l'amour du prochain), c'est de
voir quelle est notre perfection relativement à l'amour du prochain.
Aimons-nous Dieu? Nous ne pouvons le savoir, quoiqu'il y ait
de grands indices pour en juger. Mais pour ce qui est de reconnaître
si nous aimons le prochain, oui, nous le pouvons. Soyez-en certaines,
autant vous aurez fait de progrès dans l'amour du prochain, autant
vous en aurez fait dans l'amour de Dieu » (*Œuvres complètes*, trad.
des Carmélites de Paris, t. VI, p. 154).
2. J. BONSIRVEN, *op. cit.*, p. 225, remarque sur ce texte : « Sans
doute, l'épître semble se maintenir dans l'horizon de la charité
fraternelle à l'intérieur de la communauté ; toutefois l'expression
est absolument générale et de portée universaliste : *quiconque aime;*
quiconque aime, qu'il soit chrétien ou non, que son affection se
porte sur un frère de race et de religion ou sur un étranger, quelque
forme que prenne son amour, pourvu qu'il soit sincère et effectif.
Cette participation à un attribut divin prouve que cet homme est
uni à Dieu ».

croix du Christ, répondre tous : *Amen*, chanter tous :
Alleluia ; se faire tous baptiser, entrer dans les églises,
bâtir les murs des basiliques : les fils de Dieu ne se
discernent des fils du diable que par la charité. Ceux
qui ont la charité sont nés de Dieu ; ceux qui ne l'ont
pas, ne sont pas nés de Dieu. Indice considérable, discernement capital! Aie tout ce que tu voudras ; si cela seul
te manque, tout le reste ne sert de rien ; mais si tout
le reste te manque et que tu n'aies que cela, tu as accompli la Loi [1] ». C'est la même doctrine que dans le chapitre
XIII de la première épître de saint Paul aux Corinthiens :
« Sans la charité, tout le reste, don des langues, gnose,
distribution d'aumônes, ne me sert de rien. »

Dans le contexte du Discours après la Cène le commandement nouveau : « Aimez-vous les uns les autres
comme je vous ai aimés » s'adresse directement à la
communauté des disciples, de même que l'unité pour
laquelle le Christ prie après le Discours, est l'unité

---

1. *In I^{am} epist. Johannis*, tr. 5, 7 (*P. L.*, 35, 2016). — Sous une
forme plus moderne, Pierre HENRI-SIMON développe la même doctrine dans *Destins de la Personne*, Paris, 1935, p. 48-49 : « Ce médecin
lettré sait, sa tâche accomplie, se retrouver dans une sonate de
Beethoven ou dans une page de Pascal ; cet autre, ne connaissant
que son art, se jette sur ses revues techniques ou se livre aux diver-
tissements vulgaires. Le premier représente un type plus humain
que le second. Mais qu'il ne se le cache point : il n'est encore qu'un
amateur, c'est-à-dire pas grand'chose. Toute sa délicatesse et toute
sa clairvoyance ont pu laisser intactes les forces de son égoïsme :
trop heureux si tant de jouissances raffinées n'ont pas savonné la
pente, si tant de soins pour ennoblir le moi n'ont pas exalté l'orgueil.
Aimera-t-il assez les pauvres, ou le Christ dans les pauvres, pour
repartir dans la nuit se pencher sur l'agonie d'un mendiant? Voilà
ce qu'on voudrait savoir et sur quoi il sera jugé.
Il est beau que l'homme veuille être soi et se posséder : c'est l'exigence première. Il l'est plus encore qu'il se sente né pour aimer et se
donner : c'est l'exigence suprême... Au delà de la vie qui se dépense
en gestes et de celle qui s'exalte en idées, surgit maintenant la seule
qui compte pour l'éternel : celle qui se diffuse en amour. Nous voici
portés à la plus haute pointe du problème. La personne ne s'accomplit
que par un amour. »

de son Église (XVII). La charité sera la source de cette unité ; des frères ennemis ne peuvent être que divisés, en lutte les uns contre les autres ; l'amour unit, la haine sépare. La charité atteint le Père par le Christ et dans le Christ ; c'est aussi par le Christ et dans le Christ que les chrétiens sont « consommés en unité » (XVII, 23), unis au Père, « non qu'ils passent de l'un à l'autre, mais parce qu'ils trouvent le Père dans le Fils   .» « Qui m'a vu, a vu le Père » (XIV, 9). « Qui me hait, hait aussi mon Père » (XV, 23). Cette charité des fidèles comme l'unité qu'elle produit et vivifie, est une force rayonnante qui vise à conquérir le monde entier. « Je ne prie pas seulement pour ceux-ci, — mes disciples immédiats, — dit Jésus dans la prière après la Cène, mais encore pour ceux qui croiront en moi à cause de leur prédication, afin que tous soient un comme toi, Père, tu es en moi et moi en toi, afin qu'eux aussi soient un en nous, *pour que le monde croie que c'est toi qui m'as envoyé* » (XVII, 20-21). L'unité tend à s'agréger de nouveaux membres, jusqu'à ce qu'elle comprenne tous les hommes ; la charité, comme le feu qui court à travers la brousse, voudrait embraser l'univers. Parler ici du particularisme de saint Jean, des limites restrictives qu'il impose à l'*agapè*, parce qu'il la recommande directement aux fidèles entre eux [2], c'est lui attribuer bien à tort l'idée de l'Église comme d'une société statique et la conception de l'*agapè* comme d'une vertu refermée sur la communauté chrétienne, alors qu'elle est un élan qui tend à atteindre tous les hommes, à l'exemple du Christ, Sauveur du monde, qui s'est fait victime d'expiation non pour nos péchés seulement, mais pour ceux du monde entier (*I Jean*, II, 2 ; *Jean* III, 17). Mais ce n'est pas un péril chimérique contre

---

1. LAGRANGE, *Évangile de saint Jean*, p. 451.
2. NYGREN, *op. cit.*, p. 166 sq.

lequel saint Jean mettait en garde, qu'à l'intérieur
même de la société des disciples du Christ la charité
ne se refroidisse et que ne se distendent les liens qui
unissent les membres entre eux : ce refroidissement
de la charité a été à l'origine de tous les schismes qui
ont produit des Églises nationales, c'est-à-dire des socié-
tés closes, et ce n'est qu'un renouveau intense de
cette même vertu qui pourra réparer la brisure de
l'unité catholique.

La charité sincère demande qu'on aime, non en
paroles seulement et de bouche, mais en actes et en
vérité (*I Jean*, III, 18). Elle va beaucoup plus loin
que de s'abstenir de faire du tort. Elle est inclination,
mouvement du cœur, don de soi et de ce qu'on possède.
Elle se penche sur les plus faibles, les plus pauvres,
les plus abandonnés. « Si quelqu'un possède les biens
de ce monde et qu'il voit son frère dans le besoin et
qu'il lui ferme son cœur, comment l'amour de Dieu
peut-il demeurer en lui ? » (*I Jean*, III, 17). Les premiers
chrétiens pratiquaient entre eux l'hospitalité (*III Jean*, 5).
L'hôte lavait les pieds de ceux qu'il recevait, à l'exemple
du Christ. Cette dernière pratique n'est plus guère
dans nos mœurs, mais le chrétien moderne doit en garder
l'esprit : dévouement, bonté surtout pour ceux qui
lui sont inférieurs en situation sociale, égards, respect
pour tout ce qui touche à leur dignité personnelle.
Dans le geste du Christ lavant les pieds de ses apôtres,
c'était tout un programme nouveau qui s'était exprimé,
le renversement de l'esprit païen. On a pu dire que
« si jamais, dans le monde, il y eut révolution, ce fut
bien là. C'est là que le César païen fut détrôné, l'orgueil
abattu, l'exploitation proscrite et tout service qui n'est
pas réciproque, condamné. C'est là que fut stigmatisé
comme le pire désordre tout ordre qui soutient et sanc-
tifie un état de choses où manque cette réciprocité des
services et du respect d'autrui. C'est cet échange du

dévouement et cette claire conscience de notre égalité devant Dieu qui seuls peuvent sanctifier les relations entre ceux qui servent et ceux qui se font servir. Cette révolution-là n'atteint aucune autorité, n'empêche aucune obéissance, ne sème aucune haine ; quelque chose s'accomplit en silence qui s'oppose à ce que la hiérarchie technique des fonctions et des responsabilités ne soit exploitée par l'orgueil dédaigneux de la dignité des personnalités humaines. Le divin descend vers nous sous la forme du service le plus humble pour nous montrer que c'est seulement en servant en toute humilité que nous pouvons atteindre le divin [1] ».

Le plus significatif de ces gestes de l'amour, la preuve la plus éclatante de dévouement, c'est de donner sa vie. « Il n'y a pas de plus grande marque d'amour que de donner sa vie pour ceux qu'on aime » (xv, 13). Cette preuve, le Christ nous l'a donnée : il a été le Bon Pasteur qui s'est sacrifié pour ses brebis (x, 11).

> « Et mon Fils a eu d'eux une telle charité,
> Mon Fils leur frère
> Une si grande charité. »
>
> (PÉGUY)

A l'exemple du Christ les disciples doivent être prêts à donner leur vie pour le prochain. « Nous connaissons l'amour à ce fait, que le Christ a livré sa vie pour nous ; et nous aussi, nous devons livrer notre vie pour nos frères » (*I Jean*, III, 16). Comme la passion du Christ a été l'expression suprême de l'*agapè* divine, le sacrifice que le chrétien fait de sa vie pour ses frères est le sommet de la charité fraternelle.

---

1. Fr.-W. FOERSTER, *Jésus lave les pieds de ses apôtres*, dans le *Christianisme Social*, mars 1936, p. 146.

Charité et Vérité

Cet amour du chrétien est un amour lucide, spirituel, qui ne puise pas sa force aux sources troubles de la chair et du sang. « Né de l'eau et de l'Esprit », de l'union de l'élément matériel le plus chaste avec l'Esprit de toute sainteté, il se déploie dans la Lumière et la Vérité. Car le Christ qui est Vie, est aussi Lumière, la Lumière divine venant en ce monde (I, 9), rayonnant à travers son humanité comme un soleil qui serait au cœur d'un cristal. Aux hommes il révèle le secret du Père qu'il connaît pour vivre, de toute éternité, dans son intimité, « dans son giron » (I, 18) ; il parle de ce qu'il sait, il atteste ce qu'il a vu (III, 11). Il est la Lumière du monde (VIII, 12 ; IX, 5 ; XII, 46) ; il est le Pain de Dieu qui est descendu du ciel et donne la vie au monde (VI, 30), et cette vie est Vérité. Lui seul peut dire : « Je suis la Vérité » (XIV, 9), personnellement, substantiellement, comme il dit : « Je suis la Vie » (XIV, 9). Vérité absolue, il est le seul qui puisse réclamer un hommage inconditionné à sa personne, demander qu'on fasse plus que de croire à sa parole, mais qu'on croie *en lui* par un engagement total, sans restriction ni réserve. Vérité divine incarnée, non seulement il a, comme dit Simon-Pierre, « les paroles de la vie éternelle » (VI, 68), « les paroles qui sont esprit et vie » (VI, 63), mais toute sa vie, faits et gestes, est un enseignement. Comme il ne fait qu'un avec la Vérité, qu'il est la Vérité vivante, pas une de ses démarches qui ne soit signe de vérité, symbole de la pureté, de la beauté, de la sainteté de Dieu. Il est une Puissance de signes inépuisable.

Aimer le Christ, c'est donc s'ouvrir à la Vérité, s'unir à elle, et plus on aime le Christ, plus cette Vérité prend possession de l'âme. Tandis que le Christ se révèle à l'extérieur et coule cette révélation dans les signes du langage humain, mots et formules, il nous pénètre à l'intérieur, nous donne d'adhérer aux propositions révélées, les vivifie par sa présence en nous. A mesure que l'amour du Christ grandit en nous, notre foi aussi croît et progresse, non pas tant par plurification de concepts que par une adhésion plus intime au Christ, par une appréhension plus profonde du mystère divin. « Si quelqu'un comprenait le dogme de l'Incarnation, disait le saint Curé d'Ars, il mourrait d'amour ». Les vérités révélées deviennent pour l'âme des principes de conduite de plus en plus efficaces dans ses relations avec Dieu et avec le prochain. Au principe de la foi comme dans son développement il y a causalité réciproque de la connaissance et de l'amour [1]. Dans cette connaissance de Dieu et de Jésus-Christ, en quoi consiste la vie éternelle (XVII, 3), commencée dès ici-bas par la vie de foi, « il ne faut point, dit Bossuet, regarder ces deux opérations de l'âme, connaître et aimer, comme séparées et indépendantes l'une de l'autre, mais comme s'excitant et se perfectionnant l'une l'autre [2] ». Ce ne sont pas deux efforts successifs, mais simultanés, non pas même deux démarches parallèles, mais deux mouvements intérieurs l'un à l'autre, deux aspects inséparables d'un même acte. Cette unité complexe s'explique par l'union de Dieu avec la substance même de l'âme d'où émanent intelligence et volonté, plus profondément en quelque sorte que leur différenciation.

« Celui qui pratique la vérité, va à la lumière, en sorte qu'il devienne manifeste que ses œuvres ont été faites en Dieu » (III, 21). La fidélité à ce que l'homme connaît de la volonté divine, est signe qu'il agit en communion avec Dieu ; elle est acheminement à une plus grande lumière, à une connaissance de Dieu plus

---

1. C'est ce que nous avons expliqué plus longuement dans notre étude sur *la Connaissance de foi dans saint Jean*, en appendice à notre *Discours de Jésus après la Cène*, 2e éd., Paris, 1943, p. 135-138.
2. BOSSUET, *Méditations sur l'Évangile*, La Cène, 2e Partie, 37e jour.

intime. « Mon enseignement n'est pas de moi, mais
de Celui qui m'a envoyé. Si quelqu'un veut accomplir
la volonté de mon Père, il connaîtra, pour ce qui est
de cet enseignement, s'il vient de Dieu ou si je parle
de mon propre chef (VII, 16-17). Si vous vous maintenez
dans ce que je dis, vous serez vraiment mes disciples et
vous connaîtrez la vérité et la vérité vous rendra libres »
(VIII, 31-32). « Quiconque au contraire fait le mal,
n'aime pas la lumière et ne va pas à la lumière, de
peur que ses agissements ne soient connus sous leur
vrai jour » (III, 20). C'est l'effet du péché, passé en
habitude, avalé comme de l'eau, d'obscurcir la vision
des choses divines, et cet obscurcissement devient
d'autant plus opaque que l'âme s'ancre davantage dans
son péché.

Chez le chrétien l'observation des commandements
du Christ est le signe d'un amour authentique. « Celui
qui a les commandements, — qui les possède par la
foi, — et qui les garde, c'est celui-là qui m'aime »
(XIV, 21a). Cette garde fidèle attire la complaisance
du Père et aussi, de la part du Fils, un plus grand
afflux de charité et la manifestation de lui-même à
l'âme de ses disciples. « Celui qui m'aime, sera aimé
de mon Père, et moi aussi je l'aimerai et je me manifesterai à lui » (XIV, 21b). L'expérience chrétienne est
source de lumière. Elle est comme cette « fraction du
pain » qui illumina les disciples d'Emmaüs, alors que
jusque-là ils avaient cheminé avec le Christ sans le
reconnaître [1]. Par elle le chrétien apprend à discerner
l'action du Christ dans sa propre vie, dans les mouvements de son âme qui le portent au bien, comme dans
la vie de l'Église en général. Cette connaissance se
fait d'autant plus intime et personnelle que le chrétien se
conforme davantage à l'enseignement reçu. Comme

---

1. *Luc*, XXIV, 30 sq.

la charité fraternelle est de tous les préceptes celui qui distingue les disciples du Christ (XIII, 35), sa pratique est particulièrement propre à maintenir et à accroître en nous la lumière dans l'union à Dieu. « Celui qui aime son frère demeure dans la lumière et il n'est pas pour lui de trébuchet. Celui qui hait son frère est dans les ténèbres et il marche dans les ténèbres et il ne sait où il va, parce que les ténèbres ont aveuglé ses yeux » (*I Jean*, II, 10-11). Un texte de l'évangile résume toute cette doctrine : « Je suis la Lumière du monde, dit Jésus aux Juifs ; celui qui me suivra, ne marchera pas dans les ténèbres, mais possédera la lumière de vie » (VIII, 12), la lumière qui produit la vie, qui est source de vie, et cette lumière est d'autant plus intense que le disciple *suit* de plus près le Christ, que par l'union de sa volonté à celle de son Maître, il s'identifie davantage avec Lui.

L'action du Saint-Esprit

Cette participation des âmes chrétiennes à la lumière divine, ce progrès dans la connaissance de la Vérité révélée, seront proprement l'œuvre du Saint-Esprit. Dans le Discours après la Cène Jésus revient plusieurs fois sur ce rôle du Paraclet (le Défenseur, l'Intercesseur), qui consiste à rendre témoignage au Christ et à guider les disciples dans la connaissance de la Vérité révélée. « Si vous m'aimez, vous garderez mes commandements et moi je ferai une demande au Père et il vous donnera un autre Paraclet, pour qu'il soit avec vous toujours, l'Esprit de vérité que le monde ne peut recevoir, parce qu'il ne le voit pas et ne le connaît pas » (XIV, 15-17). « Le Paraclet, l'Esprit-Saint, que le Père enverra en mon nom, c'est lui qui vous enseignera tout et vous fera ressouvenir de tout ce que je vous ai dit » (XIV, 26). « Lorsque viendra le Paraclet que je vous

enverrai d'auprès du Père, l'Esprit de vérité qui procède
du Père, il rendra témoignage de moi » (xv, 26). « Quand
il viendra, lui, l'Esprit de vérité, il vous mènera à la
vérité tout entière, car il ne parlera pas de son propre
chef, mais il redira ce qu'il aura entendu et il vous
fera connaître les choses à venir » (xvi, 13). Dans ces
textes la promesse du secours du Paraclet nous paraît
s'adresser non seulement aux disciples immédiats de
Jésus réunis pour la dernière Cène, mais à ceux qui
après eux croiront en Lui [1]. L'assurance perpétuelle
de l'Esprit-Saint est assurée à l'Église pour trans-
mettre et interpréter le message du Christ. Présent
dans les fidèles, les assistant du dedans, l'Esprit-Saint
ne leur communiquera pas des doctrines absolument
nouvelles, une seconde révélation, comme si celle qu'a
apportée le Christ ne suffisait pas. Il fera pénétrer
dans une intelligence plus profonde du message du
Christ, de sa vie, de ses actes, de ses discours ; il donnera efficacité à ses enseignements pour que, reçus
dans le cœur des croyants, ils y deviennent une force
de salut. Jusqu'à la fin des temps, l'Esprit-Saint main-
tiendra ainsi dans l'Église la connaissance vivante du
Seigneur Jésus et le pouvoir d'interpréter authentiquement sa révélation. Sans doute c'est à l'Église hiérarchique, papes et conciles, que sera réservé le charisme
de traduire en formules infaillibles le contenu de
l'expérience chrétienne, mais tous les fidèles dociles à
l'Esprit-Saint contribueront à enrichir cette expérience
de l'Église entière et à préparer ainsi ces nouvelles
et plus explicites déclarations du message originel qui
constituent le développement du dogme. Comme le
disait saint Paulin de Nole, de chaque fidèle tous les

---

1. Pour l'exégèse détaillée de chacun de ces textes, xiv, 15-17,
26, xv, 26, xvi, 13, nous renvoyons à notre commentaire du *Discours
de Jésus après la Cène*.

autres dépendent, parce que dans chaque fidèle souffle l'Esprit-Saint [1].

Fidèle à l'enseignement du Christ, saint Jean dans sa première épître attribue de même à la présence active du Saint-Esprit, désignée sous le nom d'*onction*, la connaissance de la révélation chrétienne. Grâce à cette onction, les fidèles sont en possession de la vérité qui sauve et ils en ont l'intelligence. « Vous avez l'onction qui vient de celui qui est le Saint et tous vous avez la science : je vous écris, non que vous ignoriez la vérité, mais parce que vous la connaissez » (*I Jean*, II, 20-21). Cette onction est un don qui demeure dans les croyants et dont la présence doit les garder dans l'enseignement reçu « dès le commencement » (*I Jean*, II, 24 ; III, 1), c'est-à-dire dès leur entrée dans le christianisme. « Pour vous, l'onction que vous avez reçue de Lui (c'est-à-dire du Christ) demeure en vous et vous n'avez pas besoin que personne vous instruise ; mais selon que son onction vous instruit de tout, — et elle est véridique et pas mensongère, — et selon qu'elle vous a enseignés, vous demeurez en Lui », le Christ (*I Jean*, II, 27). C'est grâce à cette onction que les fidèles dans le passé ont adhéré au Christ ; c'est par elle qu'ils continuent à demeurer en Lui, dans sa grâce et sa vérité. Ils n'ont pas besoin que personne les instruise, c'est-à-dire quelque nouveau révélateur autre que le Christ ; l'inspiration du Saint-Esprit illumine pour eux, dans le secret de leurs cœurs, le message du Christ que leur présente extérieurement la prédication évangélique, et elle leur en découvre graduellement les richesses inépuisables. Aux auditeurs de ses sermons saint Augustin pouvait dire : « Pour ce qui me concerne, j'ai parlé à tous ; mais ceux à qui cette onction ne parle pas au

---

1. *Epist.* XXIII, 25 (*P. L.*, 61, 281) : « De omnium fidelium ore pendeamus, quia in omnem fidelem Spiritus Dei spirat ».

dedans, ceux que l'Esprit-Saint n'instruit pas au dedans, s'en vont sans avoir rien appris. Les enseignements extérieurs servent de secours et d'avertissements. C'est dans le ciel qu'est la chaire de celui qui instruit les cœurs... C'est donc le Maître intérieur qui instruit, c'est le Christ qui instruit, c'est son inspiration qui instruit. Là où font défaut son inspiration et son onction, c'est en vain qu'au dehors retentissent les paroles [1] ».

Mortification et progrès spirituel

Ce développement de la vie chrétienne dans la charité et la lumière ne se fait pas sans luttes ni sacrifices. Sur cette Vigne qu'est le Christ, il est des branches qui se dessèchent et ne portent pas de fruit : le Père céleste les ôte. Quant aux branches vigoureuses, il les nettoie des gourmands inutiles pour les rendre plus fécondes. « Je suis la vraie Vigne et mon Père est le vigneron. Tout sarment en moi qui ne porte pas de fruit, il le retranche, et tout sarment qui porte du fruit, il l'émonde afin qu'il porte plus de fruit » (xv, 1-2). La vie chrétienne suppose donc des retranchements en vue d'une plus grande fécondité spirituelle. L'enseignement du Christ, reçu dans le cœur des croyants, appelle ces retranchements, et sa mise en pratique les opère. A ses disciples qui avaient tout quitté pour le suivre, Jésus disait : « Déjà vous êtes purs, — émondés, — grâce à la doctrine que je vous ai enseignée » (xv, 3). Cette doctrine a été pour les disciples un principe intérieur de transformation. Assimilée par une foi vive, elle a peu à peu modelé à l'image du Christ leurs pensées, leurs affections, leurs sentiments, car les paroles du Christ sont esprit et vie (vi, 63) et les recevoir,

---

1. Saint AUGUSTIN, *In I^am ep. Johannis*, tr. 3, 13 (*P. L.*, 35, 2004).

c'est recevoir le Christ lui-même comme une source intérieure de lumière et de force [1]. Saint Jean n'a pas décrit longuement comme saint Paul la lutte que se livrent en nous la chair et l'esprit. On ne rencontre pas non plus chez lui de catalogues détaillés de vices à combattre et de vertus à pratiquer. Ce que Jésus reproche aux chefs juifs, c'est leur incrédulité qui a sa source dans leur orgueil, leur esprit de caste, leurs préoccupations de vaine gloire. « Je suis venu au nom de mon Père et vous ne m'avez pas reçu ; si un autre vient en son propre nom, vous le recevrez. Comment pourriez-vous croire, vous qui tirez de la gloire les uns des autres et ne cherchez pas la gloire qui vient de l'Unique ? » (v, 43-44). Satan, leur inspirateur, leur « prince » (XIV, 30), mis à part, l'ensemble des puissances terrestres ennemies de Dieu, avec les complicités qu'elles trouvent dans la nature humaine, est rangé sous le nom de « monde [2] ». « N'aimez pas le monde ni les choses qui sont dans le monde. Si quelqu'un aime le monde, l'amour du Père n'est pas en lui : car tout ce qui est dans le monde, à savoir la convoitise de la chair et la convoitise des yeux et l'ostentation de la fortune, n'est pas du Père, mais du monde » (I Jean, II, 15-16). La convoitise de la chair, dont la convoitise des yeux n'est qu'un aspect, semble comprendre tous les désirs de la nature en tant qu'ils ne sont pas soumis à Dieu [3]. « L'ostentation de la fortune » met spécialement en relief l'obstacle que le luxe et l'orgueil de la richesse opposent au Royaume de Dieu. Comme saint Jean

---

1. Saint THOMAS, *In Ioan.* XV, 3 : « Manifestum est quod Christus est in nobis, quando verba sapientiae ejus sunt in nobis ».

2. Ce sens péjoratif n'est pas exclusif dans saint Jean. Il est des textes où « le monde » signifie seulement l'ensemble des créatures humaines que le Christ est venu sauver. « Dieu a tant aimé le monde qu'il a donné son Fils unique, afin que quiconque croit en lui ne périsse pas, mais qu'il ait la vie éternelle » (III, 16).

3. J. BONSIRVEN, *Épîtres de saint Jean*, p. 127.

fait de la charité la vertu caractéristique du chrétien
(XIII, 34-35), on peut dire que l'ennemi principal
contre lequel l'homme intérieur doit lutter, est l'égoïsme
sous quelque forme que ce soit, appétit de jouissance,
de domination, ou isolement du reste des mortels.

La prière

Dans la lutte contre les puissances adverses et le
développement de la vie de charité, le chrétien n'est
pas seul. Adhérent au Christ comme le rameau au
cep, il a en lui, présente, la Trinité sainte. La vie
divine qui circule en lui, tend par sa nature à s'épanouir
en œuvres méritoires, à porter des fruits. Cette activité
fructueuse a ses conditions : elle est soutenue et alimen-
tée par la prière et les sacrements.

L'œuvre que les disciples ont à accomplir, est la
continuation de l'œuvre du Christ, le progrès du
Royaume de Dieu en eux et autour d'eux. Pour mener
cette œuvre à bien, ils auront à s'adresser à Dieu dans
la prière et à lui demander son secours. Cette prière,
ils la feront « au nom de Jésus », en invoquant son
pouvoir, et elle sera exaucée. Ils pourront s'adresser
directement au Christ glorifié ; son pouvoir est tel que,
de sa propre autorité, il fera ce qui est demandé.
« Si vous me demandez quelque chose en mon nom,
je le ferai » (XIV, 14). La forme la plus ordinaire de
la prière chrétienne sera celle qui s'adressera au Père,
en se réclamant « du nom » de Jésus, en faisant appel
à sa toute-puissante intercession. « Tout ce que vous
demanderez [1] en mon nom, je le ferai, afin que le Père

---

1. La Vulgate sixto-clémentine nomme *le Père* comme terme de
la prière : « quodcumque petieritis *Patrem...* ». Ni la Vulgate hiéro-
nymienne ni le texte grec n'ont cette mention explicite. Mais elle
est supposée par la fin du verset, « *afin que le Père soit glorifié dans le
Fils* ».

soit glorifié dans le Fils », moyennant les bienfaits dont celui-ci est le Médiateur (XIV, 13). « Si vous demeurez en moi et si mes paroles demeurent en vous, demandez ce que vous voudrez et cela vous adviendra » (XV, 7). Cette parole suit immédiatement l'allégorie de la Vigne dans le Discours après la Cène. Elle suppose des disciples qui adhèrent intimement au Christ comme les rameaux au cep. Dans ces dispositions les disciples ne pourront désirer et demander que ce qui convient au Christ [1], la croissance de la Vigne, la fécondité de l'Église. Cette croissance par laquelle le Christ est glorifié (XV, 8), la prière faite en union avec lui l'obtiendra sûrement. C'est toujours de cette même prière des fidèles pour le bien de l'Église qu'il s'agit dans les autres paroles de Jésus où est enseigné l'effet infaillible des demandes faites en son nom. « En vérité, en vérité, je vous le dis, tout ce que vous demanderez à mon Père, il vous le donnera en mon nom. Jusqu'à présent vous n'avez rien demandé en mon nom ; demandez et vous recevrez afin que votre joie soit comble » (XVI, 23-24). « En ce jour vous demanderez en mon nom et je ne dis pas que je solliciterai le Père pour vous ; car le Père aussi vous aime parce que vous m'avez aimé et que vous avez cru que je suis venu d'auprès de Dieu » (XVI, 26-27). L'évocation du nom de Jésus suffira pour attirer sur les disciples la bienveillance du Père, sans que le Christ ait besoin d'y ajouter de son côté une nouvelle démarche. Aussi bien n'est-ce pas lui qui, présent dans ses disciples, prie en eux et avec eux ?

La première épître de saint Jean fait écho à ces enseignements du Christ. L'attitude du chrétien dans la prière y est caractérisée par un mot que nous avons

---

1. Saint AUGUSTIN, *In Ioan.*, tr. 81, 4 (*P. L.*, 35, 1842) : « Manendo quippe in Christo, quid velle possunt nisi quod convenit Christo ? »

déjà trouvé dans saint Paul, *parrhésia* : « disposition
de confiance, d'assurance, de liberté hardie aussi et
presque audacieuse, disposition qui pousse à prier
avec la certitude qu'on sera exaucé ; disposition qui
est entretenue également par l'expérience, renouvelée
quotidiennement, de voir ses demandes accueillies par
Dieu [1] ». « Mes bien-aimés, si notre cœur ne nous
fait pas de reproches, nous nous présentons devant
Dieu avec assurance *(parrhésia)*, et, quoi que nous
lui demandions, nous le recevons de lui, parce que
nous gardons ses commandements et que nous faisons
ce qui est agréable à ses yeux » (I *Jean*, III, 21-22).
On le voit, cette confiance dans la prière suppose la
fidélité aux commandements et l'attention diligente à
faire ce qui est agréable à Dieu. Cette fidélité est le
signe que Dieu est présent en nous et nous en lui.
« Qui garde ses commandements, demeure en Dieu
et Dieu en lui » (I *Jean*, III, 24). Dès lors Dieu, « de
par l'Esprit qu'il nous a donné » *(ibid.)*, nous inspire
de prier « selon sa volonté » et il nous exauce. « Telle
est l'assurance *(parrhésia)* que nous avons dans nos
rapports avec Dieu, c'est que toutes les fois que nous
demandons quelque chose selon sa volonté, il nous
écoute, et si nous savons qu'il nous écoute en tout
ce que nous demandons, nous savons que nous avons
toutes les choses que nous lui avons demandées »
(I *Jean*, V, 14-15).

La prière du chrétien sera d'autant plus conforme
à la volonté de Dieu et par conséquent assurée d'être
exaucée que dans son attitude foncière et ses actions
quotidiennes la volonté humaine tendra à coïncider
avec la volonté divine. L'idéal, c'est la prière du Christ
et la conformité de sa volonté à la volonté du Père :
« Je suis descendu du ciel pour faire non pas ma volonté,

---

1. J. Bonsirven, *op. cit.*, p. 196.

mais la volonté de Celui qui m'a envoyé » (VI, 38). D'où son assurance d'être exaucé parce qu'il demande toujours ce qu'il sait être la volonté du Père. Ainsi, avant la résurrection de Lazare : « Père, je te rends grâces de ce que tu m'as exaucé ; pour moi, je savais que tu m'exauces toujours ; mais c'est à cause de cette foule qui m'entoure que je viens de le dire, pour qu'ils croient que c'est toi qui m'as envoyé » (XI, 41-42).

Cet idéal, aucun chrétien ne le réalise pleinement ici-bas : c'est le propre des saints de s'en rapprocher de plus en plus et c'est ce qui rend leur prière particulièrement efficace.

Les sacrements

A la prière doivent se joindre les sacrements : ils sont une pièce essentielle dans le développement de la vie chrétienne. Il est vrai que le Christ exige des siens une religion spirituelle, qui transcende toutes les barrières des langues, des races et des nations. « L'heure vient, disait Jésus à la Samaritaine, où ce ne sera ni sur cette montagne (du Garizim) ni à Jérusalem que vous adorerez le Père... L'heure vient, et elle est déjà là, où les vrais adorateurs adoreront le Père en esprit et en vérité ; car c'est bien ainsi que le Père veut ses adorateurs. Dieu est esprit, et ceux qui l'adorent, doivent l'adorer en esprit et en vérité » (IV, 21, 23-24). Cette primauté du spirituel, qui permet au christianisme de s'adresser ici-bas à tout homme, n'exclut pas les rites, les symboles, les pratiques extérieures. Dans la doctrine johannique, l'institution des sacrements, rites visibles qui signifient et confèrent la grâce, découle normalement du dogme de l'Incarnation. En prenant un corps, en se faisant homme, le Verbe a communiqué au monde matériel quelque chose de sa vertu, de sa sainteté, l'a relevé, ennobli,

disposé à devenir le symbole des réalités spirituelles
et l'instrument de la collation de la grâce. « Ce par
quoi Dieu s'abaisse jusqu'à l'humanité, sert à élever
l'homme jusqu'à la divinité [1] »; et donc la matière elle-
même est ployable aux fins surnaturelles.

Déjà dans l'ordre de la création, le monde visible
est apte à signifier à l'intelligence humaine les perfections visibles de Dieu *(Rom.*, I, 20) : puissance,
sagesse, bonté. Œuvre du Verbe par qui tout a été
fait et sans qui rien n'a été fait (I, 3), il en porte l'empreinte : il est un langage.

« A la matière même un verbe est attaché [2] ».

L'incarnation du Fils de Dieu vient amplifier ce
langage, enrichir magnifiquement cette puissance de
signification.

Le Christ est le sacrement de la divinité; il en est
le signe visible et efficace. Depuis l'incarnation, la
sainteté, la bonté de Dieu ne peuvent plus nous apparaître comme les attributs abstraits d'une divinité
lointaine, qui semble cachée par delà les étoiles. Elles
ont resplendi sur le visage du Verbe incarné : « Nous
avons contemplé sa gloire, la gloire que Fils unique
il tient du Père, (nous l'avons vu) plein de grâce et de
vérité » (I, 14). Le Fils de Dieu fait homme ne manifeste pas seulement au dehors la bonté, la puissance,
la sainteté divines ; il est aussi le Dieu sensible au cœur.
Son approche visible, qui rend la santé aux infirmes
et la vie aux morts, est le signe efficace de l'approche
invisible de la grâce qui transforme les âmes. Il ouvre
les yeux de l'aveugle-né et il illumine les intelligences ;
il guérit le paralytique de la piscine de Bézatha et il
libère les âmes des entraves du péché ; il ressuscite
Lazare et il rend la vie divine à ceux qui sont morts

---

1. Saint Grégoire le Grand, *Hom. II in Evangel.*, n° 2 (*P. L.*,
76, 1082).
2. Gérard de Nerval.

spirituellement ; il multiplie les pains et sous ces mêmes apparences du pain il donne aux siens une nourriture céleste. Cette activité sacramentelle se continue dans l'Église par ces rites visibles où la matière sert de véhicule à la grâce, comme l'humanité du Christ a été l'instrument de sa divinité.

Par là saint Jean se sépare des mystiques païennes hellénistiques et des hérésies gnostiques, qui regardaient la matière comme mauvaise, non seulement incapable de servir d'instrument à la sanctification de l'âme, mais constituant l'obstacle essentiel, le mal radical, dont il fallait se libérer. Avec une particulière énergie, saint Jean a insisté sur la réalité de l'incarnation, cette union substantielle et permanente du Verbe de Dieu avec une nature humaine. « Et le Verbe s'est fait chair, et il a habité parmi nous et nous avons contemplé sa gloire » (I, 14). « Ce qui était dès le commencement, ce que nous avons entendu, ce que nous avons vu de nos yeux, ce que nous avons contemplé, ce que nos mains ont touché concernant le Verbe de vie,... cela nous vous l'annonçons » (*I Jean*, I, 1-3). « A ceci vous reconnaîtrez l'esprit de Dieu : tout esprit qui professe Jésus-Christ venu en chair, est de Dieu, et tout esprit qui ne professe pas (ce) Jésus, n'est pas de Dieu, mais cet esprit est celui de l'Antéchrist dont vous avez entendu dire qu'il vient, et même il est déjà dans le monde » (*I Jean*, IV, 2-3) [1].

---

1. Les uns voient dans ce texte la condamnation du docétisme, d'après lequel le Christ n'aurait pris qu'un corps apparent ; d'autres pensent que saint Jean combat l'hérétique Cérinthe, pour qui le Christ, Être divin, s'était uni à l'homme Jésus au moment du baptême et s'en était séparé avant la Passion (J. Chaine, *op. cit.*, p. 197 et cf. Irénée, *Adv. Haer.*, I, xxvi, I.*P. G.*, 7, 686).—Au ẏ. 3, la Vulgate, au lieu de la leçon « tout esprit qui ne confesse pas Jésus », porte « omnis spiritus qui *solvit* Jesum », tout esprit qui dissout Jésus, (Chaine), qui dissocie l'homme Jésus de l'Être divin Christ : ce qui s'accorde bien avec l'hérésie de Cérinthe.

Ces fortes expressions ne doivent pas étonner : la
réalité de l'Incarnation est le roc sur lequel reposent
les trois principes qui forment la structure de la religion
chrétienne : « le principe *dogmatique*, c'est-à-dire nos
pauvres formes de pensée, infimes et animales, élevées
à la dignité d'exprimer avec pleine certitude les vérités
mystérieuses qui concernent l'intime même de Dieu ;
le principe *ecclésiastique*, c'est-à-dire le salut mis à la
portée des hommes par l'intermédiaire d'hommes enseignant, gouvernant, dispensant les choses saintes ; le principe *sacramentaire*, c'est-à-dire l'emploi de la nature
corporelle elle-même pour la collation de la grâce [1] ».

On peut voir l'expression de ce principe sacramentaire dans un passage de la première épître de saint
Jean, qui au premier abord peut paraître assez mystérieux : « Jésus-Christ est venu par l'eau et le sang,
non avec l'eau seulement, mais avec l'eau et le sang »
(*I Jean*, v, 6). Entendons : Jésus-Christ est venu par
l'eau de son baptême dans le Jourdain et par son sang
répandu dans sa Passion. Par ces mêmes réalités, l'eau
et le sang, le chrétien s'approprie le salut acquis par
le Christ. Par l'eau, instrument de l'Esprit-Saint dans
le baptême, il naît à la vie surnaturelle ; par le sang du
Christ, rendu présent dans la coupe eucharistique et
reçu dans la participation à cette coupe, il nourrit
et accroît cette vie [2].

L'Eucharistie

Saint Jean, qui par les symboles qu'il emploie
évoque à notre pensée l'Eucharistie, n'a pas raconté

---

1. P. ROUSSELOT, art. *Intellectualisme* dans le *Dict. apologétique*
de A. d'Alès, t. II, col. 1076.

2. Plusieurs Pères, dont saint JEAN CHRYSOSTOME, ont vu de même
le baptême et l'eucharistie figurés par l'eau et le sang qui sous le
coup de lance jaillirent du côté du Christ en croix. Le symbolisme
est déjà indiqué par TERTULLIEN (*de Bapt.*, 16).

comment ce sacrement a été institué par le Christ. A l'époque où il écrivait, c'était un fait suffisamment connu des fidèles puisqu'il constituait le centre de leur culte, pour que l'apôtre pût se dispenser de reprendre le récit des Synoptiques. Cependant, au chapitre VI de son évangile, il a consigné un long discours de Jésus sur le Pain de vie, qui annonce cette institution, en fait connaître la nature et les effets.

Dans la première partie de ce discours que Jésus prononça dans la synagogue de Capharnaüm après la première multiplication des pains, Jésus se présente comme le Pain de vie, qui procure la vie éternelle. « Celui qui vient à moi n'aura pas faim et celui qui croit en moi n'aura jamais soif » (VI, 35). Bien que dans la pensée de Jésus le discours ait pu être orienté dès le début vers l'annonce de l'Eucharistie sous son double aspect de nourriture et de breuvage, la première partie (VI, 26-47) ne concerne directement que la foi en Jésus et en son enseignement : il est le Pain de Dieu, descendu du ciel pour donner la vie au monde (VI, 33), et c'est par la foi que l'homme s'assimile cet aliment spirituel et en éprouve les effets vivifiants. « Car telle est la volonté de mon Père, que quiconque voit le Fils et croit en lui possède la vie éternelle, et je le ressusciterai au dernier jour » (VI, 40). Mais à partir du ℣. 48, qui marque la transition à la seconde partie, et plus clairement encore à partir du ℣. 51, il ne s'agit plus seulement de l'assimilation de la vérité de l'Incarnation par la foi. Les Juifs avaient demandé à Jésus une nourriture céleste, une nouvelle manne comme au désert : Jésus annonce une bien autre merveille, qui continuera l'Incarnation. La manne n'entretenait la vie que pour un temps, elle n'empêchait pas de mourir. « Vos pères ont mangé la manne dans le désert et ils sont morts » (VI, 49). L'aliment qu'il promet, donnera à celui qui le prendra, de vivre éternellement.

Nourriture de l'âme et principe de résurrection, ce sera sa propre chair immolée pour le salut des hommes. « C'est moi qui suis le Pain vivant descendu du ciel ; si quelqu'un mange de ce Pain, il vivra à jamais, et le pain que je donnerai est ma chair livrée pour la vie du monde » (VI, 51). Ces derniers mots suggèrent que cette chair donnée en nourriture sera la chair d'une victime offerte en sacrifice de rédemption, ils associent l'Eucharistie à la Passion. La distinction dans les versets qui suivent, renforcent cette allusion, en même temps qu'ils évoquent la double consécration du pain et du calice lors de la dernière Cène. « En vérité, en vérité je vous le dis, si vous ne mangez pas la chair du Fils de l'homme et si vous ne buvez son sang, vous n'aurez pas la vie en vous. Celui qui mange ma chair et qui boit mon sang, a la vie éternelle et je le ressusciterai au dernier jour. Car ma chair est vraiment une nourriture et mon sang est vraiment un breuvage » (VI, 53-58). Le sacrement nous unit au Christ, et au Christ tout entier, chair et divinité, mais dans cette union le fidèle et le Christ ne sont pas sur un plan d'égalité : le Christ vient habiter dans le fidèle comme dans un temple, et le fidèle est incorporé au Christ comme à la source unique de la vie éternelle. « Celui qui mange ma chair [1] et boit mon sang, demeure en moi et moi en lui. De même que le Père qui est vivant m'a envoyé et que je vis par mon Père, ainsi celui qui me mangera, vivra lui aussi par moi. Tel est le Pain descendu du ciel, non pas comme celui que vos pères ont mangé, lesquels sont morts : celui qui mangera de ce Pain, vivra à jamais » (VI, 56-58).

---

1. Saint Jean dit « chair » (σάρξ) et non « corps » (σῶμα), comme il a dit : « Le Verbe s'est fait chair » (σάρξ). L'Eucharistie apparaît ainsi comme le prolongement de l'Incarnation. C'est le même enseignement que nous donne la liturgie de la messe, en nous faisant réciter dans la fête du Saint-Sacrement la préface de Noël.

Préparé par le miracle de la multiplication des pains, miracle de nourriture, le discours sur le Pain de vie nous présente l'Eucharistie avant tout comme un aliment qui produit un merveilleux effet dans celui qui le reçoit avec foi et amour. Cet effet est la vie éternelle, *dès maintenant possédée* : c'est sur l'actualité de cette possession que saint Jean met l'accent. La résurrection glorieuse est à l'arrière-plan, au bout de la perspective, alors que dans saint Paul la parousie du Christ avec la résurrection de ses fidèles est au premier plan de l'espérance chrétienne. « Vous annoncerez la mort du Seigneur jusqu'à ce qu'il revienne » (*I Cor.*, XI, 26). Dans la participation des chrétiens à l'Eucharistie, ce qui prime pour saint Paul, ce sont les rapports de la communauté avec le Christ et l'union mutuelle des fidèles produite par cette participation. « Parce qu'il n'y a qu'un Pain, tous, tant que nous sommes, nous formons un seul corps, car tous [1] nous participons à ce Pain unique » (*I Cor.*, X, 17). Dans saint Jean les rapports individuels du fidèle avec le Christ prennent plus de relief : « *Celui qui* mange ma chair... » La communion est réalisée entre le Christ et celui qui le reçoit.

Ce n'est pas à dire cependant que saint Jean ignore le caractère social de l'Eucharistie : celui-ci ressort du fait que le miracle qui a précédé le discours sur le Pain de vie et préfiguré l'Eucharistie, était le repas en commun d'une multitude réunie autour de Jésus. On peut en dire autant d'un autre signe que plusieurs regardent justement comme une première préfiguration de l'Eucharistie, le miracle de l'eau changée en vin à Cana, qui a eu lieu aussi au cours d'un repas en commun. Et dans l'allégorie de la Vigne, qui fait partie du Discours après la Cène, saint Cyrille d'Alexandrie voyait enseignées l'incorporation des fidèles au Christ et leur

---

1. En grec οἱ πάντες, « tous ensemble, ne faisant qu'un ».

union mutuelle que l'Eucharistie figure et produit. Les deux aspects sont donc à maintenir : relation du fidèle au Christ dans l'unité de l'Église.

Avant de commencer le discours sur le Pain de vie, Jésus avait demandé à ses auditeurs non pas seulement de croire *au fait* de sa mission divine sur le témoignage de ses miracles, mais de croire *en lui*. « L'œuvre de Dieu que vous avez à accomplir, dit-il aux Juifs de Capharnaüm, c'est de croire en celui qu'il a envoyé » (VI, 29). La promesse de l'Eucharistie était l'annonce d'un mystère qu'une foi inconditionnée en la personne de Jésus, Fils de Dieu incarné, était seule capable d'accepter. Aussi voit-on à la fin du discours une crise se produire parmi ceux qui suivaient Jésus et se disaient ses disciples. Beaucoup sont choqués et murmurent : « Ce qu'il dit là est raide! Qui peut seulement l'écouter? » et ils se retirent de sa compagnie. Ce n'est pas cependant que Jésus prenne plaisir à accroître le scandale. Il fait entendre que la manducation de sa chair n'est point à assimiler à une brutale omophagie ; la chair qu'il donnera en nourriture sera la chair du Fils de l'homme remonté au ciel (VI, 62), une chair vivifiée par l'Esprit, donc soustraite aux conditions des corps terrestres. Comme son institution pendant la dernière Cène le manifestera, l'Eucharistie comprendra un rite matériel, sensible, mais ordonné tout entier à la vivification par l'Esprit. « C'est l'Esprit qui vivifie, la chair (à elle seule, sans l'Esprit) ne sert de rien ; les paroles que je vous ai dites (et les réalités qu'elles signifient) sont esprit et vie » (VI, 63), à condition toutefois qu'elles soient accueillies par la foi. Sinon, le don de Dieu, tout réel qu'il est, restera stérile.

En écartant toute représentation choquante, Jésus n'entend pas supprimer le mystère. Comme le Discours sur le Pain de vie, préparé par le miracle de la multiplication des pains, a été un moment capital de la prédication du Christ et pour les disciples une épreuve décisive, l'Eucharistie reste dans le christianisme le mystère de foi par excellence, *Mysterium fidei*. En elle sont récapitulées toutes les vérités essentielles de notre religion : mystère de la divinité du Christ, mystère de son Incarnation et de notre Rédemption, mystère de sa présence toujours vivante parmi nous, mystère de notre union à Lui et de notre union entre nous, comme les rameaux d'une même Vigne, par le lien vivant de son amour, mystère de la gloire éternelle où il vit et qui nous attend, puisque le Christ qui se donne à nous dans la communion, est le même qui est ressuscité et monté aux cieux pour nous y préparer notre place (XIV, 2-3).

Devant la défection de nombreux disciples à l'annonce de l'Eucharistie, Jésus demandait aux Douze : « Est-ce que vous aussi, vous voulez vous en aller ? » et Simon-Pierre répondait : « Seigneur, à qui irions-nous ? Vous avez les paroles de la vie éternelle » (VI, 67-68). Il n'est rien de plus glorieux au Christ que cet hommage inconditionné, que cet abandon absolu aux paroles du Maître : seul le Fils de Dieu, qui est la Vérité même, avait le droit de les exiger.

Péché et Pénitence

A prendre certains textes de la première épître johannique, on pourrait croire que la vie du chrétien, régénéré par le baptême, est désormais à l'abri du péché. Saint Jean affirme non seulement que celui qui est uni au Christ et qui est engendré de Dieu, ne pèche pas, mais qu'il ne peut pas pécher. « Vous savez que lui — le Christ — s'est manifesté afin d'ôter les péchés et le péché n'est point en lui. Quiconque demeure en lui ne pèche pas... Quiconque est engendré de Dieu ne fait pas de péché, car sa semence demeure en lui.

Et il ne peut pas pécher parce qu'il est engendré de Dieu » (*I Jean*, III, 5-6, 9). Union au Christ, présence active de la semence divine [1] qui nous engendre à la vie surnaturelle, ne coexistent pas avec le péché ou violation de la loi de Dieu [2]. Et non seulement en fait, mais en droit elles ne peuvent coexister avec lui. Il y a incompatibilité absolue, métaphysique. Et ainsi sont condamnés d'avance tous les faux mystiques qui ont la prétention de vivre unis à Dieu sans avoir à se préoccuper de la loi morale. En affirmant cette absolue incompatibilité entre « demeurer dans le Christ » et « pratiquer le péché », saint Jean entend-il signifier que tout chrétien est confirmé en grâce, établi dans un état d'impeccabilité dont il ne peut déchoir ? Ce serait forcer les textes que d'en tirer cette conséquence. Saint Jean indique ce qui est caractéristique de l'état de grâce, mais il n'affirme pas pour autant que cet état, une fois acquis, est immuable. Il en est de ses formules comme de celles où saint Paul nous dit que l'homme *psychique* (l'homme naturel, sans la grâce) ne comprend pas les choses de l'Esprit de Dieu et même *ne peut pas* les comprendre (*I Cor.*, II, 14) ou que l'homme charnel ne se soumet pas à la loi de Dieu,

---

1. Cette semence divine (σπέρμα) a été entendue par les uns de la parole de Dieu (cf. *Jac.*, I, 18 ; *I Pet.*, I, 23), par les autres, de l'Esprit-Saint. Ceci paraît plus conforme à la théologie johannique (*I Jean*, III, 24 ; IV, 13 ; *Jean*, III, 5-8). « L'Esprit qui est χρῖσμα et donne la science (*I Jean*, II, 20), est aussi σπέρμα et donne la vie. Quiconque est né de Dieu, ne pèche pas, car l'Esprit-Saint demeure en lui. L'Esprit-Saint est l'antidote du péché à un double point de vue : il fait vivre de la vie de Dieu et il instruit. Il y a en effet dans le péché une méconnaissance du Christ (*I Jean*, III, 6) » : J. CHAINE, *Les Épîtres catholiques*, Paris, 1939, p. 184.

2. C'est ainsi que saint Jean définit le péché (*I Jean*, III, 4). Il a en vue une violation grave, constituant ce que nous appelons aujourd'hui un péché mortel. Il dit en effet que celui qui fait le péché est du diable (*I Jean*, III, 8), enfant du diable (*ibid.*, ẏ. 10) : toutes expressions qui ne peuvent s'appliquer à qui ne commet que des fautes légères, « vénielles ».

car *il ne peut pas* s'y soumettre (*Rom.*, VIII, 7) [1]. Ces expressions définissent un état, une condition, par un trait essentiel ; ce trait se retrouve nécessairement chez les individus qui sont dans cet état, dans cette condition, *pour autant qu'ils y restent* [2]. Car ces individus, spirituels ou charnels, ne sont pas fixés respectivement dans leur catégorie de telle façon qu'ils ne puissent passer de l'une à l'autre. La grâce est offerte au charnel pour qu'il devienne spirituel, et, inversement, le spirituel peut par négligence ou lâcheté volontaire déchoir de son état et devenir charnel.

Dans cette même épître saint Jean a envisagé cette possibilité pour le fidèle de tomber dans le péché : nouvel indice que les formules citées plus haut ne signifient pas une impeccabilité absolue. L'idéal du chrétien est de ne pas pécher ; cependant, s'il lui arrive de violer la loi divine, tout n'est pas perdu, il peut obtenir son pardon et rentrer en grâce auprès de Dieu. « Mes petits enfants, je vous écris ceci, afin que vous ne péchiez pas ; mais si quelqu'un pèche, nous avons un Défenseur (Paraclet) auprès du Père, Jésus-Christ, le Juste ; il est lui-même expiation pour nos péchés, et non seulement pour les nôtres, mais pour ceux du monde entier » (*I Jean*, II, 1-2). La valeur du sacrifice de la croix demeure acquise et active dans le Christ glorifié, notre Défenseur auprès du Père. Ce trésor d'expiation, l'homme pécheur peut se l'approprier. A

---

1. Avec J. CHAINE, *op. cit.*, p. 185 citons encore ce texte de saint IGNACE D'ANTIOCHE (*Éph.*, VIII, 2) : « οἱ σαρκικοὶ τὰ πνευματικὰ πράσσειν οὐ δύνανται, οὐδὲ οἱ πνευματικοὶ τὰ σαρκικά, les hommes charnels ne peuvent pratiquer les choses spirituelles, ni les hommes spirituels les choses charnelles ». C'est l'affirmation d'une incompatibilité, non d'une fixation immuable des individus dans la condition de « charnels » ou de « spirituels ».

2. Saint AUGUSTIN : « *In quantum in ipso manet, in tantum non peccat*, pour autant que le chrétien demeure dans le Christ, il ne pèche pas. »

l'entrée dans le christianisme, il le fait par la foi et le baptême. A l'intérieur du christianisme, saint Jean indique comme moyen la reconnaissance par le chrétien de sa condition de pécheur et l'humble aveu de ses fautes. « Si nous disons que nous n'avons pas de péché [1], nous nous trompons nous-mêmes et la vérité n'est pas en nous. Si nous confessons nos péchés, Dieu qui est fidèle et juste, nous remettra nos péchés et nous purifiera de toute iniquité » (I Jean, I, 8-9). Comment comprendre cet aveu ? S'agit-il seulement de la reconnaissance de ses fautes devant Dieu, dans le secret d'une prière privée, ou bien faut-il voir ici l'indication d'une confession extérieurement manifestée par quelque signe sensible, devant un homme ou plusieurs ? Le terme employé par saint Jean [2], le même qui lui sert à désigner la profession de la foi (I Jean, II, 23 ; IV, 2, 3, 15), incline vers le sens d'une manifestation extérieure, analogue à d'autres qui nous sont attestées chez les Juifs et les premiers chrétiens. « Nous savons que les Juifs, au jour de l'expiation et en d'autres temps, confessaient leurs péchés, pour en obtenir le pardon. Nous voyons aussi ceux qui recevaient le baptême de Jean confesser leurs péchés (Marc, I, 5) ; dans les réunions décrites par la Doctrine des Apôtres (IV, 14 ;

---

1. Sur cette expression, voir CHAINE, op. cit., p. 149. « L'expression ἁμαρτίαν ἔχειν ne se trouve pas dans la Bible en dehors de Jo. (ici et Jo., IX, 41 ; XV, 22, 24 ; XIX, 11) ; on peut donc la considérer comme johannique. Dans le IVe évangile « avoir le péché » désigne une faute grave non encore pardonnée. Le sens est ici plus large. Le péché peut être grave ou seulement léger, il peut même être pardonné ; « ne pas avoir le péché » signifie n'avoir rien à se reprocher ». Saint Jean combat les prétentions de certains faux docteurs qui prétendaient être sans péché.

2. En grec ὁμολογεῖν, qui a généralement le sens de reconnaître d'une manière extérieure, professer, par exemple dans le cas d'un témoignage. Les auteurs anciens emploient le plus souvent le composé ἐξομολογεῖν pour la confession des péchés : d'où le terme traditionnel d'exomologèse.

XIV, 1) trouvait place la confession des péchés ; saint
Jacques la prescrit également (v, 16) : « Confessez-vous
donc vos fautes les uns aux autres et priez les uns pour
les autres afin que vous soyez guéris [1]. » D'autre part,
saint Jean connaissait le pouvoir des clefs, puisque
lui-même a raconté dans son évangile (xx, 21-23)
comment au soir de sa résurrection Jésus conféra à
ses apôtres puissance de remettre ou de retenir les
péchés. Ce pouvoir qui pour s'exercer suppose chez
le pénitent la confession des péchés, n'a pu rester
lettre morte pendant le premier siècle chrétien ; il a
dû donner naissance à quelque institution, liturgique
ou autre. Ce n'est donc pas sans vraisemblance que des
auteurs voient dans la confession des péchés dont parle
l'épître johannique (I, 9) une « allusion à une coutume
que les fidèles connaissaient bien, à une exomologèse
peut-être publique, au cours de laquelle les presbytres
intervenaient [2] ».

Le chrétien qui succombe à la tentation et commet
le péché, a donc à sa portée le moyen de rentrer en grâce
avec Dieu. Aussi saint Jean peut-il recommander aux
fidèles de prier pour leurs frères pécheurs, avec la confiance que leurs prières seront exaucées. Il fait cependant
une exception pour celui qui s'est rendu coupable
du « péché pour la mort ». « Si quelqu'un voit son frère
commettre un péché qui n'est pas pour la mort, qu'il
prie et [Dieu] [3] lui donnera la vie, comme à ceux
qui ne pèchent pas pour la mort. Il y a un péché pour
la mort ; au sujet de celui-là je ne vous dis pas de prier »

---

1. J. Bonsirven, *op. cit.*, p. 102, qui pour l'usage juif renvoie à
son autre ouvrage, *Le Judaïsme palestinien au temps de J.-C.*, Paris,
1935, t. II, p. 99 sq.

2. J. Chaine, *op. cit.*, p. 150, et du même auteur, *L'Épître de saint
Jacques*, p. 130-133.

3. D'autres gardent comme sujet « celui qui prie » (ainsi Chaine).
Windisch ne se prononce pas (*Die Katholischen Briefe*, 2e éd., Tübingen, 1930, dans le *Handbuch zum Neuen Testament* de Lietzmann).

(*I Jean*, v, 16). Ce péché « pour la mort » n'est pas l'équivalent de ce que nous appelons aujourd'hui le péché mortel, mais un cas particulier dans cette catégorie. Parmi les explications qu'on en a données, la mieux fondée est celle qui y voit le péché d'apostasie, par lequel le baptisé se retranche de la communauté des fidèles et, niant le Christ, ferme, autant qu'il est en son pouvoir, toutes les portes à la médiation du Sauveur : ce que ne fait pas le pécheur ordinaire, qui garde la foi au Christ et, avec elle, un principe de relèvement, une amorce de conversion. On a fait remarquer que saint Jean n'interdit pas de prier même pour ceux qui sont coupables « du péché pour la mort », apostats, faux prophètes, antéchrists ; mais il ne le demande pas à la communauté des fidèles, parce qu'il ne peut les assurer que dans ce cas leur prière sera efficace.

Si saint Jean ne revendique pas pour les fidèles l'impeccabilité absolue, il reste que la sainteté est l'idéal du chrétien et l'état de grâce, sa condition normale. Pour lui comme pour saint Paul, la foi qui fait les chrétiens, telle qu'il la considère habituellement, est la foi vive, animée par la charité. « En vérité, en vérité je vous le dis, celui qui croit en moi a la vie éternelle » (VI, 47). Nous savons qu'ici-bas les plus fervents eux-mêmes ne peuvent éviter complètement toute faute même légère, tout péché véniel semi-délibéré, et qu'ils ont à redire pour leur propre compte la prière du *Pater* : « Pardonnez-nous nos offenses [1] ». Mais tout chrétien a la grâce nécessaire pour accomplir substantiellement les commandements de Dieu et se préserver du péché grave. Le Fils de Dieu le garde pour que le Malin ne le touche pas (cf. *I Jean*, v, 18).

---

1. Définition du concile de Milève (Denzinger-Bannwart, nᵒˢ 106-108).

Le terme où tend la vie chrétienne

Inaugurée par le baptême, nourrie par l'Eucharistie, réparée, s'il en est besoin, par la Pénitence, la vie chrétienne tend à un terme qui est au-delà de ce monde visible. Ce terme, saint Jean le décrit en différentes formules. L'atteindre, c'est quitter ce monde pour aller à la maison du Père, là où le Christ nous a préparé une place et où il y a beaucoup de demeures (xiv, 2-3) : la plénitude de la joie divine peut y rassasier, sans s'épuiser, des multitudes innombrables de bienheureux. Cette béatitude suprême, c'est encore rejoindre le Christ là où il est maintenant, contempler sa gloire de Verbe incarné, associant son humanité au rayonnement de sa divinité et nous faisant participer à ce bonheur et à cette gloire. « Père, ceux que tu m'as donnés, je veux que là où je suis, eux aussi soient avec moi, afin qu'ils voient la gloire que tu m'as donnée, parce que tu m'as aimé dès avant la fondation du monde » (xvii, 24).

Dans la première épître johannique le bonheur du ciel est présenté comme la manifestation plénière, l'épanouissement de notre filiation divine. Enfants de Dieu, nous le sommes déjà ici-bas : nous en avons non seulement le titre, tel que pourrait le conférer une adoption purement juridique, mais la réalité. « Voyez quel grand amour le Père nous a témoigné, que nous soyons appelés enfants de Dieu ; et nous le sommes en effet » (*I Jean*, iii, 1). Cette réalité, ignorée du monde parce qu'il n'a pas connu Dieu *(ibid.)*, ne nous est pas à nous-mêmes chrétiens pleinement révélée, parce qu'elle n'a pas produit tous ses effets ; le germe n'a pas donné toute sa floraison. « Bien-aimés, nous sommes déjà enfants de Dieu, mais ce que nous serons n'a pas encore été manifesté. Nous savons que

lors de cette manifestation [1], nous lui serons semblables, parce que nous le verrons comme il est »
(*I Jean*, III, 2). La Vision de Dieu « tel qu'il est » est
présentée comme le principe [2] d'une union transformante, d'une assimilation à Dieu, qui achève la conformité des enfants avec leur Père du ciel commencée par
la vie de la grâce. Il s'agit donc d'un mode de connaissance plus parfait que tout mode d'ici-bas, d'une connaissance intuitive et immédiate, « face à face », comme
dit saint Paul (*I Cor.*, XIII, 12). Pour saint Jean comme
pour saint Paul, la vue de Dieu « comme il est » procure
son achèvement à la connaissance imparfaite d'ici-bas.
Mais alors que saint Paul a marqué nettement les différences entre les deux connaissances, l'une indirecte
et obscure, « dans un miroir et en énigme [3] », l'autre
immédiate et directe, dans saint Jean l'accent est mis
sur la continuité entre la vie de la grâce et la vie de la
gloire, entre la foi et la vision, la première étant une réelle
anticipation, une véritable « prélibation » de la seconde [4].

---

1. Les uns entendent cette manifestation de la parousie du Christ :
« lorsque (le Christ) sera manifesté » (saint AUGUSTIN, BONSIRVEN) ;
d'autres, de la manifestation de notre dignité d'enfants de Dieu :
« lorsque (ce que nous serons) sera manifesté » (J. CHAINE). WINDISCH
laisse le choix. Nous nous rangeons de préférence à la seconde
interprétation.

2. C'est le sens qui paraît le plus indiqué. Il n'est pas impossible
cependant, remarque J. CHAINE, *op. cit.*, p. 179-180, de voir dans
la vision non une cause, mais une condition. « Dans la vie terrestre
les hommes ne peuvent voir Dieu (*I Jean*, IV, 12 ; *Jean*, I, 18 ; VI, 46 ;
I Tim., VI, 16), c'est seulement dans le monde à venir que les justes
le voient face à face, selon l'expression de saint Paul (*I Cor.*, XIII, 12).
Dès lors, puisque la vue de Dieu est réservée à l'au-delà, Jean peut
vouloir dire : la filiation aura son plein effet seulement dans le monde
à venir, quand les fidèles verront Dieu ».

3. *I Cor.*, XIII, 12 ; cf. *II Cor.*, V, 6-7.

4. R. AUBERT, *Le Problème de l'Acte de Foi*, Louvain, 1945, p. 13,
observe que « saint Jean est bien sur ce point à l'origine de la tradition orientale, qui aimera à souligner le caractère illuminateur
et mystique de la foi, tandis que l'insistance de saint Paul à opposer

Quant à la question que posait le ravissement de saint Paul, s'il peut y avoir ici-bas une contemplation du mystère divin telle qu'elle dépasse l'ordre de la foi et atteigne, au moins par éclairs, à la vision intuitive, les affirmations de saint Jean sur l'impossibilité de voir Dieu en cette vie sont si catégoriques qu'il paraît bien difficile d'admettre des exceptions, même pour Moïse et saint Paul. « Personne n'a jamais vu Dieu » écrit-il dans sa première épître (IV, 12), et l'évangile donne le même enseignement en termes aussi formels : « Personne n'a jamais vu Dieu ; un Dieu fils unique, qui est dans le giron du Père, c'est lui qui nous en a parlé » (I, 18). « Personne n'a vu le Père, si ce n'est celui qui est auprès de Dieu ; celui-là a vu le Père » (VI, 46). Saint Jean connaissait les visions dont furent gratifiés Moïse et les prophètes de l'Ancien Testament, Isaïe, Jérémie, Ézéchiel, Daniel. C'est donc qu'il les considérait non comme des intuitions de Dieu tel qu'il est, mais comme des révélations sur Dieu à travers quelque symbole [1].

L'espérance chrétienne

La vision bienheureuse, qui donne à notre filiation divine son épanouissement, qui porte à leur perfection notre union et notre ressemblance avec Dieu, est le terme ultime de l'espérance chrétienne. Cette espérance est un principe actif de sanctification. « Quiconque a

---

foi et vision sera reprise de préférence par les Pères et les théologiens occidentaux ». L'auteur ajoute avec raison que les deux points de vue se complètent et que toute théologie de la foi doit leur faire place, « sous peine de négliger une partie des richesses du donné scripturaire ».

1. Cf. LAGRANGE, *Évangile selon saint Jean*, p. 27 : « Il faut... supposer qu'il les regardait comme d'un ordre inférieur ou encore enveloppées d'images, comme on pourrait le conclure de *Ex.*, XXXIII, 20, 23. »

cette espérance en Dieu, se purifie comme lui [1] (le Christ) est pur » (*I Jean*, III, 3). Dieu est la plénitude de la lumière, de la pureté. L'âme s'unira à lui d'autant plus étroitement que par ses fautes elle fera moins écran à cette pureté, à cette lumière. Le modèle idéal vers lequel il faut tendre de plus en plus, est le Christ qui est le Juste (*I Jean*, II, 1), le Saint de Dieu (VI, 69), en qui il n'est pas même l'ombre d'une impureté. Cette exigence d'une purification croissante est un des traits qui caractérise, chez les mystiques chrétiens, l'accès aux états spirituels les plus hauts. Cette vie supérieure, note le P. de Grandmaison, « débute ordinairement par une vue perçante, redoutable, accablante, de ce *double abîme*, d'indignité ici, et là de souveraine sainteté : Dieu est le Bien unique, et ce Bien m'est inaccessible ! Le péché achève de murer l'accès, il rend impossible une union que la bassesse de la chair semblait, à elle seule, interdire. De ce vertige, les paroles des grands Voyants d'Israël, depuis Moïse jusqu'à Isaïe, Jérémie et Ézéchiel portent les traces manifestes. Les plus hauts mystiques chrétiens l'ont à leur tour éprouvé [2], comme si, avant d'entrer dans la « ténèbre divine », leurs yeux avaient besoin d'être dessillés à cette flamme [3] ».

Cette purification, saint Jean nous la montre comme un effort que soutient l'espérance. Le modèle qu'il

---

1. En grec, le pronom ἐκεῖνος, « expression presque habituelle dans l'épître pour désigner le Christ (II, 6 ; III, 3, 5, 7, 16 ; IV, 17). C'est une manière de désigner quelqu'un de bien connu. Les disciples de Pythagore appelaient leur maître ἐκεῖνος » : J. CHAINE, *op. cit.*, p. 156.

2. Par exemple, saint François d'Assise ; voir J. JOERGENSEN, *Saint François d'Assise*, trad. Wyzewa, Paris, 1909, p. 106 sq. — Cette vue peut aller jusqu'à jeter l'âme dans une sorte de désespoir ; voir saint JEAN DE LA CROIX, *Nuit obscure*, l. II, ch. VI et VIII ; le P. DE MAUMIGNY, *Pratique de l'oraison mentale* [3], II, Paris, 1907, p. 135-144.

3. L. DE GRANDMAISON, *L'Élément mystique dans la Religion*, dans *Recherches de Science religieuse*, t. I (1910), p. 199-200.

présente à notre imitation est le Christ, le même qui est notre Médiateur et notre Sauveur. Second trait caractéristique de la mystique chrétienne : « la vue redoutable du chaos [1] qui sépare l'âme pécheresse de son Bien, cette vue étonne sans abattre et purifie sans désespérer. Comme un rayon de soleil, un regard de l'amour éternel, un appel de la Miséricorde, perce la nuit, rejoint les lèvres béantes de l'abîme. C'est qu'entre la sainteté offensée et l'horreur de son péché, le mystique voit un médiateur et se rassure. L'Incarnation du Fils unique rend croyable l'amour de Dieu et possible l'accueil auprès du Père. « Dieu a tant aimé le monde »... Le mystère de Jésus introduit au mystère de Dieu [2] ».

Amour et crainte de Dieu

L'on voit comment l'amour de Dieu chez les saints eux-mêmes comprend, avec l'attrait, le ravissement, la « fascination [3] » qu'exerce sur eux l'excellence des perfections divines, une certaine crainte révérentielle née du contraste entre l'impureté de l'homme pécheur et l'infinie sainteté de Dieu, ce sentiment de recul qu'exprimait admirablement l'apôtre Pierre, quand le Christ se révélait à lui par le miracle de la pêche miraculeuse : « Éloignez-vous de moi, Seigneur, parce que je suis un homme pécheur » (*Luc*, V, 8). Loin de s'exclure, cet attrait et cette crainte s'appellent plutôt et se complètent : plus le chrétien qui tend à la perfection a le sentiment profond de la distance qui sépare l'impureté humaine de la sainteté divine, plus il tend à se purifier

---

1. En prenant le mot *chaos* au sens d'abîme, comme dans *Luc*, XVI, 26 : « Entre nous (Abraham et Lazare) et vous (le mauvais riche) un grand abîme est établi, *chaos magnum firmatum est* ».
2. L. DE GRANDMAISON, *art. cit.*, p. 200-201.
3. L'expression est de R. OTTO dans son livre *Le Sacré*, tr. fr., Paris, 1929, p. 56.

pour s'unir étroitement à ce Dieu qui l'attire. Saint
Jean nous dit, il est vrai, qu' « il n'y a pas de crainte dans
l'amour ; au contraire, l'amour parfait bannit la crainte,
parce que la crainte a le châtiment pour objet et celui
qui craint n'a pas atteint la perfection dans l'amour »
(*I Jean*, IV, 18). Mais, comme l'apôtre l'indique expressément, il a en vue la crainte de Dieu comme Juge
qui châtie. C'est ce genre de crainte que chasse l'amour
parfait, mais non la crainte de n'être pas assez pur
pour s'unir au Dieu infiniment saint, cette crainte
parfaite, note Œcuménius, « qui naît quand on a été
élevé à la perfection de l'amour, et qui s'efforce de ne
manquer en rien aux obligations que celui qui aime
ardemment veut accomplir à l'égard de celui qu'il
aime », ou encore, suivant Maxime le Confesseur,
cette crainte du chrétien parfait, « qui ne redoute pas
Dieu comme juge, mais qui le révère à cause de l'excellence suréminente de sa puissance infinie [1]. »

---

1. Voir les passages d'Œcuménius (*P. G.*, 119, 671) et de Maxime
le Confesseur (*Quaestiones ad Thalassium*, q. 10. *P. G.*, 90, 288)
cités au long et traduits par J. Bonsirven, *op. cit.*, p. 239 et p. 240-241.

CHAPITRE IV

LA JÉRUSALEM CÉLESTE

Le quatrième évangile et la première épître johannique ne se sont pas étendus sur la description de la béatitude éternelle à laquelle les chrétiens sont appelés. Ce sont de ces choses que l'œil de l'homme n'a point vues ; « la joie du Seigneur » dans le ciel ne se manifeste qu'à ceux qui y entrent. Ici-bas on ne peut que la suggérer par des images, des comparaisons, des paraboles : c'est ainsi que dans sa prédication Jésus a comparé le ciel à un festin (*Luc*, XXII, 29-30), à un repas de noces (*Matth.*, XXV, 10), où les élus seront réunis autour d'une table commune, servie par Dieu même (*Luc*, XII, 37). C'était une manière de faire entendre que le bonheur du ciel n'est pas celui d'un individu « seul avec Dieu seul [1] », mais celui d'un enfant du Père céleste en communion avec beaucoup de frères.

Symbolisme évangélique

Saint Jean n'a pas repris ces discours des Synoptiques, mais le même symbolisme ressort directement de plusieurs scènes de son Évangile ou des tableaux de son Apocalypse. Nous avons déjà vu que l'Eucharistie avait été préparée et figurée par des miracles accomplis au cours de repas pris en commun, pour le bien de ceux qui y prenaient part : noces de Cana,

---

1. C'est la formule du mysticisme plotinien : μόνος πρὸς μόνον.

multiplication des pains. Mais la Cène eucharistique, repas des disciples groupés autour du Christ qui se fait lui-même leur aliment, est elle-même la figure de cette fête nuptiale du ciel, de ces noces de l'Agneau avec l'Église qui rassembleront tous les élus dans la joie éternelle. Le repas que le Christ ressuscité procurait à ses disciples et prenait avec eux sur les bords du lac de Tibériade (XXI, 9-13) était bien aussi une anticipation de cette joie définitive, dont il sera éternellement toute la substance.

Visions apocalyptiques

Alors que dans l'évangile la béatitude céleste n'est suggérée que par quelques traits sobrement dessinés, l'auteur de l'Apocalypse s'est arrêté à la contempler, pour nous la décrire en des pages d'une puissance évocatrice jamais égalée. Dans la vision qui au chap. IV introduit aux prophéties apocalyptiques, la majesté divine nous est représentée d'une façon tout à la fois frappante et mystérieuse : c'est *Quelqu'un*, mais que saint Jean ne décrit pas. De sa présence nous ne percevons que l'éclat sous l'apparence de pierres précieuses, jaspe et sardoine, symboles d'une splendeur qui ne cesse de jeter ses feux ; un arc-en-ciel, signe d'espérance, qu'on dirait fait d'une émeraude, cerne le trône divin, associant ainsi la bonté miséricordieuse à la sainteté incorruptible. Toute une liturgie céleste se déroule pour célébrer la majesté et la puissance du Dieu créateur.

« Et voici qu'un trône était dressé dans le ciel, et sur ce trône quelqu'un d'assis. Et Celui qui était assis avait l'apparence d'une pierre de jaspe et de sardoine ; un arc-en-ciel entourait le trône et il avait l'apparence d'une émeraude. Autour du trône il y avait vingt-quatre (autres) trônes et sur ces vingt-quatre trônes vingt-quatre vieillards étaient assis, portant des vêtements blancs et sur la tête des couronnes d'or. Du trône sortent des éclairs, des voix et des tonnerres. Et sept lampes de feu brûlent en face du trône, qui sont les sept esprits de Dieu. Devant le trône il y a comme une mer de verre, semblable à du cristal. Au milieu du trône et autour du trône sont quatre animaux remplis d'yeux par devant et par derrière. Le premier animal ressemble à un lion, le deuxième à un jeune taureau, le troisième a un visage comme celui d'un homme, le quatrième est semblable à un aigle qui vole. Les quatre animaux ont chacun six ailes ; sur leur pourtour et en dedans ils sont remplis d'yeux, et ils ne cessent jour et nuit de clamer : « Saint, saint, saint est le Seigneur Dieu, le Tout-Puissant, celui qui était et qui est et qui vient ». Et chaque fois que les animaux rendent gloire, honneur et actions de grâces à Celui qui est assis sur le trône et qui vit dans les siècles des siècles, les vingt-quatre vieillards se prosternent devant Celui qui est assis sur le trône, adorent Celui qui vit dans les siècles des siècles et jettent leurs couronnes devant le trône en disant : « Vous êtes digne, ô notre Seigneur et notre Dieu, de recevoir la gloire, l'honneur et la puissance, car c'est Vous qui avez créé toutes choses et c'est par votre volonté qu'elles sont et qu'elles ont été créées » (*Apoc.*, IV, 2-11).

Les mêmes hommages divins célèbrent le Christ, sous la figure d'un Agneau comme égorgé, qui symbolise l'accomplissement de sa mission rédemptrice par la mort sur la croix.

« Et je vis dans la main droite de Celui qui est assis sur le trône un livre écrit au recto et au verso, scellé de sept sceaux. Et je vis un ange très fort qui proclamait d'une voix puissante : « Qui est digne d'ouvrir le livre et d'en rompre les sceaux ? » Et personne, ni au ciel ni sur la terre ni sous la terre, ne put ouvrir le livre ni le parcourir des yeux. Et je pleurais abondam-

ment, parce que personne n'avait été trouvé digne
d'ouvrir le livre ni de le parcourir des yeux. Alors
un des vieillards me dit : « Ne pleure pas. Voici que
le Lion de la tribu de Juda, le rejeton de David, a
remporté la victoire, en sorte qu'il ouvrira le livre et
ses sept sceaux. Et je vis, au milieu du cercle formé
par le trône, les quatre animaux et les vieillards, un
Agneau debout, comme égorgé, ayant sept cornes et
sept yeux : ce sont les sept esprits de Dieu qu'il envoie
par toute la terre. Il vint prendre le livre de la main
droite de Celui qui est assis sur le trône. Quand il eut
pris le livre, les quatre animaux et les vingt-quatre
vieillards se prosternèrent devant l'Agneau, tenant
chacun une harpe et des coupes d'or remplies de parfums, qui sont les prières des saints. Et ils se mirent
à chanter un cantique nouveau, disant : « Vous êtes
digne de prendre le livre et d'en ouvrir les sceaux,
parce que vous avez été immolé et que vous avez racheté
pour Dieu, par votre sang, les hommes de toute tribu,
langue, peuple et nation ; et vous en avez fait pour
notre Dieu un royaume et des prêtres et ils régneront
sur la terre ». Puis, dans ma vision, j'entendis la voix
d'une multitude d'anges qui entouraient le trône, les
animaux et les vieillards : leur nombre était des myriades
de myriades, des milliers de milliers ; et ils disaient
d'une voix puissante : « Il est digne, l'Agneau qui a été
égorgé, de recevoir la puissance, la richesse, la sagesse,
la force, l'honneur, la gloire et la bénédiction ». Et
toutes les créatures qui sont dans le ciel, sur la terre,
sous la terre et sur la mer, tous les êtres qui s'y trouvent,
je les entendis qui disaient : « A Celui qui est assis
sur le trône et à l'Agneau, soient la louange, l'honneur,
la gloire et la force dans les siècles des siècles ! » Et les
quatre animaux disaient : « Amen ! » et les vieillards se
prosternèrent et adorèrent » (*Apoc.*, v, 1-14).

A cette liturgie céleste où s'intercalent d'impressionnants silences comme en VIII, 1 : « Il se fit dans le ciel un silence d'une demi-heure environ [1] », une autre vision associe expressément la multitude des élus.

« Après cela je vis apparaître une grande foule que personne ne pouvait compter, de toute nation, de toute tribu, de tout peuple, de toute langue : ils se tenaient devant le trône et devant l'Agneau, revêtus de robes blanches et des palmes à la main. Et ils criaient d'une voix forte : « Le salut appartient à notre Dieu qui est assis sur le trône et à l'Agneau. » Tous les anges se tenaient autour du trône, des vieillards et des quatre animaux et ils tombèrent devant le trône la face contre terre et ils se prosternèrent devant Dieu, disant : « Amen! La bénédiction, la gloire, la sagesse, l'action de grâces, l'honneur, la puissance et la force soient à notre Dieu dans les siècles des siècles! Amen! »

L'un des vieillards prit la parole et me dit : « Ces gens vêtus de robes blanches, qui sont-ils et d'où viennent-ils? » Je lui répondis : « Mon Seigneur, vous le savez ». Et il me dit : « Ce sont ceux qui viennent de la grande tribulation. Ils ont lavé leurs robes et les ont blanchies dans le sang de l'Agneau. Voilà pourquoi ils sont devant le trône de Dieu et le servent, jour et nuit, dans son temple. Celui qui est assis sur le trône les abritera sous sa tente. Ils n'auront plus faim et ils n'auront plus soif; le soleil ne les accablera plus ni aucune chaleur brûlante. L'Agneau qui est au

---

1. Comme R. OTTO l'a souligné dans son étude sur *Le Sacré*, tr. fr., Paris, 1929, p. 107 sq., le silence est un des moyens les plus expressifs du saisissement de l'âme devant « le numineux », la Majesté divine. Ainsi dans la liturgie catholique. « Le moment le plus sacré, le plus numineux de la messe, celui de la transsubstantiation, la musique la plus parfaite ne l'exprime qu'en se taisant, par un silence absolu et prolongé, un silence qui se fait pour ainsi dire écouter. Nulle part ailleurs elle n'atteint la puissance de recueillement que possède « ce silence devant le Seigneur » (p. 109). Saint Jean a fait une place à cet élément du silence dans sa liturgie du ciel.

milieu [de l'hémicycle] du trône est leur Pasteur, il les conduira aux sources des eaux de la Vie et il essuiera toute larme de leurs yeux » (*Apoc.*, VII, 9-17).

La communauté du ciel

Ces tableaux grandioses sont riches de signification spirituelle. Ici-bas le christianisme est un mystère de fraternité, la communion de chaque chrétien avec le Christ et avec ceux qui sont unis au Christ. Rameaux de la vraie Vigne, non seulement tous reçoivent la sève qui monte de la même racine, mais chacun collabore pour sa part à la propagation de la vie dans l'arbre total. La béatitude céleste garde ce caractère communautaire, « ecclésial [1] ». A l'exemple de la vie de la Sainte Trinité qui implique à la fois distinction et unité, le bonheur de chaque élu, tout en étant distinct, est en même temps « tourné vers l'autre ». La joie du ciel est une joie en commun, un mélange d'unité dans la variété, telle l'harmonie des voix dans un concert, l'architecture des notes dans une partition musicale : ce sont les comparaisons que suggère saint Jean, quand il nous décrit les élus de toute nation, de toute tribu, de tout peuple et de toute langue, unissant leurs voix, chacun avec son timbre particulier, dans le cantique en l'honneur de Dieu et de l'Agneau. Chacun des élus concourt au bonheur de tous et la joie de tous fait le bonheur de chacun. Transparent à lui-même, parce qu'il est éclairé, non de la lumière du soleil et de la lune, mais de la gloire de Dieu même, le bienheureux est aussi transparent aux autres élus, et ceux-ci, illuminés d'un éclat pareil, lui sont lumineux comme une pierre

---

1. Nous avons plus longuement développé cette idée dans un article de la revue *Études*, 5 septembre 1930, sous le titre : *Salut personnel et gloire de Dieu*.

de jaspe cristallin ; il dilate en eux l'expansion de son amour et tous le pénètrent du rayonnement de leur charité.

Ce caractère communautaire de la béatitude éternelle n'est pas moins manifeste dans la vision de la Jérusalem nouvelle qui fixe une dernière fois les regards de saint Jean. Ce séjour des élus, qui succédera au monde terrestre, au premier ciel et à la première terre disparus, est une cité. Les élus sont rassemblés dans ses murs aux dimensions immenses et au prestigieux décor, qui reposent sur douze pierres fondamentales, portant les noms des douze apôtres de l'Agneau. Car l'Église du ciel continue celle de la terre ; elle achève et parfait les caractères de l'Église militante, son universalité, que symbolisent ses douze portes, disposées par groupes de trois à chacun des quatre points cardinaux, sa sainteté resplendissante et incorruptible. « Il n'y entrera rien d'impur, aucun artisan d'abomination et de mensonge, mais ceux-là seulement qui sont inscrits sur le livre de vie de l'Agneau » (*Apoc.*, XXI, 27). Toute la construction de la Jérusalem céleste, murs, portes et rues, n'est que de pierres précieuses, de perles, d'or pur, qui se renvoient l'éclat non du soleil, mais de la gloire même de Dieu. Car « la ville n'a besoin ni de soleil ni de lune pour l'éclairer : la gloire de Dieu l'illumine, et l'Agneau est son flambeau » (*Apoc.*, XXI, 23). Il n'y a pas de temple comme dans la Jérusalem terrestre ; Dieu lui-même est le temple. Il habite avec les élus d'une manière plus intime et plus parfaite que dans le Paradis de la Genèse. Celui-ci est évoqué, mais pour être transfiguré. Le fleuve de l'eau de la vie qui y coule, brillant comme du cristal, sort du trône de Dieu et de l'Agneau. Dieu nourrit ses élus des fruits de l'arbre de vie, mais il n'y aura plus de malédiction comme sur le premier Adam, parce qu'il n'y aura plus de désobéissance. « Le trône de Dieu et

de l'Agneau sera dans la ville et ses serviteurs l'adoreront ; ils verront sa face et son nom sera sur leurs
fronts... Le Seigneur Dieu répandra sa lumière sur
eux et ils régneront dans les siècles des siècles » (*Apoc.*,
XXII, 3-5).

Église militante et Église triomphante

Comme on l'a fait remarquer, « l'Église militante
elle-même n'a pas tout à fait disparu de la perspective
dans laquelle se place la vision, et certains traits de la
description s'appliqueraient mieux à l'Église terrestre [1] :
c'est que dans la pensée de saint Jean, il n'y a pas simplement succession entre la société des élus et la société
des fidèles, il y a entre les deux une parfaite continuité,
et, même, coexistence, l'une n'étant que la transfiguration de l'autre, et la gloire céleste n'étant que l'épanouissement de la vie de la grâce, laquelle, on le sait,
est déjà désignée, dans le langage de saint Jean, comme
la vie éternelle [2] ». Les symboles par lesquels sont repré-
sentées la vie bienheureuse et la façon dont Dieu se
communique aux élus, répondent aux signes sacramen-
tels d'ici-bas. « Le fleuve d'eau vive qui s'échappe du
trône rappelle d'une part l'eau du baptême, qui donne
la vie de la grâce, et le don de l'Esprit-Saint (*Jean*, VII,
38-39). Les fruits des arbres de vie rappellent l'Eucharistie, comme au début de l'Apocalypse (II, 7) [3]. »
Le Christ est le centre d'unité de toute l'Église,
temporelle et extra-temporelle, militante et triomphante.
Nous avons rappelé les acclamations des élus qui célèbrent sa gloire de « Roi des rois » et de « Seigneur des

---

1. Ainsi XXI, 24 : « Les nations marcheront à sa lumière et les rois
de la terre apportent en elle leur gloire » : le verset paraît évoquer
une marche sur terre, préparant l'entrée dans la gloire céleste.
2. L. VENARD, *Saint Jean vous parle*, Paris, 1942, p. 225-226.
3. *Ibid.*, p. 229.

seigneurs », tel que saint Jean nous le présente dans une de ses dernières visions (*Apoc.*, XIX, 11-16).

« Et je vis le ciel ouvert et voici un cheval blanc. Celui qui le monte s'appelle le Fidèle et le Véridique : c'est avec justice qu'il juge et combat. Ses yeux sont une flamme de feu ; il a sur la tête de nombreux diadèmes. Il porte un nom écrit que personne ne connaît, excepté lui. Il est vêtu d'un manteau teint de sang et son nom se dit : le Verbe de Dieu. Les armées du ciel le suivent sur des chevaux blancs, vêtues de fin lin, blanc [1] et pur. De sa bouche sort un glaive aigu pour qu'il en frappe les nations ; c'est lui qui les paîtra avec une houlette de fer et c'est lui qui foule la cuve du vin de la furieuse colère du Dieu tout-puissant. Il porte ce nom inscrit sur son manteau et sur sa cuisse : Roi des rois et Seigneur des seigneurs. »

Aux acclamations des élus doit répondre sur la terre le témoignage de l'Église rendant gloire au Christ ressuscité, le Témoin Fidèle et Véridique, élevé à la Seigneurie suprême. Ce témoignage, l'Église le rend en travaillant à la rédemption de l'humanité par la diffusion du Royaume du Christ à travers les épreuves et les persécutions avec une fidélité poussée, s'il le faut, jusqu'au martyre. Cette fin du Ier siècle où saint Jean écrivit son Apocalypse, fut une époque de persécution : pour les chrétiens il fallait choisir entre le Christ et le culte de Domitien [2]. Bien que l'empire romain ait disparu, la leçon à tirer du livre reste valable pour tous les temps. De l'Église sur terre on peut dire que sa condition permanente est celle de la *crisis*, tout ensemble choix de l'homme et jugement de Dieu, qui départage les courageux et les lâches, les témoins fidèles et les

---

1. Dans le symbolisme de l'Apocalypse, le blanc est la couleur de la victoire.

2. Voir notre étude *Apocalypse et Histoire,* dans la série *Construire,* t. XV, Paris, 1944, p. 82 sq.

apostats. Chacun se discerne, prend parti pour la vie
ou la mort éternelle d'après son attitude à l'égard du
Christ. « Celui qui croit en lui, n'est point jugé » ; il
s'est mis du côté de la vie. « Celui qui ne croit pas est
déjà jugé », condamné, il s'est rangé parmi les séparés
du Christ, « parce qu'il n'a pas cru au nom du Fils unique
de Dieu » (*Jean*, III, 18). Parce que le Christ reste « signe
de contradiction » (*Luc*, II, 34), l'Église sur terre doit
sans cesse lutter contre la réalité active du mal. Chaque
jour elle reprend la prière de l'Apocalypse (XXII, 20) :
« Venez, Seigneur Jésus », d'abord par la puissance
de votre grâce qui convertit les uns et condamne l'aveuglement coupable des autres, en attendant la manifestation suprême de la parousie définitive qui fera éclater
au grand jour ces conversions et ces endurcissements.
Cette attente vigilante des venues du Seigneur constitue
une attitude foncière de l'Église et un caractère essentiel
de l'espérance dans toute âme chrétienne.

L'exclusion du millénarisme

A cette attente du Christ venant prendre ses fidèles
pour les associer à sa gloire auprès du Père et faisant
éclater dans une manifestation suprême sa domination
de Seigneur et de Juge de l'humanité entière, faut-il
mêler l'espérance de ce qu'on a appelé le « millénarisme » ? Les uns, surtout dans les premiers siècles chrétiens, ont entendu par là un retour visible du Christ
sur terre pour y régner avec les Saints pendant mille
ans avant le Jugement général. A cette interprétation
contre laquelle se prononce maintenant le sentiment de
l'Église, bien qu'il n'y ait jamais eu de condamnation
formelle de cette doctrine comme « hérétique » [1], d'au-

---

1. Un décret de la Congrégation du Saint-Office en date du 21 juillet
1944 a condamné comme ne pouvant pas être enseignée sans impru-
dence relativement à la foi (*tuto doceri non posse*) la doctrine du

tres auteurs substituent de nos jours la conception d'un triomphe spirituel, institutionnel, de l'Église : une époque viendra, pensent-ils, où l'hostilité contre l'Église ayant cessé de la part des puissances politiques, la vérité évangélique triomphera, sinon dans tous les individus, du moins dans les institutions des collectivités humaines ; sur l'ensemble du globe terrestre les deux pouvoirs, politique et religieux, seront harmonieusement unis dans le service du Seigneur [1]. Bien que le millénarisme ainsi spiritualisé soulève moins d'objections que sous la première forme, nous ne pensons pas qu'il puisse s'appuyer solidement sur l'Écriture. Les témoignages font défaut, sauf un texte de l'Apocalypse (xx, 1-6), et celui-ci très discuté. Ce qui ressort des prédictions du Christ dans l'Évangile, c'est bien plutôt que la condition de l'Église sur terre sera tout ensemble assurée et précaire : assurée parce qu'elle a la promesse du Christ que les portes de l'enfer ne prévaudront pas contre elle, que les puissances du mal n'auront pas le dernier mot (*Matth.*, XVI, 18) ; précaire parce qu'elle est toujours, comme le Christ, un « signe de contradiction ». « Dans le monde vous aurez à souffrir, disait Jésus à ses disciples la veille de sa mort, mais courage, j'ai vaincu le monde » (*Jean*, XVI, 33). Quant au passage de l'Apocalypse invoqué de tout temps par les partisans du millénarisme, il ne contient aucune indication que ce règne du Christ avec les martyrs doive se dérouler

Millénarisme mitigé, selon lequel le Christ reviendrait de façon visible sur terre, avant le jugement dernier, précédé ou non de la résurrection d'un certain nombre de justes. Outre la référence aux *A. A. S.*, XXXVI, 1944, p. 212, voir le texte du décret et le commentaire du P. GILLEMAN dans la *Nouvelle Revue Théologique*, mai-juin 1945, p. 239-241.

1. On trouvera cette conception développée dans le livre du P. FÉRET, *L'Apocalypse de saint Jean. Vision chrétienne de l'histoire*, Paris, 1943, p. 298 sq.

sur la terre. Comme nous l'avons exposé ailleurs [1], nous ne voyons dans ce texte que la glorification des martyrs avec le Christ, avant qu'interviennent la fin du monde et la résurrection générale ; dès à présent ils sont associés au triomphe du Christ, participent à sa dignité de roi, de juge et de prêtre, sont soustraits à la « seconde mort », à la sentence de damnation qui sera prononcée à la fin du monde contre les impies.

La communion des saints

Cette coexistence de l'Église triomphante et de l'Église militante n'est pas une simple superposition sur deux plans différents, elle implique entre elles des communications et des échanges constants. Le même Christ glorifié que célèbrent les élus, est présent dans les communautés chrétiennes, d'une présence invisible, mais active et vigilante, comme le montrent les premiers chapitres de l'Apocalypse (II-III). Il « marche » parmi les chandeliers d'or qui sont les Églises (*Apoc.*, I, 20 ; II, I), dans une proximité aussi immédiate que Dieu l'était d'Adam, quand il parcourait l'Eden vers le soir (*Gen.*, III, 8). Il connaît les œuvres de chaque communauté, les épreuves, les victoires et les défaites, prêt à intervenir pour le châtiment des coupables (*Apoc.*, II, 16, 22-23) comme à entrer en hôte et en ami chez quiconque se repent et lui ouvre sa porte (*Apoc.*, III, 20). Le Christ n'est pas seul à s'intéresser à son Église. Les vingt-quatre vieillards, qui constituent autour du trône divin une sorte de sénat angélique, présentent à Dieu « des coupes de parfums qui sont les prières des saints » (*Apoc.*, V, 8) : ils jouent le rôle d'inter-

---

1. *Apocalypse et Histoire*, dans *Construire*, t. XV (année 1944), p. 99 ; *Autour de l'Apocalypse*, dans la revue *Dieu Vivant*, n° 5 (année 1946), p. 121-130.

cesseurs pour les membres de l'Église terrestre. Par le ministère des anges, la prière des chrétiens monte comme la fumée de l'encens devant le trône de Dieu (*Apoc.*, VIII, 3, 4). L'on voit encore les martyrs chrétiens déjà au ciel en appeler à la justice de Dieu contre leurs bourreaux : « Jusques à quand, Maître saint et véritable, tarderas-tu à juger et à venger notre sang sur ceux qui habitent sur terre? » (*Apoc.*, VI, 10). Dieu patiente, mais un jour viendra où il abattra l'empire romain persécuteur, la grande Babylone, symbole de tous les pouvoirs qui au cours des âges mèneront avec l'enfer la guerre contre Dieu et son Christ (*Apoc.*, XVII-XVIII) : sa chute préfigure la ruine qui les attend. Le triomphe des martyrs est une défaite du diable et fait sentir son influence sur l'Église militante. Satan est « enchaîné » (*Apoc.*, XX, 2) ; son pouvoir est diminué sans être complètement anéanti ; le diable peut mordre encore. Ce n'est qu'à la fin du monde qu'il sera mis définitivement hors d'état de nuire, lorsqu'il sera jeté dans l'étang de soufre et de feu pour les siècles des siècles (*Apoc.*, XX, 10). Il en est de l'humanité totale comme de l'homme individuel. Le combat ne cessera avec les puissances du mal, le péché, le diable et la mort, que lorsqu'elle aura atteint son ultime destinée, qui n'est pas matérielle et terrestre. En attendant, elle doit, surtout dans les meilleurs de ses fils, les saints et les martyrs, prier et pâtir, afin de faire dès ici-bas l'apprentissage de cette vie de charité qui est la substance même du ciel. « Notre Père qui êtes au cieux, ... que votre règne arrive ; que votre volonté soit faite sur la terre comme au ciel. » Pour que ces souhaits se réalisent, il y aura communication incessante entre l'Église militante et l'Église triomphante, montée de la prière humaine vers le trône de Dieu et de l'Agneau, descente de la grâce divine sur les habitants de la terre. Comme au-dessus du Fils de l'homme (*Jean*, I, 51), le ciel est ouvert et les anges de Dieu montent et descendent au-dessus de son Église. Jusqu'au dernier jour de l'humanité terrestre l'échelle de Jacob sera dressée entre le ciel et la terre. Plus encore que l'arc-en-ciel apparaissant au-dessus de la terre d'où s'étaient retirées les eaux du déluge, elle est le symbole de la Providence divine toujours en éveil pour assister son Église.

DEUXIÈME PARTIE

TEXTES ESSENTIELS

———

LIVRE I : TEXTES DE SAINT PAUL

L'INITIATION CHRÉTIENNE

Le plan divin du salut

Eph., I, 3-14.

Béni soit le Dieu et Père de notre Seigneur Jésus-Christ, qui du haut des cieux nous a comblés de toutes sortes de bénédictions spirituelles dans le Christ. En lui il nous avait choisis, avant la création du monde, pour être saints et sans tache à ses yeux dans la charité[1]. Il nous avait prédestinés, dans sa bienveillante et absolue liberté, à être ses enfants d'adoption par Jésus-Christ, pour faire éclater la magnificence de la grâce dont il nous a gratifiés dans son (Fils) bien-aimé.

C'est en (ce Fils), par l'effusion de son sang, que nous avons la rédemption, la rémission des péchés, comme un effet de la richesse de la grâce que (le Père) a répandue à profusion sur nous, en nous communiquant toute sagesse et prudence. Car il nous a fait connaître le mystérieux dessein que dans sa bienveillance il avait formé en lui-même pour être réalisé dans la plénitude des temps, de réunir toutes choses dans le Christ, celles qui sont dans les cieux et celles qui sont sur la terre.

C'est en lui que nous (les chrétiens venus du judaïsme), ayant été prédestinés selon le dessein de Celui qui accomplit tout au gré de sa volonté, nous avons été choisis pour servir à exalter sa gloire, nous qui avant (notre conversion) mettions déjà notre espoir dans le Christ. Et c'est en lui que vous aussi, (les chrétiens venus de la Gentilité), après avoir entendu la parole de vérité, l'évangile de votre salut, et

---

1. Ces mots peuvent être aussi joints à ce qui suit : « nous ayant prédestinés dans la charité ».

y avoir cru, vous avez été marqués du sceau de l'Esprit-Saint promis, ces arrhes de notre héritage, en attendant la pleine rédemption de ceux que Dieu s'est acquis, pour l'exaltation de sa gloire.

La Rédemption opérée par le Christ

Rom., III, 21-16.

Maintenant, indépendamment de la Loi (mosaïque), la justice de Dieu, à laquelle la Loi et les Prophètes rendent témoignage, a été manifestée : cette justice de Dieu[1], qui par la foi en Jésus-Christ s'étend à tous ceux qui croient, car il n'y a pas de distinction (entre Juifs et païens) : tous, en effet, ont péché et sont privés du rayonnement (en eux) de la gloire de Dieu[2]. Ils sont justifiés par sa bonté toute gracieuse, au moyen de la rédemption qui est dans le Christ Jésus : lui que Dieu a montré au monde comme instrument d'expiation en son sang, (expiation que l'homme s'approprie) par la foi. Ainsi manifeste-t-il sa justice, après avoir, au temps de sa patience, laissé impunis les péchés jadis commis ; ainsi manifeste-t-il sa justice dans le temps présent, afin qu'il soit établi qu'il est lui-même juste et source de justice pour qui a la foi en Jésus.

II Cor., V, 17-19, 21.

Si quelqu'un est dans le Christ, c'est une créature nouvelle : le passé a disparu, c'est maintenant un monde nouveau. Et tout cela vient de Dieu qui nous a réconciliés avec lui par le Christ et nous a confiés à nous (apôtres) le ministère de la réconciliation. En effet, par le Christ, Dieu se réconciliait le monde, ne tenant plus compte des fautes des hommes et mettant sur nos lèvres les paroles de la réconci-

---

1. Cette justice de Dieu est « à la fois son exigence de justice au sens propre, par le châtiment des péchés, et sa volonté miséricordieuse et fidèle de sauver les hommes » : P. BENOIT, *Revue Biblique*, 1938, p. 508, note I ; cf. notre commentaire de l'Épître aux Romains (collection *Verbum Salutis*), p. 151.

2. En langage théologique actuel on dira qu'ils sont privés de la grâce sanctifiante.

liation. ... Celui qui ne connaissait pas le péché, Dieu l'a fait péché pour nous, afin qu'en lui, (le Christ), nous devenions justice de Dieu.

Le baptême chrétien : mort et résurrection

Rom., VI, 2-11.

Nous qui sommes morts au péché, comment pourrions-nous vivre encore dans le péché ? Ignorez-vous que nous tous qui avons été baptisés dans le Christ Jésus, c'est en sa mort que nous avons été baptisés ? Nous avons donc été ensevelis avec lui par le baptême qui nous plongeait dans sa mort, afin que comme le Christ a été ressuscité des morts par la gloire de son Père[1], nous aussi nous vivions d'une vie nouvelle. Si, greffés en lui, nous sommes devenus un avec lui par une mort semblable à la sienne, nous le serons aussi par une semblable résurrection : sachant que notre vieil homme a été crucifié avec lui, pour que fût détruit notre corps de péché et que nous ne fussions plus les esclaves du péché : car celui qui est mort est déclaré quitte de son péché[2]. Mais si nous sommes morts avec le Christ, nous croyons que nous vivrons aussi avec lui, certains que le Christ, une fois ressuscité des morts, ne meurt plus, que la mort n'a plus sur lui d'empire. Sa mort fut une mort au péché une fois pour toutes ; sa vie est une vie pour Dieu. Et vous, de même, regardez-vous comme morts au péché, mais vivants pour Dieu dans le Christ Jésus.

Col., II, 11-15.

C'est dans le Christ que vous avez été circoncis d'une circoncision non faite de main d'homme, qui vous dépouillait de votre corps charnel, la circoncision du Christ : ensevelis avec lui par le baptême, en lui et avec lui vous êtes ressuscités par votre foi en la puissance de Dieu qui l'a ressuscité

---

1. « La gloire de son Père », c'est-à-dire sa puissance éclatante.
2. Principe de justice humaine : la mort du coupable éteint l'action judiciaire. De même le chrétien qui est mort avec le Christ par le baptême, est quitte de ses péchés.

des morts. Alors que vous étiez morts par vos péchés et par l'incirconcision de votre chair, Dieu vous a fait revivre avec le Christ, nous pardonnant tous nos péchés, effaçant l'acte qui était contre nous et dont les dispositions nous étaient contraires[1], et il l'a aboli en le clouant à la croix. Il a dépouillé (de leur pouvoir) les Principautés et les Puissances (démoniaques) et les a exposées publiquement à la dérision, en triomphant d'elles dans la croix.

Le baptême et l'Église

Eph., v, 25-27.

Maris, aimez vos femmes comme le Christ a aimé l'Église et s'est livré pour elle, afin de la sanctifier par le bain d'eau qu'une formule accompagne, voulant la faire paraître devant lui, cette Église, toute glorieuse, sans tache ni ride ni rien de tel, mais sainte et irréprochable.

Eph., IV, 4-6.

Il n'y a qu'un seul corps et un seul Esprit, comme aussi vous avez été appelés par votre vocation à une seule espérance. Il n'y a qu'un Seigneur, une foi, un baptême. Il n'y a qu'un Dieu et Père de tous, qui est au-dessus de tout, qui pénètre tout et est en tout.

Le baptême et l'Esprit

I Cor., XII, 13.

Tous nous avons été baptisés dans un seul Esprit pour former un seul corps, Juifs ou Grecs[2], esclaves ou hommes libres, et tous nous avons été abreuvés d'un seul et même Esprit.

---

1. Les uns entendent par cet acte, ce *chirographe*, la Loi mosaïque et ses prescriptions que le Christ aurait abolies par sa mort ; les autres, la somme des châtiments que les commandements divins, violés par nos péchés, réclamaient contre nous. Voir notre commentaire des Épîtres de la captivité (collection *Verbum Salutis*) en *Col.*, II, 14.

2. *Grecs*, synonyme de païens, Gentils.

Gal., III, 26-28 ; IV, 6.

Vous êtes tous fils de Dieu par la foi au Christ Jésus. Vous tous qui avez été baptisés au Christ (pour lui appartenir), vous avez revêtu le Christ. Il n'y a plus désormais de Juif ni de Grec, plus d'esclave ni d'homme libre, plus d'homme ni de femme ; vous n'êtes tous qu'un dans le Christ Jésus...

Parce que vous êtes ses fils, Dieu a envoyé dans vos cœurs l'Esprit de son Fils qui crie : « Abba! Père! » Tu n'es donc plus esclave, mais fils ; or, si tu es fils, tu es aussi, de par Dieu, héritier.

Rom., VIII, 15.

Vous n'avez pas reçu un esprit de servitude pour retomber dans la crainte, mais vous avez reçu un esprit d'adoption filiale, qui vous fait vous écrier : « Abba! Père! »

Unité des Juifs et des païens dans le Christ

Eph., II, 11-22.

Souvenez-vous qu'autrefois, vous les païens de naissance, qui êtes traités d'incirconcis par ceux qui se disent circoncis et qui le sont dans leur chair d'une circoncision faite de main d'homme, souvenez-vous qu'en ce temps-là vous étiez en dehors du Christ, exclus de la théocratie d'Israël, étrangers aux dispositions de la Promesse,[1] sans espérance et sans Dieu dans le monde. Mais à présent, dans le Christ Jésus, vous qui étiez *loin*, vous êtes devenus *proches* par le sang du Christ. Car c'est lui qui est notre paix, lui qui des deux peuples n'en a fait qu'un et a renversé le mur qui les séparait, la haine, en abolissant dans sa chair la Loi, avec ses ordonnances et décrets. Il a voulu ainsi de ces deux peuples former en lui un seul homme nouveau, en établissant la paix, et, devenus un seul corps, les réconcilier tous deux

---

1. On peut aussi traduire, en suivant la ponctuation de la Vulgate : « étrangers aux alliances, sans espérance de la Promesse ». Cette Promesse est celle qui fut faite à Abraham, qu'en lui seraient bénies toutes les nations (*Gen.*, XVIII, 18).

avec Dieu par sa croix, après avoir tué en lui[1] la haine. Et il est venu vous annoncer la paix à vous qui étiez *loin*, il l'a annoncée aussi à ceux qui étaient *près*; car c'est par lui que, les uns et les autres, nous avons accès auprès du Père dans un même Esprit.

Ainsi donc vous n'êtes plus des étrangers ni de simples résidents ; mais vous êtes concitoyens des saints et membres de la famille de Dieu, bâtis que vous êtes sur le fondement des apôtres et des prophètes[2], avec le Christ comme clef de voûte. C'est en lui que toute la construction, en liaison parfaite, s'élève pour former un temple saint dans le Seigneur ; c'est en lui que vous aussi, vous êtes conjointement édifiés (avec les Juifs) pour devenir la demeure spirituelle de Dieu[3].

Eph., III, 4-7.

Vous pouvez en me lisant vous rendre compte de l'intelligence que j'ai du mystère du Christ, mystère qui dans les générations passées n'a pas été manifesté aux enfants des hommes comme de nos jours il a été révélé par l'Esprit à ses saints apôtres et prophètes : à savoir que les Gentils sont cohéritiers (avec les Juifs), membres du même corps et avec eux bénéficiaires de la Promesse dans le Christ Jésus, par l'Évangile dont je suis devenu le ministre selon le don de la grâce que Dieu m'a départie par son opération toute-puissante.

---

1. *En lui*, dans le Christ; d'autres comprennent « dans la croix ».
2. Ces prophètes sont ceux du Nouveau Testament, ces chrétiens charismatiques qui continuaient l'œuvre du Christ dans les églises fondées par les apôtres (ici, au sens large, non réservé aux Douze).
3. On traduit aussi : « pour former par l'Esprit la demeure de Dieu ».

CHAPITRE II

LA VIE CHRÉTIENNE

La loi du progrès spirituel

Phil., III, 12-14.

Ce n'est pas que j'aie déjà remporté le prix ou que je sois déjà parvenu au terme de la perfection : mais je continue à courir pour tâcher de le saisir, parce que j'ai été moi-même saisi par le Christ Jésus. Frères, je ne me flatte pas encore de l'avoir saisi ; une seule chose m'occupe : oubliant ce qui est en arrière, tendu de tout mon effort vers ce qui est en avant, je cours droit au but, vers la récompense à laquelle Dieu m'appelle là-haut dans le Christ Jésus.

La nécessité du combat spirituel

Rom., VI, 11-13, 19.

Regardez-vous comme morts au Péché, mais vivants pour Dieu dans le Christ Jésus. Que le Péché ne règne donc plus dans vos corps mortels, en sorte que vous obéissiez à ses convoitises. Ne mettez pas non plus vos membres au service du Péché comme des armes d'iniquité, mais offrez-vous à Dieu comme des ressuscités et mettez vos membres au service de Dieu comme des armes de sainteté... Donc, de même que vous avez mis vos membres au service de l'impureté et de l'iniquité pour le règne en vous de l'iniquité, mettez maintenant vos membres au service de la justice[1] pour devenir des saints.

I Cor., IX, 24-27.

Ne savez-vous pas que dans les courses du stade, de tous ceux qui courent un seul remporte le prix ? Courez de même de manière à gagner. Pas d'athlète qui ne s'impose des restrictions de toute sorte : eux, pour gagner une cou-

---

1. *Justice*, au sens de sainteté, perfection.

ronne périssable, mais nous, une couronne immortelle. Pour moi, c'est ainsi que je cours, non à l'aveuglette ; c'est ainsi que je lutte, non en tapant dans le vide. Je frappe mon corps et j'en fais mon esclave, de peur qu'après avoir été pour les autres le héraut de l'Évangile, je ne sois moi-même disqualifié.

La lutte de l'esprit contre la chair [1]

Gal., v, 13, 16-25.

Pour vous, mes frères, c'est à la liberté que vous avez été appelés. Seulement ne faites pas de cette liberté un tremplin pour les désirs de la chair, mais rendez-vous par la charité serviteurs les uns des autres... Je dis donc : Conduisez-vous selon l'esprit et vous n'accomplirez pas les convoitises de la chair. Car les désirs de la chair vont à l'encontre de l'esprit, et les désirs de l'esprit à l'encontre de la chair. Ils sont radicalement opposés l'un à l'autre, de sorte que vous ne faites pas ce que vous voudriez. Mais si vous êtes conduits par l'esprit, vous n'êtes plus sous la Loi.

Les œuvres de la chair sont manifestes : ce sont la fornication, l'impureté, le libertinage, l'idolâtrie, la magie, les haines, l'esprit de querelle, l'envie, les emportements, les disputes, les dissensions, les factions, les jalousies, l'ivrognerie, les orgies et d'autres choses semblables. Je vous en préviens, comme je l'ai déjà fait, ceux qui commettent de telles actions, n'auront pas de part au Royaume de Dieu.

Le fruit de l'Esprit, au contraire, c'est la charité, la joie, la paix, la longanimité, la bénignité, la bonté, la fidélité, la douceur, la tempérance : contre de telles choses il n'y a pas de Loi.

---

1. L'esprit *(pneuma)* est le principe divin qui est dans l'homme communication de l'Esprit-Saint. La chair, prise ici au sens péjoratif, comprend tout l'ensemble des appétits et tendances qui inclinent l'homme au péché. Elle a pour auxiliaires du dehors « le monde » ou ensemble des forces terrestres qui font obstacle au Règne de Dieu, et les démons.

2. On traduit aussi : « contre de telles gens (qui pratiquent de telles vertus) il n'y a pas de Loi qui puisse les condamner ».

Ceux qui sont au Christ Jésus, ont crucifié leur chair avec ses passions et ses convoitises. Si nous vivons par l'Esprit, conduisons-nous aussi selon l'Esprit.

Rom., VIII, 5-9 ; 12-14.

Ceux qui vivent selon la chair, ont leur goût aux choses de la chair, et ceux qui vivent selon l'esprit, aux choses de l'esprit. Car les tendances de la chair vont à la mort, mais les tendances de l'esprit à la vie et à la paix. Les tendances de la chair sont hostilité contre Dieu : elles ne sont pas soumises à la loi de Dieu, et même elles ne peuvent pas l'être ; et ceux qui sont charnels, ne sauraient plaire à Dieu.

Pour vous, vous n'êtes pas les sujets de la chair, mais de l'esprit, s'il est vrai que l'Esprit de Dieu habite en vous ; mais si quelqu'un n'a pas l'Esprit du Christ, il ne lui appartient pas...

Ainsi donc, frères, nous sommes redevables, non à la chair de vivre selon la chair[1]... Car si vous vivez selon la chair, vous mourrez ; mais si par l'esprit vous faites mourir les œuvres de la chair, vous vivrez. Car tous ceux qui sont mus par l'Esprit de Dieu, ceux-là sont fils de Dieu.

Col., III, 1-11.

Si vous êtes ressuscités avec le Christ, cherchez les choses d'en haut, là où le Christ est assis à la droite de Dieu ; ayez le goût des choses d'en haut, non des choses terrestres. Car vous êtes morts et votre vie est cachée avec le Christ en Dieu. Lorsque le Christ se manifestera, lui qui est votre vie, alors vous aussi vous apparaîtrez avec lui dans la gloire.

Mortifiez donc les membres de l'homme terrestre, mettez à mort la fornication, l'impureté, la passion coupable, le mauvais désir et la cupidité qui est une idolâtrie : à cause de quoi la colère de Dieu s'abat sur les fils de rébellion. C'est ainsi que vous-mêmes vous comportiez autrefois, lorsque vous viviez dans ces désordres. Mais à présent,

---

1. On attend comme second membre : « mais à l'esprit de vivre selon l'esprit » ; saint Paul a interrompu sa phrase pour donner un dernier avertissement sur la vie selon la chair.

vous aussi, rejetez tout cela : la colère, l'emportement, la méchanceté, la diffamation, les propos déshonnêtes, les mensonges mutuels, dépouillant le vieil homme avec ses pratiques et revêtant l'homme nouveau qui se renouvelle en la connaissance, se conformant à l'image de Celui qui l'a créé ; là où il n'y a plus ni Grec ou Juif, ni circoncis ou incirconcis, ni barbare, Scythe, esclave ou homme libre, mais le Christ tout et en tous.

La lutte contre les esprits du mal

Eph., VI, 10.

Prenez force dans le Seigneur et dans la vigueur de sa puissance. Revêtez-vous de l'armure de Dieu, afin de pouvoir tenir bon contre les manœuvres du diable ; car nous n'avons pas à lutter contre la chair et le sang, mais contre les Principautés, contre les Puissances, contre les Maîtres de ce monde de ténèbres, contre les esprits de malice qui sont dans les régions célestes.

Prenez donc l'armure de Dieu, afin de pouvoir résister au jour mauvais, et, tout devoir accompli, demeurer vainqueurs. Tenez donc ferme, ayant pris pour ceinture la vérité, pour cuirasse la justice, et pour chaussures l'empressement à annoncer l'Évangile de la paix. En toute circonstance[1], ayez au bras le bouclier de la foi, avec lequel vous pourrez éteindre tous les traits enflammés du Malin. Mettez aussi le casque du salut et armez-vous du glaive de l'Esprit, qui est la Parole de Dieu.

Par toutes sortes de prières et de supplications, priez en tout temps en esprit ; occupez-y vos veilles avec une persévérance infatigable et priez pour tous les saints...

Impuissance morale de l'homme sans la grâce et triomphe par le Christ

Rom., VII, 11-VIII, 4.

Nous savons que la Loi est spirituelle, mais moi, je suis

---

1. Suivant une autre leçon : « par-dessus tout ».

charnel, vendu comme esclave au péché. Mon action m'est incompréhensible : ce que je veux, je ne le fais pas ; ce que j'abhorre, je le fais. Mais si je fais ce que je ne veux pas, je témoigne par là même que la Loi est bonne. Mais alors, ce n'est plus moi qui le fais, c'est le péché qui habite en moi. Car je sais qu'en moi, c'est-à-dire dans ma chair, n'habite rien de bon. Vouloir est à ma portée ; mais accomplir le bien, non pas. Car je ne fais pas le bien que je veux, mais je fais le mal que je ne veux pas. Or, si je fais le mal que je ne veux pas, ce n'est plus moi qui le fais, mais le péché qui habite en moi. Je constate donc cette loi pour moi qui voudrais faire le bien : que c'est le mal qui est à ma portée. Je me complais dans la Loi de Dieu selon l'homme intérieur, mais je vois dans mes membres une autre loi qui lutte contre la loi de mon esprit et me tient captif sous la loi du péché qui est dans mes membres.

Malheureux homme que je suis! qui me délivrera de ce corps de mort! Grâces soient rendues à Dieu par Jésus-Christ notre Seigneur...

Il n'est donc plus maintenant de condamnation contre ceux qui sont dans le Christ Jésus. Car la loi de l'esprit de vie dans le Christ Jésus t'a affranchi de la loi du péché et de la mort. Ce qui était impossible à la Loi, parce qu'elle était sans force à cause de la résistance de la chair, Dieu l'a réalisé, quand, ayant envoyé son propre Fils dans une chair semblable à celle du péché et pour vaincre le péché, il a condamné le péché dans la chair, afin que les exigences de la Loi fussent accomplies en nous qui ne nous conduisons pas selon la chair, mais selon l'Esprit.

Mise en garde contre la présomption

I Cor., x, 1-12.

Je ne veux pas que vous l'ignoriez, frères : nos pères ont tous été sous la nuée, tous ont passé à travers la mer, tous ont été baptisés en Moïse dans la nuée et dans la mer, tous ont mangé du même aliment spirituel et tous ont bu du même breuvage spirituel[1] : ils buvaient, en effet, à un rocher spirituel qui les accompagnait, et ce rocher était le Christ. Et cependant la plupart d'entre eux ne furent pas agréables à Dieu, puisque leurs cadavres jonchèrent le désert.

Ces faits ont eu lieu pour nous servir d'exemples, afin que nous ne nous abandonnions pas aux convoitises mauvaises, comme ceux-là le firent. Ne soyez pas idolâtres, comme le furent quelques-uns d'entre eux dont il est écrit : « Le peuple s'assit pour manger et boire, puis ils se levèrent pour se divertir ». Ne nous livrons pas à l'impudicité comme le firent certains d'entre eux, et il en tomba vingt-trois mille en un seul jour. Ne tentons pas le Seigneur comme le firent certains d'entre eux, et ils périrent victimes des serpents. Ne murmurez pas comme le firent certains d'entre eux, et ils périrent sous les coups de l'Exterminateur.

Tout cela leur est arrivé pour servir d'exemple et a été consigné dans l'Écriture pour notre instruction, à nous qui touchons à la fin des temps. Ainsi donc que celui qui se croit ferme prenne garde de tomber.

Phil., II, 12-17.

Mes bien-aimés, obéissant comme vous l'avez toujours fait, travaillez à votre salut avec crainte et appréhension, non pas seulement quand je suis là, mais bien plus encore maintenant que je suis loin de vous. Car c'est Dieu qui opère en vous le vouloir et le faire, par pure bienveillance. Faites tout sans murmures ni discussions, afin d'être irréprochables et purs, enfants de Dieu irrépréhensibles au milieu d'une génération perverse et dévoyée où vous brillez comme des astres dans l'univers, tenant ferme la Parole de vie, pour que je puisse me glorifier au Jour du Christ de n'avoir pas couru en vain et de n'avoir pas peiné pour rien.

---

1. Le passage de la Mer Rouge est le symbole du baptême ; la manne et l'eau jaillie miraculeusement du rocher figurent l'Eucharistie sous ses apparences d'aliment et de breuvage.

Confiance du chrétien

I Cor., I, 4-9.

Je ne cesse de remercier Dieu à votre sujet pour la grâce divine qui vous a été donnée dans le Christ Jésus. En lui vous avez été comblés de toutes les richesses, toutes celles de la parole et toutes celles de la connaissance, dans la mesure où le témoignage du Christ a été solidement établi parmi vous. Ainsi vous ne manquez d'aucun don spirituel, en attendant la manifestation de notre Seigneur Jésus-Christ. C'est lui qui vous affermira jusqu'au bout, pour que vous soyez sans reproche au Jour de notre Seigneur Jésus-Christ. Il est fidèle, le Dieu qui vous a appelés à la communion de vie avec son Fils Jésus-Christ, notre Seigneur.

Rom., VIII, 14-38.

Tous ceux qui sont conduits par l'Esprit de Dieu, sont les enfants de Dieu. Car vous n'avez pas reçu un esprit de servitude pour retomber dans la crainte, mais vous avez reçu un esprit d'adoption filiale, qui nous fait nous écrier : « *Abba !* Père ! » L'Esprit lui-même se joint à notre esprit pour attester que nous sommes enfants de Dieu. Enfants, donc héritiers : héritiers de Dieu, cohéritiers du Christ, si du moins nous souffrons avec lui pour être aussi glorifiés avec lui.

J'estime que les souffrances du temps présent sont sans proportion avec la gloire qui doit se révéler en nous. Aussi la création, dans une attente impatiente, aspire-t-elle à ce que se révèle cette gloire des fils de Dieu. La création, en effet, a été assujettie à la vanité, non de son plein gré, mais par la volonté de Celui qui l'y a assujettie ; toutefois elle a gardé l'espérance[1] qu'elle aussi sera affranchie de l'esclavage de la corruption pour participer à la gloire des enfants de Dieu. Car nous savons que jusqu'à présent la création tout entière gémit et souffre les douleurs de l'enfantement.

---

1. On traduit aussi, d'après une autre leçon : « elle a gardé l'espérance, car elle aussi... »

Il n'y a pas qu'elle. Nous aussi qui possédons les prémices de l'Esprit, nous gémissons en nous-mêmes dans l'attente de notre (pleine) adoption : la rédemption de notre corps. Car c'est en espérance que nous avons été sauvés. Or voir ce qu'on espère, ce n'est plus de l'espérance : ce que l'on voit, qu'a-t-on encore à l'espérer ? Mais si nous espérons ce que nous ne voyons pas, c'est dans la patience que nous l'attendons.

A son tour, l'Esprit-Saint vient en aide à notre faiblesse. Car nous ne savons pas prier comme il faut, mais l'Esprit lui-même intercède pour nous en des gémissements ineffables, et Celui qui scrute les cœurs connaît les aspirations de l'Esprit, que c'est selon Dieu qu'il intercède pour les saints.

Nous savons qu'en toutes choses Dieu collabore au bien de ceux qui l'aiment, de ceux qui ont reçu son appel conformément à son dessein. Car ceux qu'il a connus d'avance, il les a aussi prédestinés à reproduire l'image de son Fils, pour qu'il soit ainsi l'aîné d'une multitude de frères. Ceux qu'il a prédestinés, il les a aussi appelés ; ceux qu'il a appelés, il les a aussi justifiés ; ceux qu'il a justifiés, il les a aussi glorifiés.

Qu'ajouter à cela ? Si Dieu est pour nous, qui sera contre nous ? Lui qui n'a pas épargné son propre Fils, mais qui l'a livré pour nous tous, comment avec lui ne nous donnerait-il pas toutes choses ?

Qui accusera les élus de Dieu ? Dieu qui les justifie !

Qui les condamnera ? Le Christ Jésus, qui est mort, que dis-je ? qui est ressuscité, qui est à la droite de Dieu, qui intercède pour nous !

Qu'est-ce qui nous séparera de l'amour du Christ ? la tribulation ? la détresse ? la persécution ? la faim ? la nudité ? le péril ? le glaive ? Car il est écrit : « A cause de toi, on nous met à mort tout le long du jour ; on nous traite comme des brebis de boucherie. » Mais en tout cela nous sommes plus que vainqueurs grâce à Celui qui nous a aimés. Oui, j'en ai l'assurance, ni la mort ni la vie, ni les anges ni les principautés, ni le présent ni l'avenir, ni les puissances, ni la hauteur ni la profondeur, ni aucune autre créature ne saurait nous séparer de l'amour que Dieu nous manifeste dans le Christ Jésus, notre Seigneur.

La liberté chrétienne

Gal., IV, 22-V, I, 13-14.

Il est écrit qu'Abraham eut deux fils, l'un de l'esclave, l'autre de la femme libre[1]. Celui de l'esclave était l'enfant de la chair, celui de la femme libre, l'enfant de la Promesse. Ces faits ont un sens allégorique : ces femmes sont les deux alliances. L'une, originaire du mont Sinaï et qui enfante pour l'esclavage, c'est Agar (le Sinaï, en effet, est une montagne d'Arabie[2]). Agar symbolise la Jérusalem actuelle, car celle-ci est esclave avec ses enfants. Mais la Jérusalem d'en haut est libre et c'est elle qui est notre mère, car il est écrit : « Réjouis-toi stérile, toi qui n'enfantais pas ; éclate en cris de joie, toi qui ignorais les douleurs de l'enfantement. Car les enfants de la délaissée sont plus nombreux que ceux de la femme qui a son mari ».

Pour vous, mes frères, vous êtes comme Isaac les enfants de la Promesse. Mais de même qu'autrefois l'enfant de la chair persécutait l'enfant de la Promesse, ainsi en est-il maintenant encore. Mais que dit l'Écriture ? « Chasse l'esclave et son fils ; car le fils de l'esclave ne doit pas avoir part à l'héritage avec celui de la femme libre ». Ainsi donc, mes frères, nous ne sommes pas les enfants de l'esclave, mais de la femme libre.

C'est pour que nous demeurions libres que le Christ nous a libérés. Tenez donc ferme et ne vous remettez pas sous le joug de la servitude (des observances mosaïques)...

C'est à la liberté que vous avez été appelés, frères : seulement, que cette liberté ne soit pas un tremplin pour les désirs de la chair, mais par la charité rendez-vous serviteurs les

---

1. D'Agar, servante de Sara, Abraham eut un fils, Ismaël, et de Sara, l'épouse libre, Isaac, qui fut conçu après que Dieu l'eut promis à Abraham et à Sara, tous deux avancés en âge, et qu'Abraham eut cru à cette promesse.

2. L'Arabie, pays de la postérité d'Agar.

uns des autres. Car toute la Loi tient en cet unique précepte :
Tu aimeras le prochain comme toi-même.

Rom., VIII, 1-4.

Il n'est plus maintenant de condamnation contre ceux
qui sont dans le Christ Jésus. La loi de l'esprit de vie dans
le Christ Jésus t'a libéré de la loi du péché et de la mort.
Car ce qui était impossible à la Loi, parce qu'elle était
sans force à cause de la résistance de la chair, Dieu l'a
réalisé, quand, ayant envoyé son Fils dans une chair semblable à celle du péché et pour vaincre le péché, il a condamné
le péché dans la chair, afin que les exigences de la Loi
fussent accomplies en nous qui ne nous conduisons pas
selon la chair, mais selon l'esprit.

Liberté et charité apostolique

I Cor., IX, 19-23.

Alors que je suis libre à l'égard de tous, je me suis mis
au service de tous, afin d'en gagner le plus grand nombre
possible. Je me suis fait Juif avec les Juifs, pour gagner
les Juifs ; avec ceux qui sont sous la Loi, je me suis assu-
jetti à la Loi, bien que personnellement je ne sois pas sous
la Loi, afin de gagner ceux qui sont sous la Loi. Avec ceux
qui n'ont pas la Loi, j'ai été comme n'ayant pas la Loi, —
quoique je ne sois pas en dehors de la Loi de Dieu, étant
sous la Loi du Christ, — afin de gagner ceux qui n'ont
pas la Loi. Je me suis fait faible avec les faibles pour gagner
les faibles. Je me suis fait tout à tous, afin que de toute
manière j'en sauve quelques-uns. Tout cela, je le fais
pour l'Évangile, afin d'avoir part moi aussi à ses biens.

La charité

Gal., V, 13-14.

C'est à la liberté que vous avez été appelés, frères, mais
que cette liberté ne soit pas un tremplin pour les désirs
de la chair, mais par la charité rendez-vous les serviteurs

les uns des autres. Car toute la Loi tient en cet unique précepte : Tu aimeras le prochain comme toi-même.

Gal., VI, 2.

Aidez-vous mutuellement à porter vos fardeaux et ainsi vous accomplirez la loi du Christ.

I Cor., X, 24.

Que personne ne cherche son propre avantage, mais celui du prochain.

I Cor., X, 33.

Je m'efforce de complaire à tous en toutes choses, ne cherchant pas mon propre avantage, mais celui du prochain.

Rom., XII, 9-21.

Que votre charité soit sans feinte. Haïssez le mal, attachez-vous au bien, vous chérissant mutuellement d'un amour fraternel, chacun prévenant les autres par les égards. Pas de nonchalance dans le zèle, soyez fervents d'esprit, appliqués au service du Seigneur ; joyeux dans l'espérance, patients dans la tribulation, persévérants dans la prière. Subvenez aux besoins des saints ; pratiquez avec empressement l'hospitalité.

Bénissez ceux qui vous persécutent, bénissez, ne maudissez pas.

Réjouissez-vous avec ceux qui sont dans la joie, pleurez avec ceux qui pleurent.

Vivez en bonne intelligence. N'aspirez pas aux grandeurs, mais portez-vous vers ce qui est humble. N'ayez pas de vous-mêmes une opinion avantageuse.

Ne rendez à personne le mal pour le mal ; ayez souci de faire le bien devant tout le monde. S'il se peut, pour autant qu'il dépend de vous, vivez en paix avec tout le monde. Ne vous faites pas justice à vous-mêmes, mes bien-aimés ; laissez agir la colère de Dieu, car il est écrit : « A moi la vengeance. C'est moi qui rendrai à chacun son dû », dit le Seigneur. Au contraire, si ton ennemi a faim, donne-lui à manger ; s'il a soif, donne-lui à boire. Ce faisant, tu amasseras des charbons ardents sur sa tête[1]. Ne te laisse pas vaincre par le mal ; triomphe du mal par le bien.

Rom., XIII, 8-10.

N'ayez de dette envers personne, sinon celle de l'amour mutuel ; car celui qui aime autrui a accompli la Loi. Car les commandements : « Tu ne commettras pas d'adultère, tu ne tueras pas, tu ne voleras pas, tu ne convoiteras pas » et quelque autre précepte qu'il y ait, tout cela est récapitulé dans cette parole : « Tu aimeras ton prochain comme toi-même ». La charité ne fait point de mal au prochain. La charité est donc le plein accomplissement de la Loi.

Eph., IV, 32-V, 2.

Soyez bons les uns pour les autres, miséricordieux, vous pardonnant mutuellement comme Dieu vous a pardonné dans le Christ. Soyez donc les imitateurs de Dieu comme il sied à des enfants bien-aimés. Vivez dans la charité à l'exemple du Christ qui nous a aimés et s'est livré pour nous comme une offrande et un sacrifice d'agréable odeur présenté à Dieu.

I Cor., XIII, 1-13.

Quand je parlerais en langues des hommes et des anges, si je n'ai pas la charité, je ne suis qu'un airain qui résonne et qu'une cymbale qui retentit. Et quand j'aurais le don de prophétie et que je connaîtrais tous les mystères et toute la gnose, et quand je posséderais la plénitude de la foi jusqu'à transporter les montagnes, si je n'ai pas la charité, je ne suis rien. Et quand je donnerais tout mon bien pour nourrir les pauvres et quand je livrerais mon corps aux flammes, si je n'ai pas la charité, cela ne me sert de rien.

La charité est magnanime, la charité est bienveillante ;

---

1. Ces charbons ne figurent pas les châtiments divins, mais la douleur du remords que devraient provoquer dans le cœur de l'ennemi les bienfaits dont il est l'objet de la part de celui qu'il a offensé : voir notre Épître aux Romains, *in loc.*

elle n'est pas envieuse ; la charité n'a ni jactance ni enflure ; elle ne fait rien d'inconvenant, elle ne cherche pas son intérêt, elle ne s'irrite pas, elle ne garde pas rancune du mal ; elle ne se réjouit pas de l'injustice, elle met sa joie dans la vérité. Elle excuse tout, croit tout, espère tout, supporte tout.

La charité ne passera jamais. Les prophéties ? elles disparaîtront. Les langues ? Elles cesseront. La gnose ? Elle disparaîtra. Car c'est imparfaitement que nous connaissons et imparfaitement que nous prophétisons. Mais quand sera venu ce qui est parfait, ce qui est imparfait disparaîtra. Quand j'étais enfant, je parlais en enfant, je pensais en enfant, je raisonnais en enfant ; devenu homme, je me suis défait de ce qui était de l'enfant. Présentement, nous voyons dans un miroir et d'une manière obscure ; alors nous verrons face à face. Présentement je connais d'une manière imparfaite ; alors je connaîtrai comme je suis connu.

Maintenant, ces trois choses demeurent, la foi, l'espérance et la charité ; mais la plus grande des trois est la charité.

Le Christ, modèle de la charité

Gal., II, 20.

Pour ce qui est de ma vie ici-bas, c'est une vie dans la foi au Fils de Dieu qui m'a aimé et s'est livré pour moi.

II Cor., VIII, 9.

Vous connaissez la libéralité de notre Seigneur Jésus-Christ ; vous savez qu'il s'est fait pauvre pour vous, de riche qu'il était, afin de vous enrichir par sa pauvreté.

Rom., XV, 1-3.

Nous devons, nous les forts, porter les infirmités des faibles et ne pas chercher notre propre agrément. Que chacun de nous cherche à plaire au prochain pour le bien, en vue de l'édification ; car le Christ n'a pas cherché son propre agrément, mais, comme il est écrit, « les outrages de ceux qui t'outrageaient sont tombés sur moi ».

Phil., II, 1-11.

Si la consolation dans le Christ a quelque valeur, quelque valeur le réconfort de la charité, quelque valeur la commune participation à l'Esprit, quelque valeur la tendresse et la compassion, mettez le comble à ma joie en étant tous bien unis. Ayez même charité, même cœur, mêmes pensées. Ne faites rien par esprit de rivalité ou de vaine gloire, mais en toute humilité regardez les autres comme vous étant supérieurs. Cherchez chacun non votre seul intérêt, mais aussi celui des autres.

Ayez entre vous les mêmes sentiments que vous avez dans le Christ Jésus [1] : lui qui subsistait en condition divine, il ne s'est pas attaché jalousement à son égalité de droits avec Dieu, mais il s'est anéanti, prenant la condition de serviteur et se faisant semblable aux hommes. Ayant pris visiblement tous les dehors de l'homme, il s'est abaissé en se faisant obéissant jusqu'à la mort et la mort sur la croix. C'est pourquoi Dieu l'a souverainement exalté et lui a donné le Nom qui est au-dessus de tout nom [2], afin qu'au nom de Jésus tout genou fléchisse au ciel, sur la terre et dans les enfers, et que toute langue proclame, à la gloire de Dieu le Père, que Jésus-Christ est Seigneur.

Col., III, 13.

Supportez-vous les uns les autres et pardonnez-vous mutuellement si vous avez l'un contre l'autre quelque sujet de plainte. Comme le Seigneur vous a pardonné, vous aussi pardonnez.

Eph., V, 2 (voir *supra*, p. 250).

Connaissance et charité

I Cor., VIII, 1, 3.

La science enfle tandis que la charité édifie... Celui qui aime Dieu est connu de lui.

---

1. On traduit aussi : « Ayez en vous les sentiments qu'a eus le Christ Jésus ».
2. C'est-à-dire une dignité, une gloire souveraine, celle qui est exprimée par le nom divin de *Seigneur*.

Rom., XII, 2.

Ne vous modelez pas sur le siècle présent. Transformez-vous, au contraire, par le renouvellement de votre esprit, afin de discerner quelle est la volonté de Dieu, ce qui est bon, agréable à Dieu, parfait.

Col., III, 10.

Revêtez l'homme nouveau qui va sans cesse progressant en intelligence spirituelle pour se conformer à l'image de Celui qui l'a créé.

Eph., III, 14-19.

Je fléchis le genou devant le Père de qui tire son nom toute famille au ciel et sur la terre, afin qu'il vous accorde, en sa glorieuse richesse, d'être puissamment fortifiés par son Esprit pour que grandisse en vous l'homme intérieur ; que le Christ habite en vous par la foi, afin qu'étant enracinés dans la charité et fondés sur elle, vous puissiez saisir avec tous les saints quelle est la largeur et la longueur, la hauteur et la profondeur (du plan divin du salut) et connaître l'amour du Christ qui surpasse toute connaissance, en sorte que vous soyez remplis de la plénitude même de Dieu.

Phil., I, 9-10.

Ce que je demande dans ma prière, c'est que votre charité ne cesse de croître en vraie connaissance et discernement pour reconnaître ce qui est bien, de manière à être purs et irréprochables pour le Jour du Christ, comblés des fruits de la justice que nous obtient Jésus-Christ, à la gloire et à la louange de Dieu.

La sagesse des « parfaits »

I Cor., II, 6-16.

C'est bien une sagesse que nous annonçons parmi les parfaits ; mais ce n'est pas la sagesse de ce siècle, ni des princes de ce siècle qui sont en voie de destruction. Nous leur annonçons la sagesse de Dieu, mystérieuse et cachée,

que Dieu a préparée avant les siècles pour notre gloire.
Cette sagesse, nul des princes de ce siècle ne l'a connue
(s'ils l'avaient connue, ils n'auraient pas crucifié le Seigneur
de gloire); mais, comme il est écrit, « ce que l'œil n'a pas
vu, ce que l'oreille n'a pas entendu, ce qui n'est pas venu
à l'esprit de l'homme », c'est là ce que Dieu a préparé à
ceux qui l'aiment.

C'est à nous que Dieu l'a révélé par l'Esprit; car l'Esprit
scrute tout, et jusqu'aux profondeurs de Dieu. Qui des
hommes, en effet, connaît les secrets de l'homme si ce n'est
l'esprit de l'homme qui est en lui? De même personne ne
connaît les secrets de Dieu si ce n'est l'Esprit de Dieu.
Pour nous, nous n'avons pas reçu l'esprit du monde, mais
l'esprit qui vient de Dieu, afin de connaître les dons que
Dieu nous a faits. Et nous en parlons en un langage appris
non de l'humaine sagesse, mais de l'Esprit, expliquant les
réalités spirituelles aux hommes spirituels [1]. Quant à l'homme
psychique [2], il n'accueille pas les choses de l'Esprit de Dieu ;
elles sont folie pour lui et il ne peut les connaître, car c'est
par l'Esprit qu'on en juge. L'homme spirituel, lui, juge de
tout et n'est lui-même soumis au jugement de personne.
Qui, en effet, a connu la pensée du Seigneur pour pouvoir
lui faire la leçon ? Mais nous, nous avons la pensée du Christ.

Eph., I, 16-19.

Faisant mémoire de vous dans mes prières, je demande
que le Dieu de notre Seigneur Jésus-Christ, le Père de
gloire, vous donne un esprit de sagesse, un esprit qui vous
le révèle et vous le fasse connaître, qu'il illumine les yeux
de votre cœur, afin que vous sachiez quelle est l'espérance
à laquelle il vous a appelés, quelle est la richesse du glorieux
héritage qu'il vous réserve parmi les saints et quelle est la
grandeur incommensurable de sa puissance à notre égard,
nous les croyants.

---

1. On traduit aussi : « exprimant en langage spirituel les réalités
spirituelles ».

2. L'homme *psychique*, par opposition à l'homme *spirituel*, est
celui qui n'a que son âme raisonnable *(psychè)* sans communication
de l'Esprit de Dieu *(pneuma)*.

L'Eucharistie

I Cor., X, 16-17.

La coupe de bénédiction que nous bénissons, n'est-elle pas communion au sang du Christ? Le pain que nous rompons, n'est-il pas communion au corps du Christ? Parce qu'il n'y a qu'un pain, nous sommes tous un seul corps, car tous nous participons à ce pain unique.

I Cor., XI, 17-29.

Puisque j'en suis aux observations, voici une chose dont je n'ai pas à vous louer : c'est que vos réunions vous font plutôt du mal que du bien. Tout d'abord j'apprends que lorsque vous vous réunissez en assemblée, il se forme parmi vous des groupes séparés, ce que je crois en partie. Il faut bien qu'il y ait des divisions parmi vous pour qu'on puisse reconnaître ceux qui sont d'une vertu éprouvée. Lors donc que vous vous réunissez, il n'est plus question de prendre le repas du Seigneur. Dès qu'on se met à table en effet, chacun prend aussitôt son propre repas, en sorte que l'un a faim tandis que l'autre est ivre. N'avez-vous donc pas vos maisons pour y manger et pour y boire? Ou bien méprisez-vous l'assemblée de Dieu et voulez-vous faire affront à ceux qui n'ont rien? Que vous dirai-je? dois-je vous louer? Sur ce point, non, je ne vous loue pas.

Pour moi, j'ai reçu comme venant du Seigneur ce que je vous ai transmis : le Seigneur Jésus, la nuit où il fut livré, prit du pain, et après avoir rendu grâces il le rompit en disant : « Ceci est mon corps (livré) pour vous ; faites ceci en mémoire de moi ». De même, après le repas, il prit la coupe en disant : « Cette coupe est la nouvelle alliance dans mon sang ; chaque fois que vous la boirez, faites-le en mémoire de moi ». Ainsi toutes les fois que vous mangez ce pain et que vous buvez cette coupe, vous annoncez la mort du Seigneur jusqu'à ce qu'il revienne.

C'est pourquoi celui qui mangera le pain et boira la coupe du Seigneur indignement, se rendra coupable à l'égard du corps et du sang du Seigneur. Que chacun donc s'examine soi-même avant de manger de ce pain et de boire de cette coupe. Car celui qui mange et boit, mange et boit sa propre condamnation s'il n'apprécie pas à sa dignité le corps du Seigneur.

L'Église, corps du Christ

I Cor., XII, 12-27.

De même que le corps est un et a beaucoup de membres et que tous les membres du corps, malgré leur multiplicité, ne forment qu'un seul corps, ainsi le Christ[1]. Tous, en effet, nous avons été baptisés dans un seul Esprit pour former un seul corps, Juifs ou Grecs, esclaves ou hommes libres, et tous nous avons été abreuvés du même Esprit.

Aussi bien le corps ne se compose-t-il pas d'un seul membre, mais de plusieurs. Si le pied disait : « Parce que je ne suis pas la main, je ne suis pas du corps », cesserait-il pour cela d'être du corps ? Et si l'oreille disait : « Parce que je ne suis pas l'œil », cesserait-elle pour cela d'être du corps ? Si le corps entier était œil, où serait l'ouïe ? S'il n'était qu'oreille, où serait l'odorat ? Mais Dieu a placé chacun des membres dans le corps comme il lui a plu. Si le tout n'était qu'un seul membre, où serait le corps ? En fait, il y a plusieurs membres, mais un seul corps. L'œil donc ne peut dire à la main : « Je n'ai pas besoin de toi » ; pas plus que la tête ne peut dire aux pieds : « Je n'ai pas besoin de vous ».

Bien au contraire, ce sont les membres du corps qui passent pour être les plus faibles qui sont les plus nécessaires, et ceux que nous tenons pour les moins honorables, sont ceux-là mêmes que nous entourons de plus d'honneur, et les moins décents sont ceux que nous traitons avec le plus de décence ; ceux qui sont décents n'en ont pas besoin. Dieu a ainsi disposé le corps de manière à donner plus d'honneur à ce qui en manque, pour qu'il n'y ait pas scission

---

1. Phrase très elliptique qu'il faut comprendre en ce sens, non que le Christ est un corps qui a beaucoup de membres, mais que comme le corps humain ramène à l'unité la pluralité des membres, ainsi le Christ ramène les chrétiens à l'unité d'un organisme spirituel (cf. CERFAUX, *op. cit.*, p. 218) : ils sont un en lui.

dans le corps et que les membres aient également souci les uns des autres. Un membre souffre-t-il? Tous les membres souffrent avec lui. Un membre est-il à l'honneur? Tous les membres prennent part à sa joie. Pour vous, vous êtes corps du Christ et chacun en particulier est l'un de ses membres.

Rom., XII, 4-5.

De même que dans notre corps qui est un, nous avons plusieurs membres et que tous les membres n'ont pas la même fonction, de même nous tous, nous ne formons qu'un seul corps dans le Christ et nous sommes tous membres les uns des autres.

Col., I, 18.

(Le Christ) est la tête du corps qui est l'Église.

Col., I, 24.

Maintenant je me réjouis des souffrances que j'endure pour vous et je complète en ma chair ce qui manque aux tribulations du Christ[1], pour son corps qui est l'Église.

Col., II, 18-19.

Que personne ne s'avise de vous condamner au nom de l'humilité et du culte des anges... (ces illuminés qui vous condamnent) ne s'attachent pas au Chef, grâce à qui le corps tout entier, desservi et bien uni par les jointures et les ligaments, réalise la croissance voulue de Dieu.

Eph., I, 20-22.

(Dieu) a ressuscité (le Christ) d'entre les morts et l'a fait asseoir à sa droite dans les cieux, au-dessus de toute Principauté, Puissance, Vertu, Domination et de tout nom qui se peut nommer, non seulement dans le siècle présent, mais encore dans le siècle à venir. Et il a tout mis sous ses

---

1. Ces tribulations sont les souffrances de sa vie terrestre, ou mieux, celles qu'il doit endurer dans les membres de son Corps mystique.

pieds et il l'a donné pour chef, par-dessus toutes choses, à l'Église qui est son corps, la plénitude de celui qui remplit tout en tous.

Eph., III, 8-11, 20-21.

A moi, le plus infime de tous les saints, a été départie cette grâce d'annoncer aux Gentils l'insondable richesse du Christ et de mettre en lumière le plan providentiel du mystère caché dès l'origine des siècles en Dieu, créateur de toutes choses, afin que les Principautés et les Puissances dans les régions célestes connaissent aujourd'hui, à la vue de l'Église, la sagesse infiniment variée de Dieu, conformément au dessein éternel qu'il s'est proposé relativement au Christ Jésus notre Seigneur...

A Celui qui peut, par sa puissance qui agit en nous, faire infiniment au delà de ce que nous demandons et concevons, à Lui soit la gloire dans l'Église et dans le Christ Jésus, dans tous les âges, aux siècles des siècles. Amen.

Eph., IV, 11-16.

C'est lui (le Christ) qui a « donné » les uns comme apôtres, d'autres comme prophètes, d'autres comme évangélistes, d'autres comme pasteurs et docteurs, pour mettre les saints à même d'accomplir leur ministère, afin que soit construit le corps du Christ, jusqu'à ce que nous parvenions tous ensemble à l'unité de la foi et de la connaissance parfaite du Fils de Dieu, à l'état d'homme fait, à la taille qui convient à la plénitude du Christ[1], pour que nous ne soyons plus des enfants ballottés et emportés à tout vent de doctrine, jouets de la piperie des hommes et de leur astuce à machiner l'erreur ; mais que, professant la vérité dans la charité, nous grandissions de toute manière vers Celui qui est la tête, le Christ : de lui vient que le corps entier, ajusté et coordonné par toutes les jointures qui le desservent, chaque membre remplissant sa fonction propre,

---

1. Littéralement : « à la mesure de taille (ou d'âge) », qui est celle de la plénitude de sainteté où le **Christ** veut **nous** conduire.

opère sa croissance et monte comme un édifice dans la charité.

Eph., v, 22-32.

Femmes, soyez soumises à vos maris comme au Seigneur, car le mari est le chef de la femme, comme le Christ est le chef de l'Église, lui, le Sauveur de celle qui est son corps. De même donc que l'Église est soumise au Christ, que les femmes aussi le soient en tout à leurs maris.

Maris, aimez vos femmes comme le Christ a aimé l'Église et s'est livré pour elle, afin de la sanctifier en la purifiant par le bain d'eau et la parole qui l'accompagne, voulant la faire paraître devant lui, cette Église, toute glorieuse, sans tache ni ride, ni rien de tel, mais sainte et irréprochable. Ainsi les maris doivent aimer leurs femmes comme étant leurs propres corps. En aimant sa femme, le mari s'aime soi-même. Car jamais personne n'a haï sa propre chair, mais chacun la nourrit et l'entoure de soins, comme le Christ fait pour l'Église, puisque aussi bien nous sommes les membres de son corps. Voilà pourquoi l'homme quittera son père et sa mère pour s'attacher à sa femme et ils ne seront plus tous deux qu'une seule chair. Ce mystère est grand, entendez par rapport au Christ et à l'Église.

La consommation de la charité

I Cor., XIII, 8-12.

La charité ne passera jamais. Les prophéties ? Elles disparaîtront. Les langues ? Elles cesseront. La gnose ? Elle disparaîtra. Car c'est imparfaitement que nous connaissons et imparfaitement que nous prophétisons. Mais quand sera venu ce qui est parfait, ce qui est imparfait disparaîtra. Quand j'étais enfant, je parlais en enfant, je pensais en enfant, je raisonnais en enfant ; devenu homme, je me suis défait de ce qui était de l'enfant. Présentement, nous voyons dans un miroir et d'une manière obscure ; alors nous verrons face à face. Aujourd'hui je connais d'une manière imparfaite ; alors je connaîtrai parfaitement comme je suis connu.

La résurrection finale : Dieu tout en tous

I Cor., xv, 20-28.

La vérité est que le Christ est bien ressuscité d'entre les morts, prémices de ceux qui se sont endormis. C'est par un homme que la mort est venue ; c'est aussi par un homme que viendra la résurrection des morts. De même en effet que tous meurent en Adam[1], de même tous aussi revivront dans le Christ[2]. Mais chacun en son rang : le Christ en tête comme prémices, ensuite ceux qui seront au Christ, lors de sa Parousie ; puis, ce sera la fin, quand le Christ remettra le Royaume au Dieu et Père, après avoir détruit toute Principauté, toute Domination et Puissance (hostile). Car il faut qu'il règne jusqu'à ce qu'il ait mis tous ses ennemis sous ses pieds. Le dernier ennemi qui sera détruit, c'est la Mort. Car (Dieu) a tout mis sous les pieds (du Christ). Quand il dira : Tout est désormais soumis, c'est évidemment à l'exception de Celui qui lui aura soumis toutes choses. Lorsque toutes choses lui auront été soumises, alors le Fils à son tour se soumettra à Celui qui lui a tout soumis, afin que Dieu soit tout en tous.

I Cor., xv, 35-38, 42-55, 57.

Mais, dira-t-on, comment les morts ressusciteront-ils ? avec quel corps reviendront-ils ? Insensé, ce que, toi, tu sèmes, ne reprend pas vie si d'abord il ne meurt. Et ce que tu sèmes, ce n'est pas le corps qui sera un jour, mais un simple grain, de blé par exemple, ou de quelque autre céréale. A cette semence Dieu donne un corps comme il l'a voulu, et à chaque semence un corps particulier...

Ainsi en est-il de la résurrection des morts. Semé dans la corruption, on ressuscite incorruptible ; semé dans l'abjection, on ressuscite glorieux ; semé dans la faiblesse, on ressuscite plein de force ; semé corps psychique[3], on ressus-

---

1. Tous ceux qui tiennent à Adam par descendance naturelle.
2. Tous ceux qui appartiennent au Christ par descendance spirituelle.
3. Corps *psychique*, animé par la *psychè*, âme raisonnable, principe insuffisant pour préserver le corps de la mort.

cite corps spirituel. S'il y a un corps psychique, il y a aussi un corps spirituel. C'est dans ce sens qu'il est écrit : Le premier homme, Adam, fut fait âme vivante ; le dernier Adam est devenu esprit vivifiant. Mais ce n'est pas le spirituel qui vient le premier, c'est le psychique ; ensuite vient le spirituel. Le premier homme, issu de la terre, est terrestre ; le second vient du ciel. Tel le terrestre, tels aussi les terrestres ; tel le céleste, tels aussi les célestes. Et comme nous avons revêtu la ressemblance de l'homme terrestre, nous revêtirons aussi la ressemblance de l'homme céleste.

Je vous le déclare, frères, la chair et le sang ne peuvent avoir part au Royaume de Dieu, ni la corruption à l'immortalité. Voici que je vais vous dire une chose mystérieuse : nous ne mourrons pas tous, mais tous nous serons transformés, en un instant, en un clin d'œil, au son de la trompette finale, — car la trompette sonnera, — et les morts ressusciteront incorruptibles, et nous, nous serons transformés. Il faut en effet que cet être corruptible revête l'incorruptibilité et que cet être mortel revête l'immortalité. Quand donc cet être corruptible aura revêtu l'incorruptibilité et que cet être mortel aura revêtu l'immortalité, alors s'accomplira la parole de l'Écriture : « La Mort a été engloutie dans la victoire. Où est-elle, ô Mort, ta victoire ? Où est-il, ô Mort, ton aiguillon ? » L'aiguillon de la mort, c'est le Péché, et la force du Péché, c'est la Loi. Mais grâces soient rendues à Dieu qui nous donne la victoire par notre Seigneur Jésus-Christ.

CHAPITRE III

L'EXPÉRIENCE CHRÉTIENNE

Les charismes

I Cor., XII, 4-11, 28-31.

Il y a diversité de dons spirituels, mais c'est le même Esprit ; il y a diversité de ministères, mais c'est le même Seigneur ; il y a diversité d'opérations, mais c'est le même

Dieu qui opère tout en tous. A qui la reçoit, la manifestation de l'Esprit est donnée en vue du bien commun. A l'un est donné par l'Esprit le discours de sagesse ; à un autre le discours de science selon ce même Esprit ; à un autre la foi, dans le même Esprit, à un autre des dons de guérisons, dans cet unique Esprit ; à un autre le don des miracles ; à un autre la prophétie ; à un autre le discernement des esprits ; à un autre le don de parler en langues [1] ; à un autre le don de les interpréter. Tout cela, c'est l'unique et même Esprit qui l'opère, distribuant ses dons à chacun selon qu'il lui plaît...

Ceux que Dieu a établis dans l'église, c'est en premier lieu les apôtres, en second lieu les prophètes, en troisième lieu les didascales ; viennent ensuite le charisme des miracles, puis le don de guérir, celui d'assister, de gouverner, de parler en langues. Tous sont-ils apôtres ? Tous, prophètes ? Tous, didascales ? Tous, thaumaturges ? Tous ont-ils le don des guérisons ? Tous sont-ils glossolales ? Tous ont-ils le don d'interprétation ?

Aspirez aux charismes les meilleurs. Au surplus, je vais vous indiquer la voie par excellence (la charité).

Rom., XII, 6-8.

Comme nous avons des charismes différents suivant la grâce qui nous a été accordée, qui a le don de prophétie, qu'il en use dans la mesure de sa foi ; qui a la grâce du ministère, qu'il exerce le ministère ; qui a reçu le don d'enseigner, qu'il enseigne ; d'exhorter, qu'il exhorte ; que celui qui donne, le fasse avec simplicité ; celui qui préside, avec zèle ; celui qui pratique la miséricorde, avec le sourire.

Eph., IV, 7, 11 (voir *supra* p. 258).

Les fruits de l'Esprit dans la vie chrétienne

Gal., V, 22-23.

Le fruit de l'Esprit, c'est la charité, la joie, la paix, la

---

1. Autrement dit : *glossolalie.*

longanimité, la bénignité, la bonté, la fidélité, la douceur, la tempérance : contre de telles choses il n'y a pas de loi.

Rom., XIV, 17-18.

Le Royaume de Dieu, ce n'est pas nourriture ni boisson, mais justice, paix et joie dans l'Esprit-Saint. Qui sert le Christ de cette manière, est agréable à Dieu et approuvé des hommes.

Eph., V, 8-9.

Autrefois vous étiez ténèbres, maintenant vous êtes lumière dans le Seigneur. Conduisez-vous en enfants de lumière : le fruit de la lumière, c'est tout ce qui est bon, juste et vrai.

Phil., IV, 4-9.

Soyez joyeux dans le Seigneur toujours ; je le répète, soyez joyeux. Que votre indulgente bonté soit reconnue de tous. Le Seigneur est proche. Ne vous inquiétez de rien ; mais, en toute affaire, par la prière et par la supplication accompagnée d'actions de grâces, faites connaître vos demandes à Dieu. Et la paix de Dieu qui surpasse toute conception, gardera vos cœurs et vos pensées dans le Christ Jésus.

Au reste, frères, tout ce qui est vrai, tout ce qui est digne de respect, tout ce qui est juste, tout ce qui est pur, tout ce qui est aimable, tout ce qui est de bon renom, ce qui se rencontre de vertu et ce qui mérite la louange, que ce soit là l'objet de vos pensées. Ce que vous avez appris et reçu, entendu de moi et vu en moi, pratiquez-le, et le Dieu de paix sera avec vous.

CHAPITRE IV

LES VISIONS ET RÉVÉLATIONS DE SAINT PAUL

La conversion de saint Paul

Actes, IX, 1-19 (récit de saint Luc, auteur des Actes des Apôtres).

Saul, respirant toujours menace et meurtre à l'égard des disciples du Seigneur, alla trouver le grand prêtre et lui demanda des lettres pour les synagogues de Damas, afin que s'il y découvrait des adeptes de la doctrine[1] (du Christ), hommes ou femmes, il les ramenât enchaînés à Jérusalem. Il était en route et approchait de Damas, quand soudain une lumière venue du ciel resplendit autour de lui. Tombant à terre, il entendit une voix qui lui disait : « Saoul, Saoul, pourquoi me persécutes-tu ? » — « Qui es-tu, Seigneur ? » répondit-il — « Je suis Jésus que tu persécutes. Mais relève-toi, entre dans la ville, et il te sera dit ce que tu dois faire. » Ses compagnons de route s'étaient arrêtés, frappés de stupeur : ils entendaient le son de la voix, mais ne voyaient personne. Saul se releva de terre, mais bien qu'il eût les yeux ouverts, il n'y voyait pas. On le prit par la main et on le conduisit à Damas. Il y resta trois jours aveugle, sans manger ni boire.

Il y avait à Damas un disciple du nom d'Ananie. Le Seigneur lui dit dans une vision : « Ananie ! » — « Me voici, Seigneur », répondit-il. Et le Seigneur de reprendre : « Va tout de suite dans la rue Droite et demande dans la maison de Judas un nommé Saul de Tarse : il y est en prière et il a vu[2] un homme du nom d'Ananie entrer et lui imposer les mains pour lui rendre la vue ». Ananie répondit : « J'ai appris de la bouche de beaucoup de gens tout le mal que cet homme a fait aux saints de Jérusalem. Et il est ici avec pleins pouvoirs des grands prêtres pour enchaîner tous ceux qui invoquent ton nom ». Le Seigneur lui dit : « Va, car il est pour moi un instrument de choix pour porter mon nom devant les païens, les rois et les enfants d'Israël. Je lui montrerai tout ce qu'il lui faudra souffrir pour mon nom ». Ananie partit, entra dans la maison et imposa les mains à Saul en disant : « Saoul, mon frère, c'est le Seigneur qui m'envoie, — ce Jésus qui t'est apparu sur le chemin par où tu venais, — afin que tu recouvres la vue et que

---

1. Littéralement « de la voie ».
2. La Vulgate, que suivent nombre d'auteurs, met entre parenthèses cette fin du verset comme étant une remarque de saint Luc.

tu sois rempli de l'Esprit-Saint. » Et aussitôt il lui tomba des yeux comme des écailles et il recouvra la vue. Sur-le-champ il fut baptisé et quand il eut pris de la nourriture, les forces lui revinrent.

Actes, XXI, 40-XXII, 16 (Discours de saint Paul aux Juifs après son arrestation dans le Temple de Jérusalem).

Avec la permission du tribun, Paul, debout sur les degrés[1], fit signe de la main au peuple. Un grand silence s'étant établi, il leur adressa la parole en langue araméenne[2] :

« Mes frères et mes pères, écoutez ce que j'ai à vous dire maintenant pour ma défense. » — L'entendant qui leur parlait en langue araméenne, ils firent encore plus silence. — « Je suis Juif, né à Tarse en Cilicie, mais élevé dans cette ville-ci. C'est aux pieds de Gamaliel que j'ai été formé à l'exacte observance de la Loi de nos pères et j'étais plein de zèle pour Dieu, comme vous l'êtes tous aujourd'hui. J'ai persécuté à mort cette secte, chargeant de chaînes et jetant en prison hommes et femmes, comme le grand prêtre peut m'en rendre témoignage, ainsi que tout le Sanhédrin. Ayant même reçu d'eux des lettres pour les frères de Damas, je m'y rendais dans le dessein de ramener enchaînés à Jérusalem, pour les faire châtier, ceux (de la secte) qui se trouvaient là.

J'étais en chemin et j'approchais de Damas quand tout à coup, vers l'heure de midi, une grande lumière venue du ciel resplendit autour de moi. Je tombai à terre et j'entendis une voix qui me disait : « Saoul, Saoul, pourquoi me persécutes-tu ? » Je répondis : « Qui es-tu, Seigneur ? » Et il me dit : « Je suis Jésus le Nazaréen, que tu persécutes ». Mes compagnons virent bien la lumière, mais ils ne comprirent pas ce que disait[3] celui qui me parlait. Je dis : « Que

---

1. Les degrés de l'escalier qui conduisait du parvis du Temple où Paul avait été arrêté, à l'intérieur de la caserne romaine de l'Antonia.

2. Littéralement : « *en langue hébraïque* ». La langue alors parlée en Palestine n'était pas l'hébreu, mais l'araméen.

3. Littéralement : « *ils n'entendirent pas la voix* », au sens de « ils ne comprirent pas ».

dois-je faire, Seigneur ? » et le Seigneur me dit : « Relève-toi,
va à Damas, et là il te sera dit tout ce que tu as mission
d'accomplir ». Comme l'éclat de cette lumière m'avait rendu
aveugle, mes compagnons me conduisirent par la main et
ce fut ainsi que j'arrivai à Damas.

Un certain Ananie, pieux observateur de la Loi et de
qui tous les Juifs de la ville rendaient bon témoignage,
vint me trouver et se tenant près de moi, il me dit : « Saoul,
mon frère, recouvre la vue. » Et au même instant je le vis.
Il reprit : « Le Dieu de nos pères t'a choisi pour connaître sa
volonté, voir le Juste et entendre les paroles de sa bouche ;
car tu dois être son témoin devant tous les hommes pour
tout ce que tu as vu et entendu. Et maintenant que tardes-tu ?
Fais-toi baptiser sur-le-champ et lave-toi de tes péchés
en invoquant son nom ».

Actes, XXVI, 1-19 (Discours de saint Paul au roi Agrippa).

Agrippa dit à Paul : « La parole t'est donnée pour ta
défense ». Alors Paul dégagea sa main et plaida sa cause.

« De toutes les accusations que les Juifs portent contre
moi, je m'estime heureux, roi Agrippa, d'avoir aujourd'hui
à me disculper devant toi, car tu connais mieux que personne[1] toutes les coutumes des Juifs et leurs controverses.

Ce qu'a été ma vie, depuis ma prime jeunesse, au sein
de ma nation et à Jérusalem, tous les Juifs le savent. Ils
savent depuis longtemps et peuvent, s'ils le veulent, témoigner que j'ai vécu selon la secte la plus stricte de notre
religion, en pharisien. Et maintenant c'est à propos de
l'espérance en la promesse faite par Dieu à nos pères que
me voici traduit en jugement, cette promesse dont nos douze
tribus, en servant Dieu sans relâche nuit et jour, espèrent
voir l'accomplissement. C'est cette espérance, ô roi, qui
me vaut d'être accusé par les Juifs. Pourquoi parmi vous
juger incroyable que Dieu ressuscite les morts ?

Pour moi, j'ai cru d'abord qu'il fallait combattre par
tous les moyens le nom de Jésus de Nazareth. Et c'est bien

---

1. « Car tu connais mieux que personne » ; on peut encore traduire :
« surtout parce que tu connais toutes les coutumes ».

ce que j'ai fait à Jérusalem : j'ai jeté en prison un grand
nombre de saints, en vertu des pouvoirs reçus des grands
prêtres, et quand on les mettait à mort, j'y donnais mon
suffrage. Parcourant toutes les synagogues, souvent, à
force de sévices, je les forçais à blasphémer, et dans l'excès
de ma fureur j'allais les poursuivre jusque dans les villes
étrangères.

C'est ainsi que je me rendais à Damas, muni des pouvoirs
et de l'autorisation des grands prêtres, quand en chemin,
vers le milieu du jour, je vis, ô roi, venant du ciel et plus
éclatante que le soleil, une lumière qui resplendit autour
de moi et de mes compagnons de route. Tous étant tombés
à terre, j'entendis une voix qui me disait en langue araméenne : « Saoul, Saoul, pourquoi me persécutes-tu ? Il
te serait dur de regimber contre l'aiguillon[1] ». Et moi,
je dis : « Qui es-tu, Seigneur ? » Et le Seigneur me dit : « Je
suis Jésus que tu persécutes. Mais relève-toi, tiens-toi sur
tes pieds, car je te suis apparu à cette fin, de te choisir pour
serviteur et pour témoin de la vision où tu viens de me
voir et de celles où je t'apparaîtrai encore. Je t'ai mis à part
et du peuple (d'Israël) et des païens vers qui je t'envoie
pour leur ouvrir les yeux, pour les convertir des ténèbres
à la lumière et de l'empire de Satan à Dieu, afin que, par
la foi en moi, ils obtiennent le pardon de leurs péchés et
leur part d'héritage parmi les sanctifiés.

Dès lors, roi Agrippa, je n'ai pas résisté à la vision
céleste... »

Gal., I, 13-16.

Vous avez entendu parler de ma conduite autrefois
dans le judaïsme, avec quelle rage je persécutais et ravageais
l'Église de Dieu, comment au sein du judaïsme je surpassais
beaucoup de ceux de mon âge et de ma race par l'ardeur
de mon zèle pour les traditions de mes pères. Mais quand
Celui qui m'a mis à part dès le sein de ma mère et m'a appelé
par sa grâce, a jugé bon de me révéler son Fils pour que

---

1. Proverbe qui revient à dire : « Tu aurais du mal à me résister,
tu n'es pas de force à lutter contre moi ».

je l'annonce parmi les Gentils, aussitôt, sans prendre conseil
de la chair et du sang[1]... je m'en allai en Arabie.

I Cor., IX, 1.

Ne suis-je pas apôtre ? N'ai-je pas vu Jésus notre Seigneur ?

I Cor., XV, 3-10.

Je vous ai transmis en premier lieu ce que moi-même
j'avais reçu, à savoir que le Christ est mort pour nos péchés,
conformément aux Écritures, qu'il a été enseveli et qu'il
est ressuscité le troisième jour, conformément aux Écritures,
et qu'il est apparu à Céphas, puis aux Douze. Ensuite il
est apparu à plus de cinq cents frères à la fois, dont la plupart
vivent encore à présent, si quelques-uns sont morts. Ensuite
il est apparu à Jacques, puis à tous les apôtres ; et en tout
dernier lieu, il m'est apparu à moi comme à l'avorton.
Car je suis le moindre des apôtres, moi qui ne suis pas
même digne d'être appelé apôtre, vu que j'ai persécuté
l'Église de Dieu. C'est par la grâce de Dieu que je suis
ce que je suis, et la grâce qu'il m'a faite n'a pas été stérile :
plus qu'eux tous j'ai travaillé, non pas moi, à la vérité,
mais la grâce de Dieu avec moi.

Phil., III, 4-11.

Si quelqu'un croit avoir des motifs de se fier à des avantages charnels, moi encore plus : circoncis le huitième
jour, de la race d'Israël, de la tribu de Benjamin, Hébreu
issu d'Hébreux ; pour ce qui est de la Loi, pharisien ;
pour le zèle, persécuteur de l'Église ; pour la justice qui
est selon la Loi, de conduite irréprochable. Mais ces choses
qui étaient pour moi autant d'avantages, je les ai, à cause
du Christ, estimées préjudices. Bien plus, je regarde tout
comme préjudices, eu égard à la valeur suréminente de
la connaissance du Christ Jésus mon Seigneur. Pour lui
j'ai tout sacrifié et j'estime tout immondices pour gagner

---

1. C'est-à-dire, d'après le contexte, je ne pris conseil de personne
et m'en allai en Arabie.

le Christ, être trouvé en lui comme possédant non une mienne justice, celle qui vient de la Loi, mais celle qui s'obtient par la foi au Christ, la justice qui vient de Dieu, fondée sur la foi : en le connaissant lui et la puissance de sa résurrection et la communion à ses souffrances, en me configurant à sa mort, pour parvenir, Dieu aidant, à la résurrection d'entre les morts.

I Tim., I, 12-16.

Je rends grâces à celui qui m'a rempli de force, le Christ Jésus notre Seigneur, de m'avoir jugé digne de confiance en m'appelant à son service, moi qui avais été auparavant un blasphémateur, un persécuteur, un insulteur orgueilleux. Mais il m'a été fait miséricorde, parce que j'agissais par ignorance, dans l'incrédulité. La grâce de notre Seigneur a surabondé, avec la foi et la charité qui est dans le Christ Jésus. Elle est digne de foi, cette parole, et mérite d'être accueillie par tous : le Christ Jésus est venu dans ce monde pour sauver les pécheurs, dont je suis le premier. C'est pour cela qu'il m'a été fait miséricorde, afin qu'en moi, le premier, Jésus-Christ manifestât toute sa longanimité, et qu'ainsi je servisse d'exemple à ceux qui croiraient en lui pour obtenir la vie éternelle.

Les visions de saint Paul

Actes, XXII, 17-21.

Après mon retour à Jérusalem[1], alors que j'étais en prière dans le Temple, je tombai en extase et je vis Jésus qui me disait : « Hâte-toi, sors au plus vite de Jérusalem, car ils n'accepteront pas le témoignage que tu me rends ». Je répondis : « Seigneur, ils savent que j'allais de synagogue en synagogue faire emprisonner et flageller tous ceux qui croyaient en toi ; et quand fut versé le sang d'Étienne, ton témoin, j'y étais en personne ; j'approuvai la chose et gardai les vêtements de ses meurtriers. » Et il me dit : « Pars, c'est au loin vers les païens que je vais t'envoyer ».

---

1. Trois ans après sa conversion (*Gal.*, I, 18).

Actes, XVI, 8-10.

(Paul et ses compagnons) traversèrent la Mysie et descendirent à Troie. Pendant la nuit Paul eut une vision : un Macédonien se tenait là, qui lui adressait cette prière : « Passe en Macédoine et viens à notre secours! » Aussitôt après cette vision, nous cherchâmes à partir pour la Macédoine, persuadés que Dieu nous appelait à les évangéliser.

Actes, XVIII, 9-11.

(A Corinthe), une nuit, le Seigneur dit à Paul dans une vision : « Sois sans crainte ; parle, ne te tais point. Je suis avec toi et personne ne mettra la main sur toi pour te faire du mal, car j'ai un peuple nombreux dans cette ville. » Paul y séjourna pendant un an et demi, y enseignant la parole de Dieu.

Actes, XXIII, 11.

Après la comparution de l'Apôtre devant le Sanhédrin à Jérusalem, « la nuit suivante, le Seigneur apparut à Paul et lui dit : « Courage! Comme tu as rendu témoignage de moi à Jérusalem, ainsi faut-il que tu le fasses à Rome ».

Actes, XXVII, 21-26.

Pendant la tempête en Méditerranée, « comme depuis longtemps personne n'avait pris de nourriture, Paul se leva au milieu des gens du navire et dit : « Vous auriez dû, braves gens, m'écouter et ne pas quitter la Crète ; vous auriez évité ce péril et ce dommage. Maintenant je vous invite à reprendre courage : aucun de vous ne périra, seul le navire sera perdu. Cette nuit, en effet, un ange du Dieu auquel j'appartiens et que je sers, m'est apparu et m'a dit : « Ne crains rien, Paul ; tu dois comparaître devant César et voici que Dieu t'a accordé la vie de tous ceux qui naviguent avec toi ». C'est pourquoi, mes amis, reprenez courage : je me fie à Dieu qu'il en sera comme il m'a été dit. Mais nous devons échouer sur quelque île ».

Le ravissement de saint Paul au troisième ciel

II Cor., XII, 1-10.

Il faut se vanter ? Cela n'est pas bon ; pourtant j'en viendrai aux visions et révélations du Seigneur. Je connais un chrétien[1] qui, il y a quatorze ans, — était-ce dans son corps ? je ne sais ; était-ce hors de son corps ? je ne sais, Dieu le sait, — fut ravi jusqu'au troisième ciel. Et je sais que cet homme-là, — avec son corps ou sans son corps, je ne sais, Dieu le sait, — fut ravi au paradis et entendit des choses ineffables qu'il n'est pas possible à l'homme d'exprimer. Pour cet homme-là, je puis me vanter, mais pour moi, j'entends ne me vanter que de mes faiblesses. Assurément, si je voulais me vanter, je n'agirais pas en insensé, car je ne dirais que la vérité. Mais je m'en abstiens pour que nul n'ait de moi une idée supérieure à ce qu'il voit en moi ou entend de moi. Et de peur que par l'excellence de ces révélations je ne m'enorgueillisse, il m'a été mis dans la chair une écharde, un ange de Satan chargé de me souffleter, — de peur que je ne m'enorgueillisse. A son sujet, par trois fois, j'ai prié le Seigneur de l'éloigner de moi. Et il m'a répondu : « Ma grâce te suffit ; car ma force se montre à plein dans la faiblesse. C'est donc de tout cœur que je me vanterai de mes faiblesses, afin que la force du Christ habite en moi. C'est pourquoi je me complais dans mes faiblesses, dans les outrages, les détresses, les persécutions, les angoisses endurées pour le Christ : quand je suis faible, c'est alors que je suis fort.

---

1. Littéralement : « *un homme dans le Christ* ».

LIVRE II

TEXTES DE SAINT JEAN

DIEU EST AMOUR

Dieu est amour (agapè)

I Jean, IV, 7-10, 14, 16.

Mes bien-aimés, aimons-nous les uns les autres, car l'amour vient de Dieu, et quiconque aime est né de Dieu et connaît Dieu. Qui n'aime pas n'a pas connu Dieu, car *Dieu est amour*. En ceci s'est manifesté l'amour de Dieu à notre égard, que Dieu a envoyé son Fils unique dans le monde, afin que par lui nous vivions. En ceci consiste l'amour : ce n'est pas nous qui avons aimé Dieu, mais c'est lui qui nous a aimés et qui a envoyé son Fils comme victime d'expiation pour nos péchés... Pour nous, nous avons vu et nous rendons témoignage que le Père a envoyé son Fils comme Sauveur du monde... Et nous, nous avons connu l'amour que Dieu a pour nous, et nous y avons cru. *Dieu est amour* : celui qui demeure dans l'amour demeure en Dieu et Dieu demeure en lui.

Le Verbe de Dieu se faisant homme

Jean, I, 1-18.

Au commencement était le Verbe et le Verbe était auprès de Dieu et le Verbe était Dieu. Il était au commencement auprès de Dieu. Tout a été fait par lui et rien de ce qui a été fait n'a été fait sans lui. En lui était la vie, et la vie était la lumière des hommes[1] ; et la lumière luit dans les ténèbres et les ténèbres ne l'ont pas comprise[2].

---

1. La vie est lumière, parce qu'elle est connaissance : cf. *Jn.*, XVII, 3 : « La vie éternelle, c'est qu'ils te connaissent toi, le seul vrai Dieu, et celui que tu as envoyé, Jésus-Christ ».

2. Autre traduction : « les ténèbres ne l'ont pas entravée », « n'en ont pas eu raison » (PERNOT).

Il y eut un homme envoyé de Dieu : son nom était Jean. Il vint comme témoin, pour rendre témoignage à la lumière, afin que tous crussent par lui. Il n'était pas, lui, la lumière, mais avait mission de rendre témoignage à la lumière.

(Le Verbe) était la lumière véritable, qui éclaire tout homme venant dans le monde [1]. Il était dans le monde, et le monde a été fait par lui, et le monde ne l'a pas connu, Il est venu chez lui, et les siens ne l'ont pas reçu. Mais à ceux qui l'ont reçu, il a donné pouvoir de devenir enfants de Dieu : à ceux qui croient en son nom, qui ne sont nés ni du sang, ni du vouloir de la chair, ni du vouloir de l'homme, mais de Dieu.

Et le Verbe s'est fait chair et il a habité parmi nous et nous avons contemplé sa gloire, telle qu'un Fils unique la tient de son Père, (nous l'avons vu) plein de grâce et de vérité.

Jean lui rend témoignage en proclamant : « C'est lui dont je disais : celui qui vient après moi m'a passé devant, car il existait avant moi ».

De sa plénitude, en effet, nous avons tous reçu, et grâce sur grâce, car la Loi a été donnée par Moïse, mais la grâce et la vérité sont venues par Jésus-Christ. Dieu, personne ne l'a jamais vu ; un Dieu, Fils unique, qui est dans le giron du Père, c'est lui qui nous l'a fait connaître.

I Jean, 1, 1-3.

Ce qui était dès le commencement, ce que nous avons entendu, ce que nous avons vu de nos yeux et contemplé, et ce que nos mains ont touché, concernant le Verbe de vie ; — car la vie s'est manifestée, et nous avons vu, et nous rendons témoignage, et nous vous annonçons la vie éternelle qui était auprès du Père et s'est manifestée à nous ; — cela donc que nous avons vu et entendu, nous vous l'annonçons à vous aussi, afin que vous aussi vous soyez

---

1. D'autres traduisent : « La lumière véritable, qui éclaire tout homme, venait dans le monde ». Le verset ainsi traduit se rapporterait à l'Incarnation, non à la manifestation du Verbe dans l'Ancien Testament.

en communion avec nous. Quant à nous, nous sommes en communion avec le Père et son Fils Jésus-Christ.

L'Incarnation et la Rédemption, mystère d'amour

Jean, I. 29.

Jean (le Baptiste) vit Jésus qui venait vers lui, et il dit : « Voici l'agneau de Dieu, qui ôte le péché du monde ».

Jean, III, 14-17.

Comme Moïse a dressé le serpent dans le désert, ainsi faut-il que soit dressé le Fils de l'homme, afin que quiconque croit en lui, ait la vie éternelle. Oui, Dieu a tellement aimé le monde[1] qu'il a donné son Fils unique, afin que quiconque croit en lui, ne périsse pas, mais qu'il ait la vie éternelle. Car Dieu n'a pas envoyé son Fils dans le monde pour juger le monde, mais afin que le monde soit sauvé par lui.

Jean, IV, 5-14.

Jésus arriva à une ville de Samarie appelée Sychar, près du champ que Jacob donna à son fils Joseph. Là se trouvait le puits de Jacob. Jésus, donc, fatigué du voyage, s'assit à même près du puits. C'était environ la sixième heure. Une femme de la Samarie vint pour puiser de l'eau. Jésus lui dit : « Donne-moi à boire ». (Ses disciples étaient partis à la ville pour acheter des vivres.) Alors la Samaritaine lui dit : « Comment toi, qui es Juif, me demandes-tu à boire à moi qui suis Samaritaine ? » (Les Juifs, en effet, n'ont pas de rapports avec les Samaritains.) Jésus lui répliqua : « Si tu connaissais le don de Dieu et qui est celui qui te dit : Donne-moi à boire, c'est toi qui le lui aurais demandé, et il t'aurait donné de l'eau vive ». Elle lui dit : « Seigneur, tu n'as rien pour puiser et le puits est profond ; d'où donc peux-tu avoir de l'eau vive ? Serais-tu plus grand que notre père Jacob qui nous a donné ce puits

---

1. Le monde est ici l'équivalent des hommes.

et qui a bu lui-même de son eau, ainsi que ses fils et ses troupeaux ? » Jésus répondit et lui dit : « Quiconque boit de cette eau aura encore soif ; mais celui qui boira de l'eau que je lui donnerai, n'aura plus jamais soif ; car l'eau que je lui donnerai deviendra en lui une source d'eau jaillissant en vie éternelle. » La femme lui dit : « Seigneur, donne-moi cette eau, afin que je n'aie plus soif et que je n'aie plus à venir ici pour puiser. »

Jean, VI, 32-35, 37-40.

Jésus dit (aux Juifs de Capharnaüm) : « En vérité, en vérité je vous le dis, Moïse ne vous a pas donné le pain qui vient du ciel ; c'est mon Père qui vous donne le vrai pain qui vient du ciel. Car le pain de Dieu est celui qui descend du ciel et donne la vie au monde ». Ils lui dirent alors : « Seigneur, donne-nous toujours de ce pain-là ! » Jésus leur dit : « C'est moi qui suis le pain de vie. Celui qui vient à moi n'aura plus faim et celui qui croit en moi n'aura plus jamais soif... Tous ceux que le Père me donne viendront à moi et celui qui vient à moi, je ne le rejetterai pas, car je suis descendu du ciel non pour faire ma volonté, mais la volonté de celui qui m'a envoyé. Or c'est la volonté de celui qui m'a envoyé, que de tous ceux qu'il m'a donnés je ne perde aucun, mais que je les ressuscite au dernier jour. Car telle est la volonté de mon Père, que quiconque voit le Fils et croit en lui, ait la vie éternelle et que je le ressuscite au dernier jour ».

Jean, X, 7-18.

Alors Jésus reprit : « En vérité, en vérité je vous le dis, je suis la porte des brebis. Tous ceux qui sont venus avant moi sont des voleurs et des brigands [1] ; mais les brebis ne les ont pas écoutés. Je suis la porte : celui qui entrera par moi, sera sauvé, et il entrera et il sortira et il trouvera des pâturages. Le voleur ne vient que pour voler, égorger

---

1. Allusion aux faux Messies qui s'étaient présentés en Israël (cf. *Act.*, V, 36-37).

et détruire; moi, je suis venu pour que les brebis aient la vie et qu'elles l'aient en abondance.

C'est moi le bon pasteur. Le bon pasteur donne sa vie pour ses brebis. Le salarié, qui n'est pas le pasteur et à qui les brebis n'appartiennent pas, voit-il venir le loup, il abandonne les brebis et s'enfuit; et le loup enlève les brebis ou les disperse. C'est qu'il est un salarié et ne se soucie pas des brebis.

C'est moi le bon pasteur; je connais mes brebis et mes brebis me connaissent, comme mon Père me connaît et que je connais mon Père. Et je donne ma vie pour mes brebis. J'ai aussi d'autres brebis qui ne sont pas de cette bergerie; celles-là aussi, il faut que je les mène, et elles écouteront ma voix, et il y aura un seul troupeau, un seul pasteur.

C'est pour cela que le Père m'aime, parce que je donne ma vie, mais ensuite je la reprendrai. Personne ne me l'ôte; c'est de moi-même que je la donne. J'ai le pouvoir de la donner et j'ai le pouvoir de la reprendre. Tel est le mandat que j'ai reçu de mon Père ».

Jean, XI, 47-52.

Les princes des prêtres et les pharisiens tinrent alors une assemblée et ils dirent : « Qu'allons-nous faire? car cet homme accomplit beaucoup de miracles. Si nous le laissons continuer, tous croiront en lui et les Romains viendront et ils détruiront notre lieu (saint)[1] et notre nation ». L'un d'eux, Caïphe, qui était grand prêtre cette année-là, leur dit : « Vous n'y entendez rien. Vous ne vous rendez pas compte qu'il est de votre intérêt qu'un seul homme meure pour le peuple et que ce ne soit pas toute la nation qui périsse ». Cela, il ne le dit pas de son propre chef, mais comme il était grand prêtre cette année-là, il prophétisa que Jésus allait mourir pour sa nation, et non pas pour sa nation seulement, mais pour rassembler en un tout les enfants de Dieu dispersés.

----

1. C'est-à-dire le Temple. D'autres entendent « la ville de Jérusalem » ou « le pays de Juda ».

Jean, XII, 20-24, 27-33.

Il y avait là quelques Grecs, de ceux qui étaient montés
(à Jérusalem) pour adorer pendant la fête (de la Pâque).
Ils abordèrent donc Philippe, qui était de Bethsaïde en
Galilée et lui demandèrent : « Seigneur, nous voudrions voir
Jésus ». Philippe va le dire à André ; André et Philippe vont
le dire à Jésus. Jésus leur répondit : « L'heure est venue où
le Fils de l'homme doit être glorifié. En vérité, en vérité je
vous le dis, si le grain de blé tombé en terre ne meurt pas
il reste seul ; mais s'il meurt, il porte beaucoup de fruit...

Maintenant mon âme est troublée, et que dirai-je ? Père,
sauve-moi de cette heure... Mais c'est pour cela que je suis
venu à cette heure-ci ! Père, glorifie ton nom ».

Vint alors une voix du ciel : « Et je l'ai déjà glorifié et je
le glorifierai encore ». La foule qui se tenait là et qui avait
entendu disait qu'il y avait eu un coup de tonnerre. D'autres
disaient : « C'est un ange qui lui a parlé ». Jésus repartit
et dit : « Ce n'est pas pour moi que cette voix s'est fait
entendre, mais pour vous. C'est maintenant que se décide
le sort du monde ; c'est maintenant que le prince de ce
monde va être jeté dehors. Et moi, quand j'aurai été élevé
de terre, j'attirerai tous les hommes à moi ». Il disait cela
pour indiquer de quelle mort il allait mourir.

Jean, XII, 46-47.

Moi, la lumière, je suis venu dans le monde, afin que quiconque croit en moi, ne demeure pas dans les ténèbres.
Si quelqu'un entend mes paroles et ne les garde pas,
ce n'est pas moi qui le juge, car je ne suis pas venu pour
juger le monde, mais pour le sauver.

Jean, XIII, 1.

Avant la fête de la Pâque, Jésus, sachant que l'heure
était venue pour lui de passer de ce monde à son Père,
après avoir aimé les siens qui étaient dans le monde, les
aima jusqu'à l'extrême [1].

---

1. A la fois « jusqu'au terme de sa vie » et « jusqu'au comble
de l'amour »,

Jean, xv, 13 ; *I Jean*, iii, 16.

Personne ne peut montrer plus grand amour que de donner sa vie pour ceux qu'il aime...

A cela nous connaissons l'amour, c'est que lui (le Christ) a donné sa vie pour nous.

Jean, xvii, 19.

Pour eux je me consacre (comme victime) afin qu'ils soient sanctifiés dans la vérité.

I Jean, ii, 1-2.

Si quelqu'un pèche, nous avons un avocat auprès du Père, Jésus-Christ, le Juste ; lui-même est instrument d'expiation pour nos péchés, et non pas pour les nôtres seulement, mais pour ceux du monde entier.

I Jean, iii, 1, 5, 8.

Voyez quel amour le Père nous a témoigné, que nous soyons appelés enfants de Dieu. Et nous le sommes.

Vous savez qu'il (le Christ) est apparu pour ôter les péchés, et qu'en lui il n'y a pas de péché.

Celui qui commet le péché est du diable, car le diable est pécheur dès le commencement. A cette fin le Fils de Dieu a été manifesté, pour détruire les œuvres du diable.

I Jean, iv, 8-10, 14.

Dieu est amour. En ceci s'est manifesté l'amour de Dieu à notre égard, que Dieu a envoyé son Fils unique dans le monde afin que par lui nous vivions. En ceci consiste l'amour : ce n'est pas nous qui avons aimé Dieu, mais c'est lui qui nous a aimés et qui a envoyé son Fils comme victime d'expiation pour nos péchés... Pour nous, nous avons vu et nous rendons témoignage que le Père a envoyé son Fils comme Sauveur du monde.

I Jean, v, 9-13.

Si nous acceptons le témoignage des hommes, le témoignage de Dieu est plus grand. Car tel est le témoignage de

Dieu : c'est qu'il a rendu témoignage au sujet de son Fils.
Qui croit dans le Fils de Dieu possède ce témoignage en
lui-même. Celui qui ne croit pas Dieu, fait de lui un menteur,
parce qu'il ne croit pas au témoignage que Dieu a rendu
au sujet de son Fils. Et tel est ce témoignage, c'est que
Dieu nous a donné la vie éternelle, et cette vie est dans
son Fils. Qui a le Fils a la vie ; qui n'a pas le Fils de Dieu
n'a pas la vie.

Je vous écris ces choses afin que vous sachiez que vous
avez la vie éternelle, vous qui croyez au nom du Fils de
Dieu.

CHAPITRE II

LA NOUVELLE NAISSANCE

Le baptême dans l'Esprit

Jean, I, 32-34.

Jean (le Baptiste) rendit témoignage, disant : « J'ai vu
l'Esprit descendre du ciel comme une colombe, et il est
demeuré sur lui. Et moi, je ne le connaissais pas, mais celui
qui m'a envoyé baptiser dans l'eau, celui-là m'avait dit :
Celui sur qui tu verras l'Esprit descendre et demeurer,
c'est lui qui baptise dans l'Esprit Saint. Et j'ai vu et j'ai
attesté que c'est lui le Fils de Dieu ».

Jean, III, 1-8.

Il y avait parmi les Pharisiens un homme nommé Nicodème, personnage notable d'entre les Juifs. Il vint de nuit
trouver Jésus et lui dit : « Rabbi, nous le savons, c'est de
la part de Dieu que tu es venu pour enseigner ; car personne
ne saurait faire les miracles que tu fais, si Dieu n'est pas
avec lui ». Jésus répondit et lui dit : « En vérité, en vérité
je te le dis, si on ne naît pas de nouveau, on ne peut voir
le Royaume de Dieu ». Nicodème lui dit : « Comment un
homme pourrait-il renaître quand il est vieux ? Peut-il entrer
une seconde fois dans le sein de sa mère pour renaître ? »
Jésus répondit : « En vérité, en vérité je te le dis, si l'on

ne renaît pas de l'eau et de l'Esprit, on ne peut entrer
dans le Royaume de Dieu. Ce qui est né de la chair est chair
et ce qui est né de l'esprit est esprit. Ne t'étonne pas que
je t'aie dit : Il vous faut naître de nouveau. Le vent souffle
où il veut ; tu entends sa voix, mais tu ne sais d'où il vient
ni où il va. Ainsi en est-il de quiconque est né de l'Esprit [1] ».

Jean, VII, 37-39.

Le dernier jour de la fête (des Tabernacles), qui était
le plus solennel, Jésus se tenait là et il s'écria : « Si quelqu'un
a soif, qu'il vienne à moi et qu'il boive celui qui croit en
moi. Des fleuves d'eau vive, comme dit l'Écriture, couleront de son sein [2]. » Il dit cela de l'Esprit que devaient
recevoir ceux qui croiraient en lui ; car il n'y avait pas encore
d'Esprit, parce que Jésus n'avait pas encore été glorifié [3].

I Jean, II, 20.

Vous possédez l'onction [4] qui vient de celui qui est le
Saint.

Foi et nouvelle naissance

Jean, I, 12-13.

A ceux qui le reçurent, il donna le pouvoir de devenir
enfants de Dieu, à ceux qui croient en son nom, qui ne
sont nés ni du sang, ni du vouloir de la chair, ni du vouloir
de l'homme, mais de Dieu.

I Jean, V, 1.

Quiconque croit que Jésus est le Christ est né de Dieu.

---

1. En lui se manifestent les effets de l'Esprit dont la présence
reste invisible.
2. *De son sein*, à lui, le Christ : voir *supra*, p. 174, note 1.
3. Il n'y avait pas encore place à cette effusion abondante de l'Esprit,
qui devait commencer à la Pentecôte, après que Jésus par sa résurrection et son ascension fut élevé en gloire.
4. L'onction *(chrisma)* désigne le don du Saint-Esprit dans le
baptême, don fait par le Saint (le Père ou le Christ).

Insertion dans le Christ-Vigne

Jean, XV, 1-8.

Je suis la vigne véritable et mon Père est le vigneron. Tout sarment en moi qui ne porte pas de fruit, il l'enlève, et tout sarment qui produit, du fruit il l'émonde afin qu'il porte plus de fruit. Déjà vous êtes purifiés par l'enseignement que je vous ai donné ; demeurez en moi et moi en vous. De même que le sarment ne peut de lui-même produire du fruit s'il ne demeure attaché au cep, vous non plus, si vous ne demeurez en moi. Je suis la vigne, vous les sarments. Celui qui demeure en moi et moi en lui, celui-là porte beaucoup de fruit, car sans moi vous ne pouvez rien faire. Si quelqu'un ne demeure pas en moi, il sera jeté dehors comme le sarment et il se desséchera ; et on les ramasse et on les jette au feu et ils brûlent. Si vous demeurez en moi et que mes paroles demeurent en vous, demandez ce que vous voudrez et cela vous adviendra. Ce qui glorifiera mon Père, c'est que vous portiez beaucoup de fruit et ainsi vous deviendrez mes disciples[1].

CHAPITRE III

LA CONDITION CHRÉTIENNE SUR TERRE

Observation des commandements et union à Dieu

Jean, XIV, 21, 23 ; XV, 9-11.

Celui qui, ayant mes commandements, les observe, c'est celui-là qui m'aime ; or, celui qui m'aime sera aimé de mon Père, et moi aussi je l'aimerai et je me manifesterai à lui...

Celui qui m'aime observera ma parole et mon Père l'aimera et nous viendrons à lui et nous ferons chez lui notre demeure...

---

1 Avec la leçon suivie par la Vulgate : « et qu'ainsi vous deveniez mes disciples ».

Comme mon Père m'a aimé, moi aussi je vous ai aimés : demeurez dans mon amour. Si vous observez mes commandements, vous demeurerez dans mon amour, de même que moi j'ai observé les commandements de mon Père et je demeure dans son amour. Je vous ai dit cela afin que ma propre joie soit en vous et que votre joie soit entière.

I *Jean*, II, 3-6.

A ce signe nous savons que nous le connaissons, si nous gardons ses commandements. Celui qui dit : « Je le connais » et ne garde pas ses commandements, est un menteur et la vérité n'est pas en lui. Mais celui qui garde sa parole, l'amour de Dieu est véritablement parfait en lui. A ceci nous connaissons que nous sommes en lui : celui qui dit demeurer en lui, doit vivre comme Celui-là (le Christ) a vécu.

I *Jean*, V, 3-5.

En ceci consiste l'amour de Dieu, que nous gardions ses commandements. Et ses commandements ne sont pas pesants. Car tout ce qui est né de Dieu est vainqueur du monde, et la victoire qui a vaincu le monde, c'est notre foi. Qui est vainqueur du monde, sinon celui qui croit que Jésus est le Fils de Dieu ?

III *Jean*, 11.

Bien-aimé, n'imite pas le mal, mais le bien. Qui fait le bien est de Dieu ; qui fait le mal n'a pas vu Dieu.

Charité fraternelle, pierre de touche de l'amour de Dieu

Jean, XIII, 33-35.

Mes chers enfants, je ne suis plus avec vous que pour peu de temps. Vous me chercherez et comme j'ai dit aux Juifs : « Où je vais, vous ne pouvez venir », je vous le dis aussi maintenant.

Je vous donne un commandement nouveau, c'est de

vous aimer les uns les autres. Comme je vous ai aimés, vous aussi aimez-vous les uns les autres. C'est à cela que tous reconnaîtront que vous êtes mes disciples, si vous avez de l'amour les uns pour les autres.

Jean, XV, 12-17.

Voici quel est mon commandement : aimez-vous les uns les autres comme je vous ai aimés. Personne ne peut montrer plus grand amour que de donner sa vie pour ses amis. Vous êtes mes amis si vous faites ce que je vous commande. Je ne vous appelle plus serviteurs, parce que le serviteur ne sait pas ce que fait son maître ; mais je vous ai appelés amis, parce tout ce que j'ai entendu de mon Père, je vous l'ai fait connaître. Ce n'est pas vous qui m'avez choisi, mais c'est moi qui vous ai choisis et vous ai établis pour que vous alliez, et que vous portiez du fruit et que votre fruit demeure, en sorte que ce que vous demanderez à mon Père en mon nom, il vous le donnera. Voici ce que je vous commande : aimez-vous les uns les autres.

I Jean, II, 7-11.

Mes bien-aimés, ce n'est pas un commandement nouveau que je vous écris : c'est un commandement ancien que vous avez reçu dès le commencement[1]. Ce commandement ancien, c'est la parole que vous avez entendue. Et néanmoins c'est un commandement nouveau que je vous écris, — nouveau véritablement en lui et en vous[2], — car les ténèbres vont disparaissant et la vraie lumière luit déjà. Celui qui dit être dans la lumière et qui hait son frère, est encore dans les ténèbres. Celui qui aime son frère demeure dans la lumière et il n'y a pas pour lui de pierre d'achoppement. Mais celui qui hait son frère est dans les

---

1. Dès le commencement de leur vie chrétienne.
2. Nouveau par rapport au Christ (en lui), qui l'a promulgué comme tel (*Jn.*, XIII, 34) ; nouveau par rapport à ses disciples, « parce qu'il était inconnu des fidèles venant du paganisme et que, bien qu'il figurât dans la Loi mosaïque, Jésus-Christ lui a donné une portée et une extension nouvelles. Il apparaît ainsi comme la lumière brillant dans les ténèbres » (VENARD, *op. cit.*, p. 161).

ténèbres, et il marche dans les ténèbres et il ne sait pas où il va, parce que les ténèbres ont aveuglé ses yeux.

I Jean, III, 10-18, 23-24a.

Voici en quoi se manifestent les enfants de Dieu et les enfants du diable : quiconque ne pratique pas la justice [1] n'est pas né de Dieu, non plus que celui qui n'aime pas son frère. Car tel est le message que vous avez entendu dès le commencement : aimons-nous les uns les autres. Ne faisons pas comme Caïn qui était du Malin et a égorgé son frère. Et pourquoi l'a-t-il égorgé ? Parce que ses œuvres étaient mauvaises, tandis que celles de son frère étaient justes. Ne vous étonnez pas, frères, si le monde vous hait. Quant à nous, nous savons que nous avons passé de la mort à la vie parce que nous aimons nos frères. Celui qui n'aime pas demeure dans la mort. Quiconque hait son frère est homicide et vous savez qu'aucun homicide n'a, demeurant en lui, la vie éternelle. A ceci nous avons connu l'amour : le Christ a donné sa vie pour nous. Nous aussi nous devons donner notre vie pour nos frères. Si quelqu'un possède les biens de ce monde et que, voyant son frère dans le besoin, il lui ferme son cœur, comment l'amour de Dieu demeurerait-il en lui ? Mes enfants, n'aimons pas en paroles et de bouche, mais en œuvre et en vérité...

Or, voici le commandement de Dieu : que nous croyions au nom de son Fils Jésus-Christ, et que nous nous aimions les uns les autres, comme il nous l'a ordonné. Celui qui garde ses commandements, demeure en Dieu et Dieu en lui.

I Jean, IV, 7-12.

Mes bien-aimés, aimons-nous les uns les autres, car l'amour est de Dieu et quiconque aime est né de Dieu et connaît Dieu. Qui n'aime pas, n'a pas connu Dieu, car Dieu est amour. En ceci s'est manifesté l'amour de Dieu à notre égard, que Dieu a envoyé son Fils unique dans le monde, afin que par lui nous vivions. En ceci consiste l'amour : ce n'est pas nous qui avons aimé Dieu, mais c'est lui qui

---

1. Justice au sens de sainteté, conformité à l'idéal chrétien.

nous a aimés et qui a envoyé son Fils comme victime d'expiation pour nos péchés. Mes bien-aimés, si Dieu nous a tant aimés, nous devons nous aussi nous aimer les uns les autres. Personne n'a jamais vu Dieu. Si nous nous aimons les uns les autres, Dieu demeure en nous et son amour est parfait en nous.

I Jean, IV, 20-21.

Si quelqu'un dit : « J'aime Dieu » et qu'il haïsse son frère, c'est un menteur. Car celui qui n'aime pas son frère qu'il voit, ne peut pas aimer Dieu qu'il ne voit pas. Et voici le commandement que nous avons reçu de lui : que celui qui aime Dieu, aime aussi son frère.

Le Christ, notre modèle

Jean, XIII, 1-17.

Avant la fête de la Pâque, Jésus, sachant que l'heure était venue pour lui de passer de ce monde à son Père, après avoir aimé les siens qui étaient en ce monde, les aima jusqu'au bout[1]. Au cours du souper, alors que le diable avait déjà mis dans le cœur de Judas Iscariote, fils de Simon, le dessein de le livrer, Jésus sachant que le Père lui avait tout remis entre les mains, et qu'il était venu de Dieu et qu'il retournait à Dieu, se leva de table, déposa ses vêtements et, prenant un linge, il s'en ceignit. Puis il versa de l'eau dans un bassin et se mit à laver les pieds de ses disciples et à les essuyer avec le linge dont il était ceint. Il vient donc à Simon-Pierre, qui lui dit : « Seigneur, c'est toi qui me laves les pieds ! » Jésus répondit et lui dit : « Ce que je fais, tu ne le comprends pas maintenant ; tu le comprendras après ceci ». Pierre lui dit : « Non, jamais tu ne me laveras les pieds ! » Jésus lui répondit : « Si je ne te lave pas, tu n'auras pas de part avec moi ». Simon-Pierre lui dit : « Seigneur, alors pas seulement les pieds, mais encore les mains et la tête ! » Jésus lui dit : « Celui qui a pris un bain n'a pas besoin de se laver, mais il est pur tout entier. Vous aussi

---

1. Le grec εἰς τέλος contient les deux sens : jusqu'au terme de sa vie et jusqu'au comble de l'amour.

vous êtes purs, mais non pas tous ». Car il savait qui allait le livrer ; c'est pourquoi il dit : Vous n'êtes pas tous purs.

Quand donc il leur eut lavé les pieds, qu'il eut repris ses vêtements et se fut remis à table, il leur dit : « Comprenez-vous ce que je vous ai fait ? Vous m'appelez Maître et Seigneur, et vous dites bien, car je le suis. Si donc je vous ai lavé les pieds, moi le Seigneur et le Maître, vous aussi vous devez vous laver les pieds les uns aux autres. Je vous ai donné un exemple, pour que vous fassiez comme je vous ai fait. En vérité, en vérité je vous le dis, il n'est pas de serviteur plus grand que son maître, ni d'envoyé supérieur à celui qui l'envoie. Vous rendant compte de cela, bienheureux serez-vous si vous le mettez en pratique ».

Présence et action du Saint-Esprit

Jean, VII, 37-39 (voir *supra*, p. 283).

Jean, XIV, 15-17.

Si vous m'aimez, vous garderez mes commandements, et moi, je prierai le Père, et il vous donnera un autre Paraclet[1] qui soit avec vous pour toujours, l'Esprit de vérité, que le monde ne peut recevoir, parce qu'il ne le voit pas et ne le connaît pas, mais vous, vous le connaissez, parce qu'il demeure chez vous et qu'il est en vous.

Jean, XIV, 25-26.

Je vous ai dit ces choses, tandis que je demeure parmi vous ; mais le Paraclet, l'Esprit-Saint que le Père enverra en mon nom, lui, il vous enseignera tout et vous fera ressouvenir de tout ce que je vous ai dit.

Jean, XV, 26.

Lorsque sera venu le Paraclet que je vous enverrai d'auprès du Père, l'Esprit de vérité qui procède du Père, c'est lui qui rendra témoignage à mon sujet.

---

1. Mot grec qui signifie l'Intercesseur, le Défenseur, plutôt que le Consolateur.

Jean, XVI, 5-15.

Et maintenant je m'en vais vers celui qui m'a envoyé, et aucun de vous ne me demande : « Où vas-tu ? » Mais parce que je vous ai dit cela, la tristesse a rempli vos cœurs. Cependant c'est la vérité que je vous dis : il vous est avantageux que je m'en aille. Car si je ne m'en allais pas, le Paraclet ne viendrait pas à vous ; au contraire, si je m'en vais, je vous l'enverrai. Quand il viendra, il prouvera au monde la réalité du péché, de la justice et du jugement : du péché, parce qu'ils ne croient pas en moi ; de la justice, parce que je m'en vais au Père et que vous ne me verrez plus ; du jugement, parce que le Prince de ce monde est condamné[1].

J'aurais encore bien des choses à vous dire, mais vous n'êtes pas capables de les porter maintenant. Mais quand il sera venu, lui, l'Esprit de vérité, il vous mènera à la vérité tout entière, car il ne parlera pas de son chef, mais il redira tout ce qu'il aura entendu et vous annoncera l'avenir. Lui me glorifiera, parce qu'il recevra de ce qui est à moi pour vous l'annoncer. Tout ce qu'a le Père est à moi ; voilà pourquoi je viens de vous dire qu'il recevra de ce qui est à moi pour vous l'annoncer.

I Jean, II, 20, 27.

Pour vous, vous possédez l'onction qui vient de celui qui est le Saint, et tous vous avez la science...

Quant à vous, l'onction que vous avez reçue de lui (le Christ), demeure en vous et vous n'avez pas besoin que quelqu'un vous instruise ; mais selon que son onction vous instruit en toutes choses, — et elle est véridique et elle n'est pas mensongère, — et selon qu'elle vous a instruits, vous demeurez en lui.

---

1. « L'Esprit mettra d'abord en évidence le péché du monde, qui consiste à refuser de croire en Jésus (cf. xv, 22) ; ensuite, il manifestera la justice de Dieu en montrant que Jésus n'a pas été abandonné du Père, mais qu'il est entré dans la gloire céleste ; enfin il établira que la mort du Christ est en réalité le jugement, la condamnation de Satan (XII, 31) » *(La Bible du Centenaire, in loc.).*

I Jean, III, 24-IV, 3 ; IV, 13.

Celui qui garde ses commandements demeure en Dieu et Dieu en lui. Et à ceci nous connaissons qu'il demeure en nous, à l'Esprit qu'il nous a donné.

Mes bien-aimés, ne croyez pas à tout esprit, mais éprouvez les esprits pour voir s'ils sont de Dieu, car beaucoup de faux prophètes se sont présentés dans le monde. A ceci vous connaissez l'Esprit de Dieu : tout esprit qui professe Jésus-Christ venu en chair est de Dieu, et tout esprit qui ne confesse pas ce Jésus n'est pas de Dieu ; mais cet esprit est celui de l'Antéchrist, dont vous avez entendu dire qu'il vient, et même il est déjà maintenant dans le monde...

En ceci nous connaissons que nous demeurons en lui (Dieu) et lui en nous, qu'il nous a donné de son Esprit.

I Jean, V, 5-8.

Qui est celui qui est vainqueur du monde, sinon celui qui croit que Jésus est le Fils de Dieu ? C'est lui qui est venu par l'eau et par le sang, Jésus-Christ ; et non dans l'eau seulement mais dans l'eau et le sang ; et c'est l'Esprit qui rend témoignage, parce que l'Esprit est la vérité. Car ils sont trois à rendre témoignage, l'Esprit, l'eau et le sang, et ces trois sont d'accord [1].

La prière des disciples du Christ

Jean, XIV, 12-14 ; XV, 7, 16 ; XVI, 23-27.

En vérité, en vérité je vous le dis, celui qui croit en moi, fera lui aussi les œuvres que je fais et il en fera de plus grandes, car je m'en vais vers le Père ; et tout ce que vous demanderez en mon nom, je le ferai, afin que le Père

---

1. L'eau (allusion au baptême de Jésus dans le Jourdain), le sang du sacrifice de la Croix, les témoignages rendus par l'Esprit-Saint à Jésus pendant sa vie terrestre (*Jn.*, I, 33) et dans son Église (*Jn.*, XV, 26 ; XVI, 8-11) attestent une même vérité : la filiation divine de Jésus. L'Esprit, étant le témoin par excellence, c'est lui qui met en lumière et rend efficaces les témoignages de l'eau et du sang : cf. BONSIRVEN, *op. cit*, p. 259-260.

*

soit glorifié dans le Fils. Si vous me demandez quelque
chose en mon nom, je le ferai...

Si vous demeurez en moi et que mes paroles demeurent
en vous, demandez ce que vous voudrez et cela vous adviendra...

Ce n'est pas vous qui m'avez choisi, mais c'est moi
qui vous ai choisis et je vous ai établis pour que vous alliez
et que vous portiez du fruit et que votre fruit demeure,
en sorte que ce que vous demanderez à mon Père en mon
nom, il vous le donnera...

En vérité, en vérité je vous le dis, ce que vous demanderez au Père, il vous le donnera en mon nom. Jusqu'à
présent vous n'avez rien demandé en mon nom ; demandez
et vous recevrez, afin que votre joie soit entière... L'heure
vient où je ne vous parlerai plus en paraboles, mais où je
vous entretiendrai ouvertement du Père. En ce jour-là,
vous prierez en mon nom et je ne dis pas que je solliciterai
pour vous le Père, car le Père lui-même vous aime, parce
que vous m'avez aimé et que vous avez cru que je suis venu
d'auprès de Dieu.

I Jean, III, 21-23.

Mes bien-aimés, si notre cœur ne nous fait pas de reproches, nous pouvons nous adresser à Dieu avec assurance,
et, quoi que nous demandions, nous l'obtenons de lui,
parce que nous gardons ses commandements et que nous
faisons ce qui est agréable à ses yeux. Or, voici son commandement : que nous croyions au nom de son Fils Jésus-Christ
et que nous nous aimions les uns les autres, comme il
nous l'a ordonné.

I Jean, V, 14-16.

Voici l'assurance que nous avons auprès de Dieu : c'est
que si nous demandons quelque chose selon sa volonté,
il nous écoute. Et si nous savons qu'il nous écoute, quoi
que nous lui demandions, nous savons que nous tenons
les choses que nous lui avons demandées.

Si quelqu'un voit son frère commettre un péché qui

n'est pas pour la mort[1], qu'il prie et [Dieu][2] lui donnera la vie, c'est-à-dire à ceux qui ne commettent pas le péché pour la mort. Il y a un péché pour la mort ; ce n'est pas au sujet de celui-là que je vous dis de prier.

La prière de Jésus après la Cène pour l'unité de son Église

Jean, XVII, 1-26.

Ainsi parla Jésus, et levant les yeux au ciel, il dit : « Père, l'heure est venue : glorifie ton Fils, afin que ton Fils te glorifie, selon le pouvoir que tu lui as conféré sur toute créature humaine, de donner la vie éternelle à tous ceux que tu lui as donnés. Or la vie éternelle, c'est de te connaître, toi, le seul vrai Dieu, et celui que tu as envoyé, Jésus-Christ. Je t'ai glorifié sur la terre, ayant achevé l'œuvre que tu m'avais donnée à faire ; et maintenant, Père, glorifie-moi auprès de toi en me donnant la gloire que j'avais auprès de toi avant que le monde fût.

» J'ai fait connaître ton nom aux hommes que tu m'as donnés en les tirant du monde. Ils étaient à toi et tu me les as donnés et ils ont gardé ta parole. Maintenant ils savent que tout ce que tu m'as donné vient de toi ; car les paroles que tu m'as données, je les leur ai données, et ils les ont reçues, et ils ont reconnu véritablement que je suis venu d'auprès de toi et ils ont cru que tu m'as envoyé. C'est pour eux que je prie ; ce n'est pas pour le monde que je prie, mais pour ceux que tu m'as donnés, car ils sont à toi ; et tout ce qui est à moi est à toi et tout ce qui est à toi est à moi, et ils sont ma gloire. Désormais je ne suis plus dans le monde, mais eux sont dans le monde, alors que je retourne vers toi. Père saint, garde en ton nom ceux que tu m'as donnés, pour qu'ils soient un comme nous. Quand j'étais avec eux, je gardais en ton nom ceux que tu m'as donnés ; je les ai préservés et aucun d'eux ne s'est perdu, sinon le fils de la perdition, afin que l'Écriture fût accomplie.

---

1. Voir *supra*, p. 209-210.
2. Les interprètes hésitent sur le sujet qui n'est pas clairement exprimé. Pour les uns, c'est Dieu ; pour d'autres, celui qui prie.

» Maintenant je m'en vais à toi et je parle ainsi étant encore dans le monde, pour qu'ils aient en eux-mêmes ma joie en plénitude. Je leur ai donné ta parole et le monde les a pris en haine, parce qu'ils ne sont pas du monde, comme moi je ne suis pas du monde. Je ne prie pas pour que tu les enlèves du monde, mais pour que tu les gardes du mal. Ils ne sont pas du monde comme moi je ne suis pas du monde. Sanctifie-les dans la vérité : ta parole est vérité. Comme tu m'as envoyé dans le monde, moi aussi je les ai envoyés dans le monde ; et je me consacre moi-même pour eux, afin qu'ils soient eux aussi sanctifiés en vérité.

» Ce n'est pas seulement pour eux que je prie, mais aussi pour ceux qui croiront en moi moyennant leur parole, afin que tous soient un ; comme toi, Père, tu es en moi et moi en toi, (fais) qu'eux aussi soient en nous[1], de façon que le monde croie que tu m'as envoyé. Pour moi, je leur ai donné la gloire que tu m'as donnée, afin qu'ils soient un comme nous sommes un, moi en eux et toi en moi, afin qu'ils soient consommés dans l'unité, en sorte que le monde sache bien que c'est toi qui m'as envoyé et que tu les as aimés comme tu m'as aimé.

» Père, ceux que tu m'as donnés, je désire que là où je serai, ils soient aussi avec moi, pour qu'ils contemplent ma gloire, que tu m'as donnée avant la création du monde. Père juste, si le monde ne t'a pas connu, moi je t'ai connu et ceux-ci ont aussi connu que c'est toi qui m'as envoyé ; et je leur ai fait connaître ton nom et leur ferai connaître encore, afin que l'amour dont tu m'as aimé soit en eux et moi en eux ».

L'Eucharistie

Jean, VI, 51-59.

« C'est moi qui suis le Pain vivant descendu du ciel ; si quelqu'un mange de ce pain, il vivra à jamais, et le pain que je donnerai est ma chair livrée pour la vie du monde ».

---

1. Autre leçon : « qu'ils soient un en nous » (ainsi la Vulgate).

Les Juifs alors disputaient entre eux, disant : « Comment peut-il nous donner sa chair à manger ? » — Jésus alors leur dit : « En vérité, en vérité je vous le dis, si vous ne mangez la chair du Fils de l'homme et si vous ne buvez son sang, vous n'aurez pas la vie en vous. Celui qui mange ma chair et boit mon sang, a la vie éternelle, et je le ressusciterai au dernier jour ; car ma chair est une vraie nourriture et mon sang est un vrai breuvage. Celui qui mange ma chair et boit mon sang, demeure en moi et moi en lui. Comme mon Père vivant m'a envoyé et que je vis par le Père, ainsi celui qui me mange vivra par moi. Tel est le pain descendu du ciel, non comme celui qu'ont mangé nos ancêtres, lesquels sont morts : celui qui mange de ce pain vivra à jamais ». Il dit ces choses, dans une instruction de synagogue, à Capharnaüm.

Pénitence et rémission des péchés

Jean, XX, 19-23.

Alors qu'il était tard, ce même jour (de la Résurrection) qui était le premier de la semaine, les portes du lieu où se trouvaient les disciples étant fermées par crainte des Juifs, Jésus vint, se tint au milieu d'eux et leur dit : « Paix à vous ! » Sur ces mots, il leur montra ses mains et son côté. Les disciples se réjouirent donc en voyant le Seigneur. Il leur dit alors de nouveau : « Paix à vous ! Comme le Père m'a envoyé, moi aussi je vous envoie ». Cela dit, il souffla sur eux et leur dit : « Recevez l'Esprit-Saint : ceux à qui vous remettrez leurs péchés, ils leur seront remis, et ceux à qui vous les retiendrez, ils leur seront retenus ».

I Jean, I, 7-II, 2.

Si nous marchons dans la lumière, comme (Dieu) lui-même est dans la lumière, nous sommes en communion les uns avec les autres, et le sang de Jésus son Fils nous purifie de tout péché.

Si nous disons que nous n'avons pas de péché, nous nous trompons nous-mêmes et la vérité n'est pas en nous. Si nous confessons nos péchés, lui qui est juste et fidèle, il

nous remettra nos péchés et nous purifiera de toute iniquité.
Si nous disons que nous n'avons pas de péché, nous faisons
de lui un menteur et sa parole n'est pas en nous. Mes chers
enfants, je vous écris ceci afin que vous ne péchiez pas ;
mais si quelqu'un vient à pécher, nous avons un avocat
auprès du Père, Jésus-Christ, le Juste ; et il est lui-même
expiation pour nos péchés, non seulement pour les nôtres,
mais pour ceux du monde entier.

Le monde hostile

Jean, XV, 18-20.

Si le monde vous hait, sachez qu'il m'a haï avant vous.
Si vous étiez du monde, le monde aimerait ce qui serait sien ;
mais parce que vous n'êtes pas du monde et que par mon
choix je vous ai tirés du monde, à cause de cela le monde
vous hait. Rappelez-vous ce que je vous ai dit : il n'est pas
de serviteur plus grand que son maître.

Jean, XVI, 19-22, 33.

Vous vous enquérez entre vous sur ce que j'ai dit :
Encore un peu et vous ne me verrez plus, puis encore un
peu et vous me reverrez. En vérité, en vérité je vous le dis,
vous pleurerez et vous vous lamenterez, tandis que le monde
se réjouira ; vous serez dans la tristesse, mais votre tristesse
se changera en joie. La femme, quand elle enfante, a de la
tristesse, parce que son heure est venue ; mais quand elle
a donné le jour à l'enfant, elle ne souvient plus de sa douleur
dans sa joie de ce qu'un homme est venu au monde.
Vous aussi maintenant vous avez de la tristesse, mais je
vous reverrai, et votre cœur se réjouira, et votre joie, personne ne vous l'enlèvera...
Je vous ai dit ces choses pour que vous ayez la paix en
moi ; dans le monde vous aurez à souffrir, mais ayez confiance, j'ai vaincu le monde.

I Jean, II, 15-17.

N'aimez pas le monde ni ce qui est dans le monde. Si
quelqu'un aime le monde, l'amour du Père n'est pas en lui ;

car tout ce qui est dans le monde, la convoitise de la chair, la convoitise des yeux et l'ostentation de la richesse, n'est pas du Père, mais est du monde. Or, le monde passe et sa convoitise ; mais celui qui fait la volonté de Dieu demeure éternellement.

I Jean, III, 1 ; 11-13.

Voyez quel grand amour le Père nous a témoigné, que nous soyons appelés enfants de Dieu ; et nous le sommes. Voilà pourquoi le monde ne nous connaît pas, c'est qu'il ne l'a pas connu...

Aimons-nous les uns les autres. N'agissons pas comme Caïn qui était du Malin et a égorgé son frère. Et pourquoi l'a-t-il égorgé ? Parce que ses œuvres étaient mauvaises, tandis que celles de son frère étaient justes. Ne vous étonnez pas, frères, si le monde vous hait.

I Jean, IV, 1, 4-6 ; V, 19.

Il y a beaucoup de faux prophètes qui se sont introduits dans le monde... Pour vous, mes chers enfants, vous êtes de Dieu et vous les avez vaincus, car celui qui est en vous est plus grand que celui qui est dans le monde[1]. Eux, ils sont du monde : c'est pourquoi leur langage s'inspire du monde et le monde les écoute. Quant à nous, nous sommes de Dieu : qui connaît Dieu nous écoute, qui n'est pas de Dieu ne nous écoute pas. A ceci, nous distinguons l'esprit de vérité de l'esprit d'erreur...

Nous savons que nous sommes de Dieu et que le monde entier gît dans le Malin[2].

Crainte et amour de Dieu

I Jean, IV, 17-18.

Voici en quoi l'amour atteint en nous sa perfection : que nous ayons assurance pour le jour du jugement, car

---

1. C'est-à-dire Satan, le Prince de ce monde (*Jn.*, XII, 31 ; XIV, 30), dont les faux prophètes sont les instruments.

2. Le monde, non pas l'univers créé en tant que tel, mais l'humanité pécheresse, le monde pervers de *I Jean*, II, 15-17, « soumis à l'influence du diable et constituant son domaine » (BONSIRVEN).

tel est Celui-là (le Christ au ciel), tels aussi nous sommes en ce monde [1]. Il n'y a pas de crainte dans l'amour, mais l'amour parfait chasse la crainte, car la crainte a le châtiment pour objet, et celui qui craint, n'a pas atteint l'amour parfait.

CHAPITRE IV

LA JÉRUSALEM CÉLESTE

Apoc., XXI, 1-XXII, 5.

Et je vis un ciel nouveau et une terre nouvelle, car le premier ciel et la première terre s'en étaient allés et la mer n'existait plus. Et je vis, descendant du ciel, d'auprès de Dieu, la ville sainte, la Jérusalem nouvelle, parée comme une fiancée qui a fait toilette pour son époux. Et j'entendis une voix puissante sortant du trône, qui disait : « Voici la tente de Dieu parmi les hommes et il habitera avec eux. Ils seront son peuple et lui sera Dieu — avec — eux. Il essuiera toute larme de leurs yeux, et la mort ne sera plus ; ni deuil ni cri ni peine ne seront plus, car les choses d'avant auront disparu.

Et celui qui était assis sur le trône dit : « Voici que je fais tout à neuf ». Et il dit : « Écris ! car ces paroles-ci sont fidèles et vraies ». Et il me dit : « Elles sont accomplies. Moi je suis l'Alpha et l'Oméga, le Principe et la Fin. A celui qui a soif je donnerai à boire de la source de l'eau de la vie, gratuitement. Le vainqueur aura ces choses en partage ; je serai pour lui Dieu et lui me sera un fils. Mais pour les lâches, les infidèles, les abominables, les meurtriers, les impudiques, les magiciens, les idolâtres et tous les menteurs, leur part est dans l'étang embrasé de feu et de soufre : ce qui est la seconde mort ».

Vint alors un des sept anges qui tenaient les sept coupes remplies des sept dernières plaies, et il me parla, disant :

---

1. Par la charité nous sommes semblables au Christ. Nous n'avons donc rien à craindre de lui, à qui le Père a donné le jugement (*Jn.*, V, 12).

« Viens ici, je vais te montrer la Fiancée, l'Épouse de l'Agneau ». Et il m'emmena en esprit sur une montagne grande et haute, et il me montra la ville sainte Jérusalem qui descendait du ciel d'auprès de Dieu. Elle rayonnait de la gloire de Dieu. Son éclat était pareil à celui d'une pierre très précieuse, comme serait une pierre de jaspe cristallin. Elle avait une muraille grande et haute. Elle avait douze portes et sur les portes douze anges et des noms inscrits, qui sont ceux des douze tribus des fils d'Israël. A l'orient trois portes, au nord trois portes, au midi trois portes et à l'occident trois portes. La muraille de la ville avait douze pierres de base et sur elles douze noms, ceux des douze apôtres de l'Agneau.

Et celui qui parlait avec moi avait une mesure, un roseau d'or, pour mesurer la ville, ses portes et sa muraille. La ville forme un carré ; sa longueur est égale à sa largeur. Il mesura la ville avec le roseau : elle a douze mille stades ; sa longueur, sa largeur et sa hauteur sont égales. Puis il mesura sa muraille : cent quarante-quatre coudées, en mesure d'homme, qui est aussi mesure d'ange. Les matériaux de sa muraille sont de jaspe et la ville est d'or pur, pareil à un pur cristal. Les assises du mur de la ville sont de pierres précieuses de toute espèce : la première assise est de jaspe ; la deuxième, de saphir ; la troisième, de calcédoine ; la quatrième, d'émeraude ; la cinquième, de sardoine ; la sixième, de cornaline, la septième, de chrysolithe ; la huitième, de béryl ; la neuvième, de topaze ; la dixième, de chrysoprase ; la onzième, d'hyacinthe ; la douzième, d'améthyste.

Les douze portes étaient douze perles ; chacune des portes était d'une seule perle. La place de la ville était d'or pur comme du verre translucide.

Je n'y vis pas de temple ; car c'est le Seigneur, le Dieu Tout-Puissant, qui en est le temple, ainsi que l'Agneau. La ville n'a besoin ni du soleil ni de la lune pour briller sur elle ; car la gloire de Dieu l'illumine et l'Agneau est son flambeau. Les nations marcheront à sa lumière et les rois de la terre y apporteront leur gloire. Ses portes ne seront jamais fermées, car il n'y aura pas de nuit en elle. On y apportera ce qui fait l'éclat et la magnificence des nations. Il n'entrera en elle rien d'impur, aucun artisan d'abomination et de mensonge, mais ceux-là seulement qui sont inscrits au livre de vie de l'Agneau.

Puis l'ange me montra un fleuve d'eau de la vie, brillant comme du cristal, qui sortait du trône de Dieu et de l'Agneau. Au milieu de la place de la ville et entre les deux bras du fleuve, était l'arbre de vie donnant des fruits douze fois par an, une fois chaque mois[1]; et les feuilles de l'arbre servent à la guérison des nations.

Il n'y aura plus d'anathème. Le trône de Dieu et de l'Agneau sera dans la ville et ses serviteurs l'adoreront : ils verront sa face et son nom sera sur leur front. Il n'y aura plus de nuit; ils n'auront plus besoin de lumière de lampe ni de lumière de soleil, car le Seigneur Dieu luira sur eux; et ils régneront dans les siècles des siècles.

---

1. Dans ce passage difficile et controversé nous avons suivi la traduction de *la Bible du Centenaire*. D'autres comprennent : « sur les deux rives du fleuve était un bois, un bosquet d'arbres de vie ». Ce sens collectif pour « arbre de vie » nous paraît moins probable.

Imprimé par la SOCIÉTÉ St-AUGUSTIN, Desclée De Brouwer et Cie, Bruges (Belgique). — 17988/16.

COLLECTION LES GRANDS MYSTIQUES.

Prochain volume à paraître :

SAINT BERNARD

par Dom J. LECLERCQ, moine de Clervaux.

Suivant le programme de la Collection, cet ouvrage contiendra :

I. une *biographie du Saint,* avec insistance sur la vie intérieure et notamment la place qu'y tient la doctrine exposée dans ses écrits.

II. un *choix des textes* essentiels qui constituent comme le message providentiel du Docteur.

Divisions générales

Livre I — L'HOMME ET LE SAINT

Ie Partie : **Les préparations.** *Chapitre* I : Les prévenances divines. — II. La conversion. — III. La ferveur du novice. — IV. Éducation d'Abbé. — V. Rencontre de théologiens.

IIe Partie : **Les premiers fruits.** *Chapitre* VI. « Si le graine meurt ». — VII. Les victoires de l'obéissance. — VIII. Moine de tous les Ordres. — IX. Miséricorde et vérité. — X. Dieu en l'homme. — XI. La liberté. — XII. L'histoire du Verbe.

IIIe Partie : **Colonne de l'Église.** *Chapitre* XIII. Les triomphes. — XIV. Prédication contemplative. — XV. Serviteur de l'Épouse. — XVI. Défenseur de la foi. — XVII. Les visites de l'Époux.

IVe Partie : **La consommation.** *Chapitre* XVIII. Bernard Pape. — XIX. L'Épreuve de l'insuccès. — XX. Derniers travaux. — XXI. Les noces.

Conclusions : **L'unité d'esprit.** — I. Corps et âme. — II. La contemplation opérante. — III. La sainteté charismatique.

Livre II — L'ŒUVRE SPIRITUELLE

Textes Choisis

Ie Partie. **Portrait de Saint Bernard.**
Bernard novice — Bernard abbé — Bernard malade — Bernard orateur — Bernard homme d'église.